図解即戦力

オールカラーの豊富な図解と
丁寧な解説でわかりやすい!

土木業界の しくみとビジネスが しっかりわかる 教科書

これ1冊で

浜田佳孝
Yoshitaka Hamada

技術評論社

ご注意：ご購入・ご利用の前に必ずお読みください

■免責

本書に記載された内容は、情報の提供のみを目的としています。したがって、本書を用いた運用は、必ずお客様自身の責任と判断によって行ってください。これらの情報の運用の結果について、技術評論社および著者または監修者は、いかなる責任も負いません。

また、本書に記載された情報は、特に断りのない限り、2023年10月末日現在での情報を元にしています。情報は予告なく変更される場合があります。

以上の注意事項をご承諾いただいた上で、本書をご利用願います。これらの注意事項をお読み頂かずにお問い合わせ頂いても、技術評論社および著者または監修者は対処しかねます。あらかじめご承知おきください。

■商標、登録商標について

本書中に記載されている会社名、団体名、製品名、サービス名などは、それぞれの会社・団体の商標、登録商標、商品名です。なお、本文中に™マーク、®マークは明記しておりません。

はじめに

土木業界と聞くと、どのようなことを思い浮かべるでしょうか。
道路やトンネルを思い浮かべる人もいれば、橋や鉄道を思い浮かべる人もいるかもしれません。工事中の作業員や看板、ガードマンの姿を連想する人もいることでしょう。
浮かぶ場面が人によって異なるくらい土木構造物は至るところにあり、また、土木工事は至るところで行われています。しかし、土木工事については、そのすべてが前もって計画された工事とは限りません。たとえば災害時に壊れた道路を即座に補修し、復旧対応を行うこともあります。
このように私たちの生活の身近にあり、なおかつ生活を守る土木業界ですが、土木工事の様子を見ることがあっても、土木構造物がどのように造られているかまで知れる機会は多くありません。
そこで本書では、土木業界に興味・関心がありながらも、あまり詳しく知らない人に向けてわかりやすさに配慮して解説しました。土木工事の種類や、主な工法、土木技術はもちろんのこと、土木業界で活躍するための能力や、役に立つ資格、有名な会社、課題など、本書を読むことで土木業界の全体がおおむね網羅できる内容になっています。
本書を通して、土木業界がどのように私たちの生活を支えているかを知っていただき、少しでも魅力を感じていただけましたら幸いです。
また、執筆するにあたり数名の技術者の方にご協力いただきましたこと、心より感謝申し上げます。

社会保険労務士・行政書士浜田佳孝事務所
代表　浜田　佳孝

CONTENTS

Chapter 3

土木工事の具体例

Chapter 4

おもな土木工法

Chapter 5

土木の最新技術

Chapter 6

土木業界の主要な企業

Chapter 7
土木業界で働く人

Chapter 8

土木業界で役立つ資格

Chapter 9

土木業界の課題と展望

第 1 章

土木業界とは

私たちの暮らしに欠かせないインフラ整備を担っているのが土木業界です。土木業界と聞くと重機を動かして豪快に工事するイメージがありますが、実は数ミリ単位での緻密な工事が行われています。

Chapter1 01

土木業界の役割

土木業界は人々の生活の基盤「インフラ」を整備する重要な産業

「土木業界」と聞いてもっともイメージしやすいのは、身近な場所で行われている「道路工事」でしょう。そのほかにも土木業界は私たちの生活を支える重要な役割を果たしています。

人々の生活を支える土木業界

私たちの日常に欠かすことのできない「道路」「上下水道」「トンネル」「橋」「線路」といった構造物は、すべて土木技術によって造られています。

たとえば、「道路」がなければ安心して道を歩くことができず、「水道」がなければ安全な水を日常的に飲むことはできません。「下水道」がなければ現代社会ではトイレに行くこともできず、不便な思いをすることになります。

このように、ふだん何気ない日常を安心して送ることができるのは、土木技術によるインフラ整備があってのことなのです。

インフラ
インフラストラクチャー(Infrastructure)の略。経済や生活の基盤を形成する施設やシステムを指す。

今も進むインフラの新設・整備

これだけインフラ整備された世の中であっても、まだ新しいインフラの整備が続いています。たとえば、建設中の新しい道路や橋を見たことがある人は多いのではないでしょうか？

現代社会では、日々新しい課題が生まれ、それによって新しいインフラの整備が必要になることがあります。

イメージしやすいのはリニア中央新幹線でしょう。リニア中央新幹線は、東海道新幹線の路線の経年劣化や大規模災害に備えた、東京〜大阪間を最速67分で結ぶ新しい鉄道路線として、大変注目されています。

2023年4月現在、東京〜名古屋間の工事が行われていますが、地震が発生した際にも、車両の脱線や、トンネルなどの土木構造物に大きな被害が生じないよう設計・施工がなされています。さらに、全区間の約90%がトンネルであることから、ここでも多くの土木技術（3-02参照）が活かされています。

リニア中央新幹線
最高速度500km/時で走ることを可能にするため磁石の力を使い、車両を浮かせて走る新幹線。ちなみに、現在の東海道新幹線の最高速度は285km/時である。

土木技術

さまざまな配管

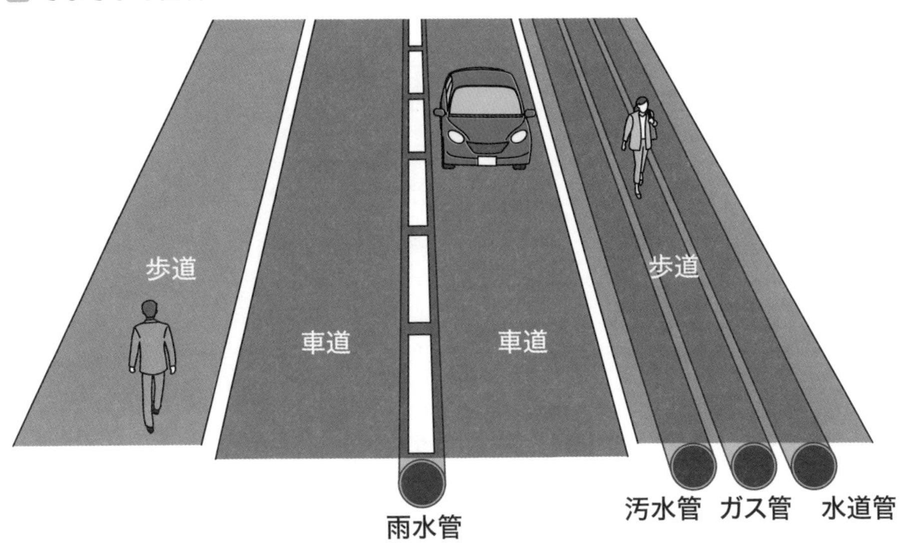

Chapter1
02

土木工事の主な発注者は行政機関

多くのインフラ設備は、人々の生活を支える重要な役割を果たしていることから、公共性の高い機関が所有しています。よって土木工事の仕事を発注するのは国、県、市区町村などの行政機関が主になります。

インフラ設備工事の発注者は行政機関

土木工事の多くは「道路」「上下水道」「橋」「河川」などの公共物を対象としています。インフラ設備の目的は住民の福祉を増進することですから、工事の発注者の多くは、国、県、市区町村などの行政機関になります。

右表の国土交通省の令和3年度「建築工事施工統計調査報告」にもあるとおり、土木工事については**公共工事**が約7割を占めています。公共工事は私たちの税金を使って行われるため、厳格な基準の下で設計・施工がなされています。

そして、多くの場合、公共工事を受注する方法は「入札（2-03参照)」になります。

公共工事
土木工事には大きく分けて、公共工事と民間工事がある。民間工事には鉄道、造成、管工事などが存在する。

公共工事は地域住民への配慮が必要

公共工事の多くは、地域に根差して行われます。道路工事、上下水道工事などの工事では、道路そのものを壊したり、道路の地下に埋まっている上下水道管を掘り起こしたりします。そのため、工事中は道路の交通規制による渋滞や建設機械による騒音・振動が発生し、地域の人々に影響があります。

地域の人からさまざまな要望が出てくることもあるので、発注者である行政機関は、受注者である土木業者に対して「円滑なコミュニケーションをする力」があるかも重要視します。施工技術はもちろんのことですが、土木工事業者として行政機関に選ばれ続けるためにはこのような能力も不可欠です。

そして、さまざまな要望が出ないよう、想定される事態を事前に予測し、あらかじめ綿密な施工計画を練ることが何よりも重要となります。

発注者別、工事種類別ー元請完成工事高

（単位：百万円、%）

		令和２年度			令和３年度		
			構成比	前年度比		構成比	前年度比
総数	総数	75,658,916	100.0	−3.8	76,737,312	100.0	1.4
	土木	20,043,388	26.5	1.3	20,153,910	26.3	0.6
	建築	46,425,854	61.4	−6.3	47,338,486	61.7	2.0
	機械	9,189,674	12.1	−1.6	9,244,917	12.0	0.6
民間	総数	54,388,089	71.9	−5.5	55,076,260	71.8	1.3
	土木	6,862,671	9.1	0.6	6,714,664	8.8	−2.2
	建築	40,353,396	53.3	−6.9	41,164,426	53.6	2.0
	機械	7,172,022	9.5	−2.8	7,197,172	9.4	0.4
公共	総数	21,270,827	28.1	0.9	21,661,052	28.2	1.8
	土木	13,180,717	17.4	1.7	13,439,247	17.5	2.0
	建築	6,072,458	8.0	−1.6	6,174,060	8.0	1.7
	機械	2,017,653	2.7	3.2	2,047,745	2.7	1.5

出典：国土交通省「建設工事施工統計調査報告」（令和３年度 実績）をもとに作成

トラブルを事前に回避する方法

施工計画

施工計画段階で、ガードマンの配置、迂回路の計画、施工時間を考えるなど十分な検討をする。

着工前の連絡

事前に連絡を行うことで、近隣住民に突然工事の影響を与えないようにする。

毎日の挨拶

地域の人々とは積極的に挨拶をすることで、関係性を構築し、信頼されるようにする。

変更時の報告

施工計画が変わった場合は、できる限り地域住民に知らせるようにする。

騒音対策

防音シートの使用や、低騒音型の建設機械を使用することによって騒音をやわらげる。

振動対策

重機の操作を丁寧に扱ったり、車両の走行速度を落としたりすることで振動をやわらげる。

Chapter1
03

土木業界は重層下請構造

土木工事には、工事の規模によって必要な人員が大幅に異なるという特徴があります。このため、多人数の従業員を常時雇用することが難しく、どうしても工事の一部を外注に頼らざるを得ない部分があります。

建設業者が抱える経営上のリスク

公共工事が主である土木工事は、工事の内容が毎回異なります。これは、土木工事の条件は地形や場所によって大きく異なるためであり、まったく同じ工事というのはこの世には存在しません。

たとえば、道路の舗装を少しの面積だけ補修する工事であれば、少人数の作業によって1日で終わります。一方、何もない荒地の状態から新しい道路を300m築造するとなれば、当然、時間も人件費もかかります。

しかし、会社の人数に合った適切な規模の公共工事ばかり、都合よく毎月発生するわけではありません。また、常に仕事があったとしても、ほとんどが少人数で足りる土木工事かもしれません。つまり、「多人数の従業員を雇用するのは経営上のリスクである」と考えることができるのです。

外注することが非常に多い土木業界

上記のような事情により、意図的に必要以上に従業員を雇用しない方針の会社もあります。その場合、自社だけで対応できない規模の工事を受注した際は、一部、取引のある会社へ「下請負」として依頼します。そして、仕事を受けた下請業者がさらに別の会社へ仕事を「再下請負」として依頼することもあります。

また、近年の高齢化社会では、自社で必要とする人数を確保することも容易ではありません。このような人手不足を理由に、下請業者へ依頼する建設業者もあります。

このように、1つの土木工事を完成させるために複数の会社が携わる「重層下請構造」は、土木業界の特徴の1つといえます。

人手不足
土木業界には3K(きつい、汚い、危険)という言葉があり、労働環境が過酷という理由で人手不足が続いています(9-05参照)。しかし、現在は新3K(給与、休暇、希望)によって、労働環境を改善していこうという風潮ができつつあります。

重層下請構造になる主な要因

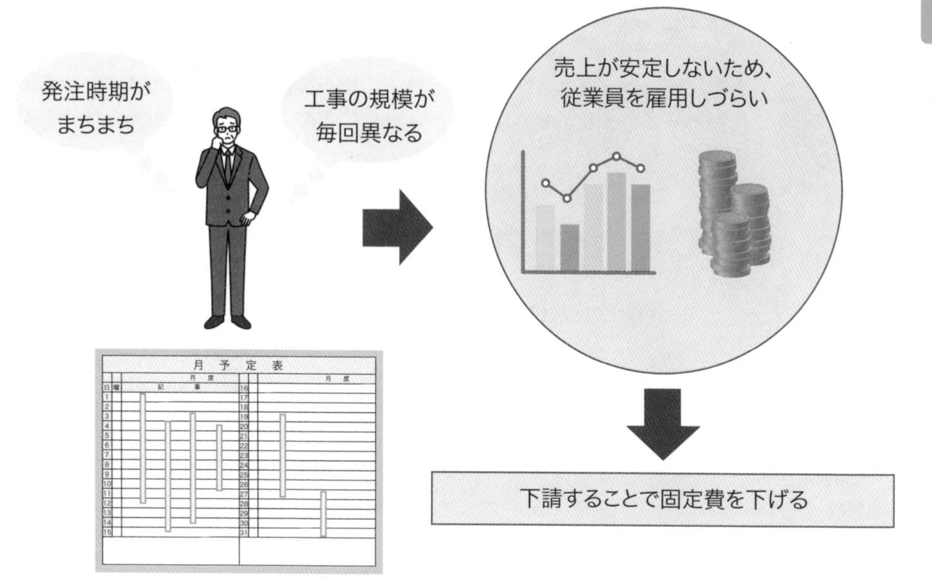

重層下請構造

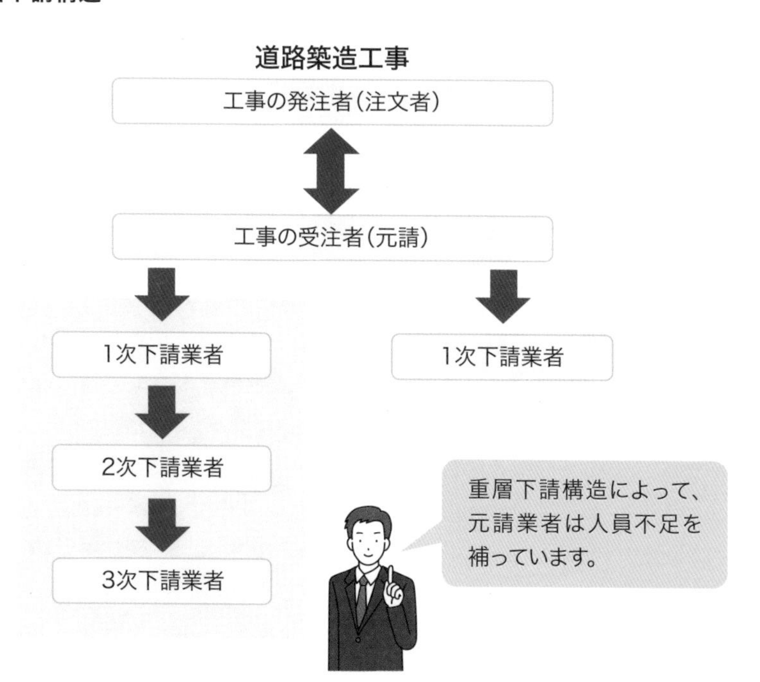

土木業界におけるゼネコンの役割

日本の土木業界を担うゼネコン

土木業界には「ゼネコン」と呼ばれる企業が存在し、大規模な構造物の多くに携わっています。ゼネコンが土木業界にどのような役割をもたらすのか見ていきましょう。

業界の最先端をいくスーパーゼネコン

ゼネコンとは、「General Contractor（ゼネラルコントラクター）」の略称で「総合建設業」のことです。高度で複雑な工事に関しては、ゼネコンの役割が極めて重要になってきます。

たとえば、1-01で触れた「リニア中央新幹線」に関しては、大林組や清水建設といった、いわゆる**スーパーゼネコン**が参加しています。

スーパーゼネコン
清水建設、大林組、大成建設、鹿島建設、竹中工務店の５社を指す。売上規模や従業員数がとくに多く、自社で独自の研究開発をしており、独自の施工方法・技術を保有している。

スーパーゼネコンのような大手のゼネコンでは、施工部門だけではなく、自社で設計部門を設置しています。これにより、顧客の要望に沿った設計・施工を一括で提案できるため、非常に効率的な運営が可能で、施工についてもこれまでの経験を踏まえた高い技術力を持っています。また、研究部門を設置しているため、自社で独自の技術を開発できます。まさに、進化する日本の土木業界の最先端を担っているといえるでしょう。

地方を支えるゼネコン

スーパーゼネコン以外にも、全国には「準大手ゼネコン」や「中堅ゼネコン」のような、さまざまなゼネコンと呼ばれる企業が存在します。

スーパーゼネコンのような大手のゼネコンでは、自社で設計、施工、研究の部門を保有していますが、地方のゼネコンでは施工のみを行う場合がほとんどです。それでも、売上規模や従業員の数では、地元の中小建設業と比べ物にならないほど大きく、多くの場合、国道や県道などの大きな道路工事などを行っているのは、この地方ゼネコンです。地方ゼネコンの大きな特徴は、地域密着型で工事を行うことだといえます。

スーパーゼネコンの優れた特徴

スーパーゼネコンと地方ゼネコン

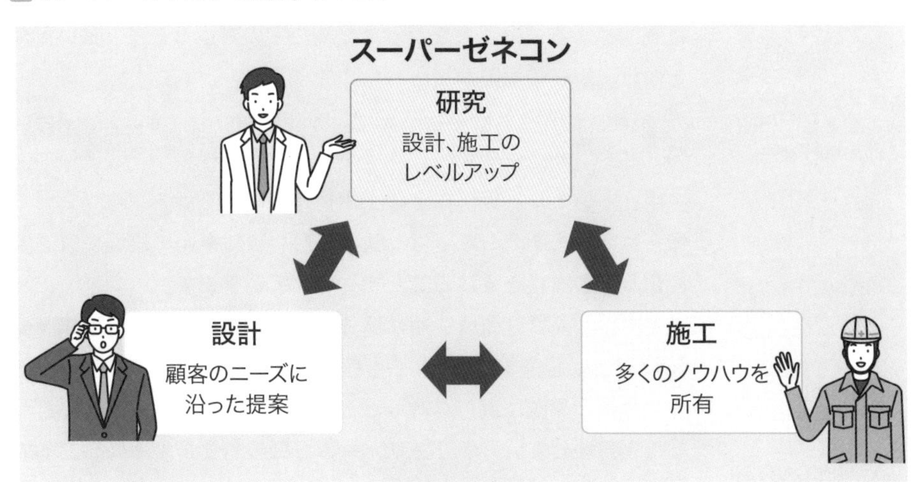

地方ゼネコン

施工

多くのノウハウを所有。
地方の中小企業を下請にして工事を施工

インフラの老朽化にともなう需要の拡大

日本の高度経済成長を支えた土木構造物

経済の発展のためにはインフラ設備の整備が不可欠ですが、その後の維持・管理も大切です。日本でもインフラ設備への投資によって生活の利便性や安全性を向上させてきましたが、近年はその老朽化が問題になっています。

経済の発展を支え、生活の安全を守る土木構造物

日本の土木構造物が急激に増え続けたのは、1955年～1973年までの高度経済成長期です。

1964年の東京五輪前に造られた「首都高速道路」がその代表例ですが、ほかにも道路やトンネルなどの多くの土木構造物がこの時代に築造されました。その結果、人々の利便性が格段に向上し、生活水準の向上と経済活動の活発化の一要因となりました。

また、土木構造物は災害時の安全を守る大きな役割も果たしています。たとえば、木曽川には強化された堤防が設置されていますが、そのきっかけは1959年の伊勢湾台風です。伊勢湾台風では高潮による被害が大きかったため、その対策として、長い年月をかけ、現在の堤防が造られたのです。

伊勢湾台風
1959年に紀伊半島南端に上陸した台風のこと。高潮の影響が大きく、死者・行方不明者数5,098名に及ぶ被害が生じた。

維持・管理が必要なコンクリート構造物

橋、トンネル、堤防などの土木構造物の多くはコンクリートで造られています。これらは、長年にわたって車両の重量や気温の変化などの影響を受けることで劣化していきます。

とくに、高度経済成長期に造られた土木構造物の多くは建設後50年以上が経過しており、「老朽化」が大きな問題です。このため、今後の課題は新しく造ることではなく、今ある構造物をどう維持・管理していくかであり、その分野の需要が急速に高まっているといえるのです。

しかし、土木業界は人手不足が深刻なこともあり、これらの土木構造物の維持・管理をすることが難しくなっています。そのため、効率よく点検・補修できるさまざまな技術（5-10、5-11参照）が生み出されています。

コンクリート
セメント、水、砂、砂利（砕石）を混ぜて作り、ミキサー車で運搬する。ミキサー車の後ろのドラム部分が回転しているのは、コンクリートの材料が分離して、品質が劣化しないようにするためである。

社会資本の老朽化の現状と今後の予測

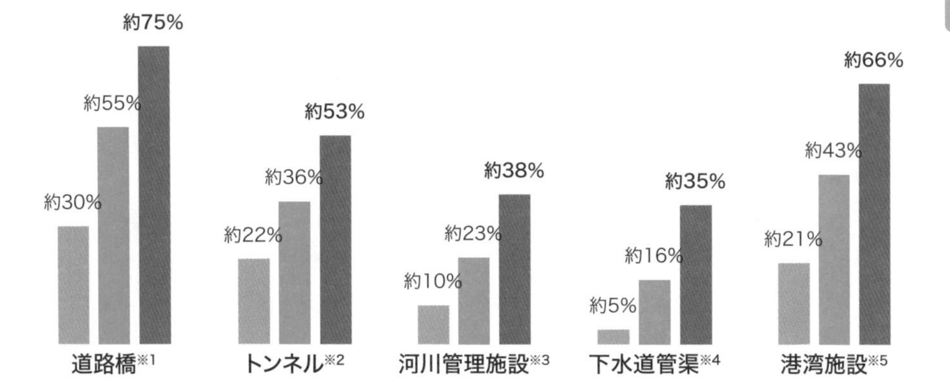

高度成長期以降に整備された道路橋、トンネル、河川、下水道、港湾などについて、建設後50年以上経過する施設の割合が加速度的に高くなる。

※1 橋長2m以上、約73万橋　※2 約1万1千本　※3 約4万6千施設　※4 約48万km
※5 水域施設、外郭施設、係留施設、臨港交通施設など、約6万1千施設
出所：国土交通省「社会資本の老朽化の現状」をもとに作成

高度経済成長期に造られた高速大師橋の造り替え

更新前

完成イメージ

画像提供：首都高速道路株式会社

下図はすべての施工が完了した将来形。2023年7月現在、新設橋への架け替えは完了し、恒久足場などの附属物は施工中の段階である。

土木業界は災害復旧にも対応する

近年、台風、地震、大雨による土砂災害などの自然災害が毎年のように発生していますが、その復旧には多くの建設業者が携わっています。ここでは、その舞台裏について解説します。

自然災害発生時の建設業者の対応

近年、多くの自然災害が日本列島を襲っています。印象的なのは、平成30年7月豪雨、平成28年の熊本地震、平成26年の広島市の土砂災害です。このような災害時には人命救助が最優先されますが、救助活動をするためには、壊滅的な被害を受けたインフラ設備の応急的な補修が必要になることがあります。そこで活躍するのが建設業者です。

そして、その後の本格的な復旧工事の際には、ただ修繕するのではなく、災害に対する損害を踏まえた上で対策を講じています。今回の災害でインフラ設備が破損されたのは、災害に耐える強度や規模を備えていなかったことが原因の可能性があります。その場合、元通りに直すだけでは不十分だからです。

防災協定とは

防災協定
災害時の建設業者の防災活動などについて定めた建設業者と国、特殊法人、地方公共団体などとの間の協定のこと。

建設業者や団体が国や各自治体などと結ぶ**防災協定**というものがあります。災害時の応急対応にあたるのは、その協定を結んだ建設業者や団体になります。

災害が発生したとき、まず地方公共団体などが建設業者などへ支援を要請し、要請を受けた建設業者などが応急復旧支援を行います。支援後、地方公共団体などに対し費用が請求されます。

この防災協定は、地方公共団体などが公募などの方法にて、建設業者や団体と締結を行います。災害に対応するため、自社で建設機械を所有していることなどが条件になっています。

経営事項審査
(2-03参照)

防災協定を結ぶことには、**経営事項審査**の点数に反映される、企業のイメージアップになるなどのメリットがあります。

災害時の建設業者の対応

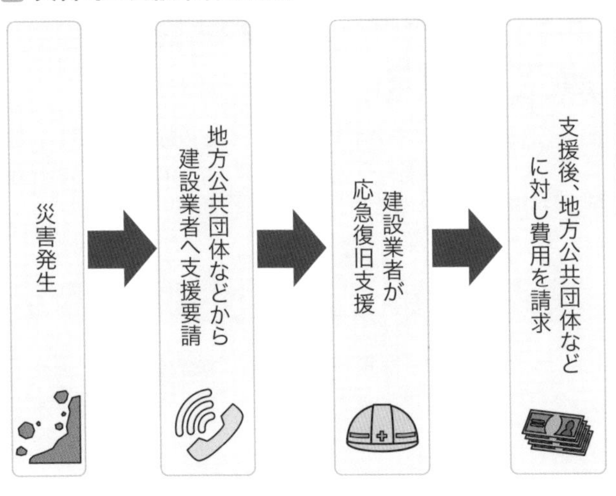

画像提供：独立行政法人都市再生機構

東日本大震災後の陸前高田市の地区整地工事

防災協定の一部

防災協定の名称	協定先	締結日
災害時における下水道管路施設の復旧対策業務に関する協定	(公社)※1日本下水道管路管理業協会	平成31年3月20日
地震災害時における大阪府管理橋梁の応急対策業務に関する協定	(一社)※2日本橋梁建設業協会関西支部	平成9年10月1日
地震災害時における大阪府管理橋梁の応急対策業務に関する協定	(一社) プレストレスト・コンクリート建設業協会関西支部	平成9年10月1日
地震災害時等における大阪府管理道路等の応急対策業務に関する協定	(一社) 日本建設業連合会関西支部支部長	平成11年3月31日
災害時における応援協力に関する協定(道路等の応急対応)	(一社) 大阪建設業協会	平成11年3月31日 平成23年3月23日
災害時における応援協力に関する協定(道路等の応急対応)	(一社) 大阪府中小建設業協会	平成18年4月28日 平成23年3月23日
地震災害時等における大阪府管理道路等の応急対策業務に関する協定	(一社) 日本道路建設業協会関西支部	平成13年3月28日

※1　公企業の一種である公共企業体を指す名称
※2　一般社団法人の略称
出典：大阪府「防災協定等の締結一覧」をもとに作成

Chapter1
07

土木工事はセンチ・ミリ単位で緻密に施工される

土木工事といえば、油圧ショベルやタイヤローラーなどの重機を使用し、ダイナミックに工事をしている印象がありますが、実は「mm」や「cm」といった細かい単位の誤差で施工されています。

緻密に行われる土木工事

土木工事といえば、大きな重機を使用して豪快に地面を削っているイメージが浮かぶと思いますが、実はとても緻密に作業がされています。

土木工事には「基礎工事」「造成工事」「外構工事」などがありますが、どの工事を施工するにしても多くの知識が必要です。たとえば、基礎工事では杭を打込む位置や深さなどが正確でなければならず、造成工事では盛土(もりど)の敷均(しきなら)しの厚さや締固(しめかた)めの管理を適切に行う必要があります。いずれも細かい数値で決められるものであり、これらの工程を緻密に組み合わせていった結果、土木構造物ができあがるのです。

道路工事で活躍する土木技術

勾配
斜面のこと。道路を築造する際には、雨水が流れるようにすべての区間に勾配をつけるため、勾配がない区間は存在しない。

私たちが普段使っている道路には、実は勾配がついているのをご存じでしょうか。急な坂道でなければ道路は平坦に見えますが、実際は雨水を滞りなく流すために勾配がつけられているのです。また、よく目視するとわかりますが、センターラインから横方向に向かっても勾配がついています(右図)。

つまり、平坦な道路につけられる勾配は、運転などに支障が出ないよう、意図的にわずかな傾斜に調整されており、この緩やかな勾配を生み出しているのが土木技術なのです。

道路工事
(3-01参照)

道路工事では、重機を使用して数cm単位の誤差で施工されていますが、当然、重機と作業者の目だけで高さを調整しているわけではありません。それぞれの要所で「レベル」という測量器具を使用して道路の高さを測量し、重機で掘るための細かい数値を把握しています。

道路の勾配

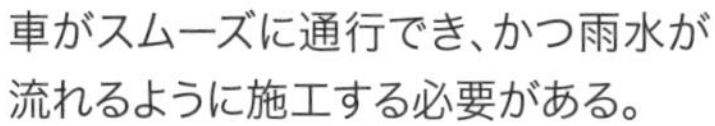

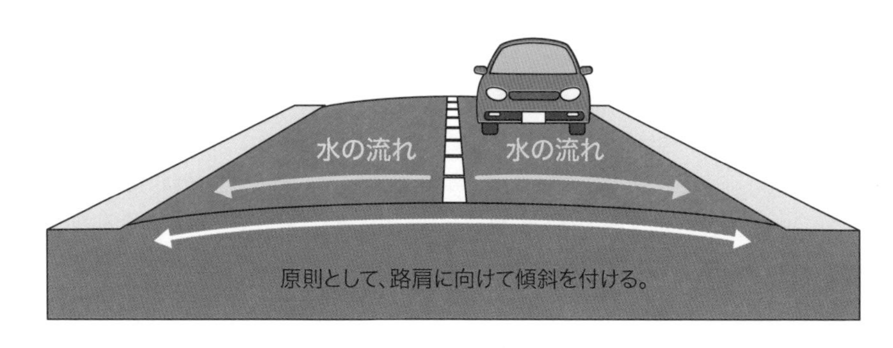

土木工事の測量

スタッフ（計測用の物差し）の数値を見て、mm単位で測量を行う。

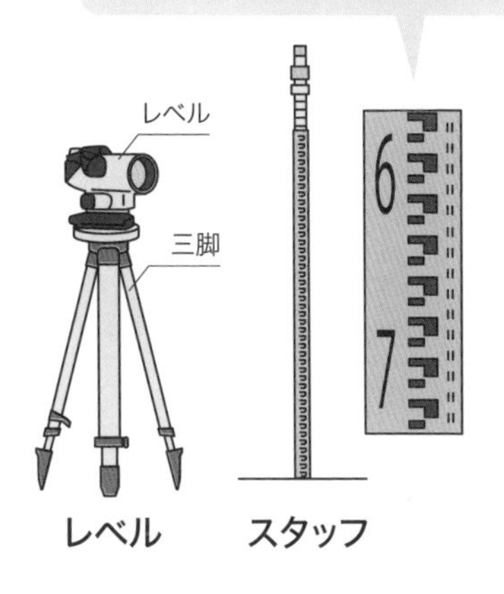

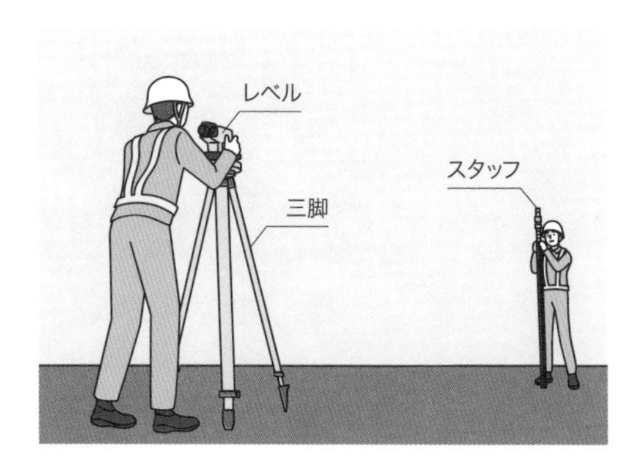

Chapter1
08

日本の生活や経済を支える素晴らしい土木技術

日本は災害の多い国であることから、日々の生活を支えるために強靭なインフラ設備が必要です。そのため、土木技術の発展は目覚ましく、巨大地震の影響を受けても大丈夫なように設計・施工がされています。

かつて世界最長の吊り橋だった明石海峡大橋

日本の土木技術で有名なものといえば**明石海峡大橋**でしょう。明石海峡は海上交通の要所であることから多くの船の通行が予想されたため、当初は橋を支える塔と塔との距離（支間長）が1,990ｍに設定され、最終的には1,991ｍになりました。これは当時のギネス世界記録です。

工事については、潮流の激しさと水深の深さの問題により、塔の基礎工事を困難にしていました。そこで、地上で**ケーソン**を制作して、船で運搬、設置しました。ケーソンへのコンクリート充填については、海水が入った状態で固まる特殊なコンクリートを開発することで克服しています。

さらに、塔本体は高さが約300ｍあり、ブロックを積み上げて施工するものでしたが、完成後の傾きの許容範囲が数cm以内という、とてつもない精度が要求されていました。しかし、日本の技術者はブロックの製造・施工を精密に行うことで、これをクリアしています。その後、ケーブルの取付けを行いますが、ここでも従来よりも高強度のケーブルが製造・使用されました。

さらに、台風を含めた強風対策としてスタビライザーを設置するなど、多くの土木技術が盛り込まれています。

明石海峡大橋
神戸市と淡路島を結ぶ、本州四国連絡橋の1つ。現地着手が1988年5月1日、供用日が1998年4月5日であり、現場の工事だけでも約10年の歳月をかけて築造されている。

ケーソン
土木構造物の基礎などに用いるコンクリート製などの箱のこと。

橋の建設中に発生した阪神淡路大震災

橋の2本の塔が建設されて、メインケーブルが架設されたころに**阪神淡路大震災**が発生しました。しかも、震源が橋のすぐ近くだったにも関わらず、明石海峡大橋そのものに損害はありませんでした。日本の土木技術がいかに優れているかを世界に知らしめたといえるでしょう。

阪神淡路大震災
1995年1月17日に兵庫県の淡路島北部を震源地としたマグニチュード7.3の大地震。

明石海峡大橋の全体図

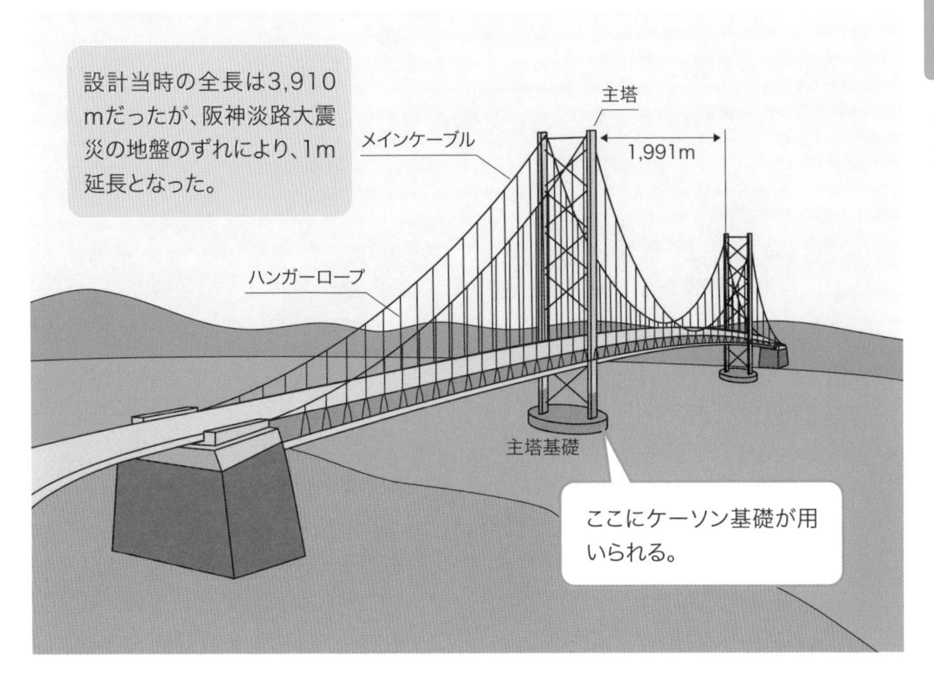

ケーソンを曳航する様子

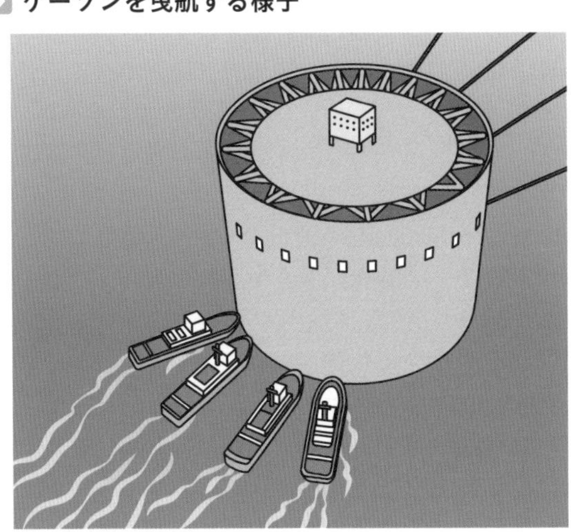

COLUMN 1

コンクリートに鉄筋をいれる理由は？

巷では、よく「鉄筋コンクリート」という用語を聞くことがあると思いますが、なぜコンクリートに鉄筋が必要なのでしょうか？

そもそもコンクリートは、セメント、水、砂や砂利を用いてつくられます。

そして、砂や砂利は、「細骨材」と「粗骨材」といって、それぞれ大きさに応じて名称が分けられます。

この骨材の寸法が大きいほど、経済的ではありますが、大きすぎると、練混ぜ、施工性や材料分離など、さまざまな影響が出たりしますので、構造物の種類や鉄筋の最小間隔などを考慮して、骨材の大きさを決定する必要があります。

そして、そもそもこのコンクリートに鉄筋を入れる理由なのですが、硬化したコンクリートは圧縮には強いが、引っ張られる力には弱いという性質を持っています。圧縮とは押しつぶす力のことをいいます。

コンクリートが、引っ張りに対して耐えられる力は、圧縮に対して耐えられる力の10分の1以下といわれています。

一方で、鉄筋は、引っ張りの力に対して強いという特徴を持っています。

そこで、この引っ張られる力に強い鉄筋をコンクリートの中に入れて、使用することで、コンクリートにかかる引っ張りの力を軽減させ、コンクリートの弱点を補うことができるのです。これが、コンクリートに鉄筋を入れる理由ということになります。

ポイントとしては、鉄筋を配置する場所は、引っ張りの力が働きやすい所にするのが適切であるということです。そうすることで、より鉄筋コンクリートの威力が発揮されます。

この鉄筋コンクリートは世の中で非常に多く使われており、たとえば、私たちが住む家やマンションにも使用されています。

それ以外にも、家の周りを囲っているブロック塀にも鉄筋コンクリートが使用されており、私たちの生活の至る所に、鉄筋コンクリートは活用されています。

第2章

土木工事のプロセス

土木工事は、受注したらすぐに作業を開始できるわけではありません。発注者との契約、着工準備、現場の調査を行って、はじめて作業に入ることができます。また、作業が終了したら検査を受ける必要があります。

Chapter2
01

土木工事にはいろいろな種類が存在する

いわゆる建設業界には、大きく分けて「土木工事」と「建築工事」が存在します。その中の土木工事にもたくさんの種類があり、各社が得意としている工事もそれぞれ異なります。

土木工事で代表的な土工事

「土木工事」にはさまざまな種類がありますが、絶対に外せないのは「土工事」です。この土工事には、地面の掘削工事や整地工事、盛土工事が含まれます。

土木工事では、油圧ショベルなどの重機を使用して、地面を掘ったり、道路を造ったり、上下水道管を埋めたりするので、掘削工事は土工事の基本中の基本といえます。また、低い土地には土を盛ることで土地の高さを上げますが、これを盛土（もりど）といいます。逆に、高さのある土地を切って（削って）、土地の高さを下げることを「切土」といいます。私たちが住む家を造るにもあらかじめ土地を削ったり、盛土や切土で土地の高さを調整したりすることも多いので、土工事は身近な存在といえるでしょう。

盛土
やわらかい土で造成を行うため、家屋を築造する場合は、適切な高さであっても転圧や地盤改良などの処置を行う必要がある。これらの処置を適切に行わないと、2021年に静岡県熱海市で発生した土石流のような災害につながることもあるため、大切な工事である。

構造物の土台を造る基礎工事など

ダムや橋を築造するときは「基礎工事」が必須です。土木構造物を支えるのは「基礎」なので、「基礎工事」はとても重要であることがわかります。たとえば、明石海峡大橋では、塔の建設にあたって巨大なケーソンが基礎になっていることを説明しました（1-08参照）。ダム工事では、基礎は地盤になります。そのため、この天然の地盤が強固になるように、表面の土砂などを取り除く基礎掘削を行います。

また、家の周囲のフェンスや土間コンクリートなどを造る工事を「外構工事」いいます。フェンスは地震や強風などで倒れないように、地中に基礎を埋める必要があるため、築造する際は重機などで掘削を行います。このように、土木工事はさまざまな形で私たちの生活を支えているのです。

土工事の主な種類

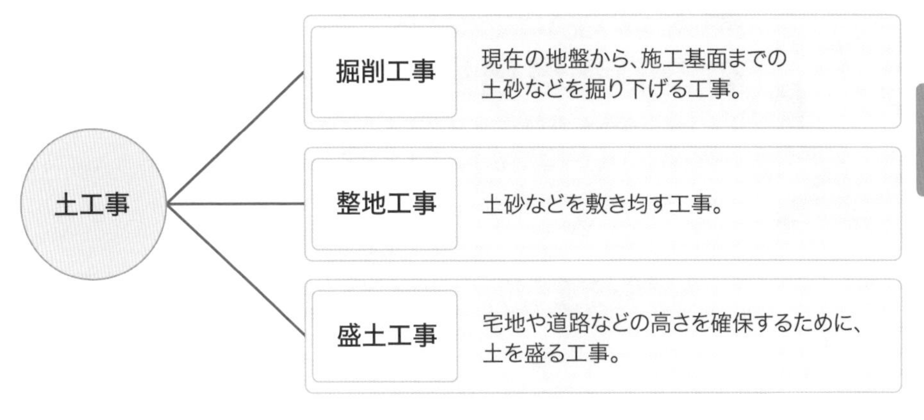

切土・盛土工事

基礎工事

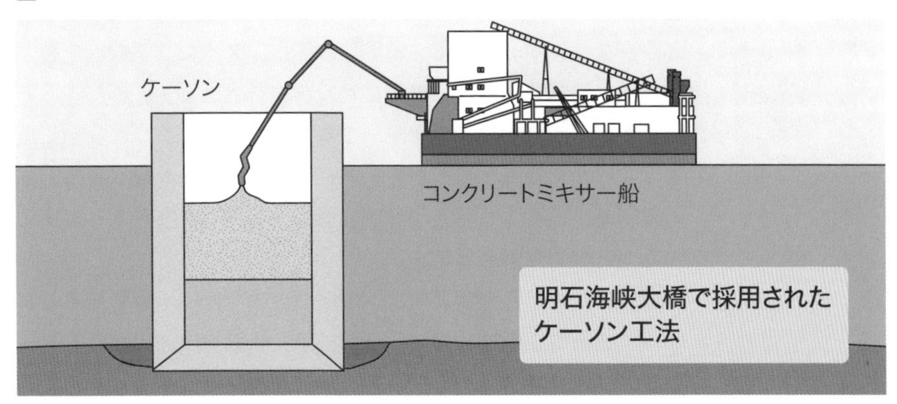

Chapter2
02

土木工事の管理〜原価管理・工程管理・品質管理・安全管理

施工管理に必須な 4つの管理項目

公共工事が多い土木工事ですが、国民の税金を使って行われるため、厳格な管理が要求されます。ここでは、土木工事に必要な4つの管理について解説します。

土木工事の原価管理と工程管理

施工会社にとって、「原価管理」と「工程管理」は利益を生み出す上で重要なプロセスです。

公共工事では、発注者側である地方公共団体などが予定価格を算出します。これを「積算」といいますが、この予定価格の制限範囲の金額で一番安く入札した業者が、原則として工事を落札します。工事で利益を出せるかは、落札の金額からいくらを手元に残せるかで決まります。それには、工事にかかる原価を正確に把握する必要があります。このプロセスが「原価管理」です。

なお、工事の原価には人件費も含まれるので、施工効率を上げるためのスケジューリングも必要です。これが工程管理です。

予定価格
公共工事の場合、地方公共団体などが事前に算出する工事価格のこと。予定価格をもとに入札が行われるが、予定価格はあらかじめ明示されている場合とされていない場合がある。明示されていない工事は、建設業者が、予定価格を想定して入札をする必要がある。ほかにも、ダンピング防止のための「最低制限価格」なども存在する。

工程管理
工程管理において重要なのは、発注者側と契約した内容にもとづき、効率性、経済性、安全性に配慮してプロセスを実施することである。

土木工事の品質管理と安全管理

「品質管理」とは、設計などに示された規格を十分満足する製品をもっとも経済的につくるための管理のことです。たとえば、現場でコンクリートを打設するためには、工場から生コンを運ぶ必要があります。そして、現場到着後に、スランプ試験、圧縮強度試験、空気量測定などの品質管理試験を行います。

最後に「安全管理」ですが、こちらは名前のとおり、安全に施工できるかを管理することです。たとえば、油圧ショベルは上部の旋回が可能なため、人が接触しないよう周囲を立ち入り禁止にするなどの配慮が必要です。

建設業における労働災害は、全産業の中でも高水準であることから、工事に着手する前に、現場に潜在する危険性や有害性を特定し、リスクを低減する「リスクアセスメント」を導入することも大切です。

原価管理

工事の受注金額－工事の原価（工事の費用）＝利益

原価を管理することが
利益を生み出すポイント

原価に含まれるもの

直接工事費	間接工事費
・材料費 ・労務費 ・機械経費　など	・標識などの安全費 ・品質管理の試験費用 ・現場事務所費用　など

安全管理

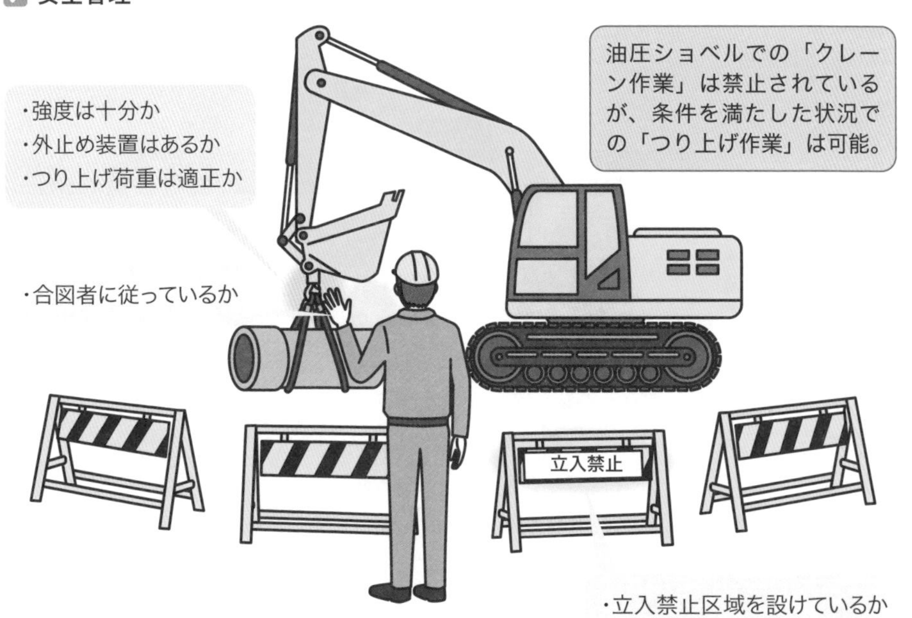

公的機関の入札に参加

Chapter2
03

公共工事の入札のためのさまざまな準備

公共工事は私たちの税金が使われるため、適正な価格で行われる必要があります。そのため、予定価格よりも安い金額で応札をするわけですが、入札に参加するためにはさまざまな準備が必要です。

入札の参加には経営事項審査が必要

入札とは、公的機関が工事を発注する際に「この工事をやってくれる企業はありますか？」といった公告を出し、希望者が「ウチは○○円でやります！」と応札することです。

建設業者が公的機関の入札に参加する場合、建設業許可を持っていることが大前提になります。その上で「経営事項審査」を受けます。この審査では、その建設業者に所属する技術職員や、これまでの工事の実績などをもとに点数が付けられます。そして、その点数をもとに公的機関の入札参加資格登録をするという流れになります。この入札参加資格登録については、国や自治体ごとに申請する必要がありますが、受付期間が設定されている場合もあるので、登録する際は注意が必要です。この登録が完了すれば、晴れて入札に参加できるようになります。

入札
幅広く参加できる一般競争入札や、地方公共団体などから指名された会社のみが参加できる指名競争入札が主である。このほか、価格以外の技術的提案なども含めて落札者を決定する総合評価方式など、さまざまな入札方式がある。

建設業許可
建設工事を行う際に、1件の請負金額が500万円以上になるような場合などに必要になる許可のこと。一般建設業と特定建設業があり、元請業者が下請業者に工事を発注する金額が大きい場合には、特定建設業の許可が必要になる。

入札に参加する場合の心得

入札に参加する資格を得ても、実際に入札することはかんたんではありません。理由は、公的機関が工事を発注する際に、入札の条件を設定することがあるからです。たとえば、「○○市に本店がある建設業者」といったように地域を限定する場合もあれば、「○○工事を完成させた実績があること」といったように実績を条件にする場合もあります。さらに「指名競争入札」といって、地方公共団体などが入札に参加してほしい業者をあらかじめ指定することもあります。そのため、建設業者が入札に参加していくためには、日ごろから着実に実績を積み続けることが非常に重要です。

入札参加の流れ

❶ 経営事項審査を受ける

↓

❷ 入札参加資格登録をする(国や地方公共団体などごとに登録)

↓

❸ 入札してほしい工事が国や地方公共団体などから発表(公告)

↓

❹ 入札に参加

↓

❺ 落札・契約

↓

❻ 工事施工

一般競争入札の公告例

○○市一般競争入札公告　○○市公告契約第○○号

地方自治法施工令（昭和22年政令第16号。以下「施工令」という。）第167条の6の規定に基づき、次のとおり一般競争入札を公告する。

令和○年○月○日

○○市長　浜田一

第1　公告事項（個別）
1　入札対象工事
(1) 工事名
○○号線車道整備工事
(2) 工事場所
○○市○○○○
(3) 工事業種
土木工事業
(4) 工期
契約締結日から令和○年○月○日まで

2　入札に参加できる者の形態
単体企業とする。

3　入札参加資格
公告事項（共通・工事）に定めるほか、次の要件を満たすこと。
(1) 本入札の公告日から落札決定までの期間において、引き続き建設業法（昭和24年法律第100号）による土木工事業の許可を受けている者であること。
(2) 本入札の公告日から落札決定までの期間において、引き続き○○市競争入札参加者の資格等に関する規定（平成○年告示第○○○号）に基づく令和○年度○○市競争入札参加資格者名簿（以下「名簿」という。）に建設工事の業種として「土木工事業」が登載されており、その格付けがC級であること。
(3) 本入札の公告日から落札決定までの期間において、引き続き○○市内に本店を有している者であること。
(4) (3) の本店が (2) の業種を名簿に登載している申請事業所であること。

Chapter2 04

発注者との契約の締結方法と契約時の注意点

工事を落札した建設業者は、地方公共団体などの発注者と契約を結ぶことになりますが、契約時には注意すべき点がいくつかあります。中には、公共工事ならではの注意点もあります。

公共工事落札後の契約時のポイント

建設業法
発注者や下請業者の保護、建設業の健全な発達を促進し、それによって公共の福祉の増進に寄与することを目的とした法律。

公共工事を落札したあとは、発注者と契約を締結します。建設業法により、建設工事の請負契約は「書面」にて行うことが義務付けられています。その際、「契約保証金」の納付が必要になることがあります。

契約保証金とは、建設会社が契約締結後に工事を途中で投げ出したなどの場合に、発注者が損害賠償してもらうためのものです。問題なく工事が完了した場合は、建設業者へ返還されることになります。また、契約保証金ではなく「履行保証保険（右図参照）」などの形で対応することも可能です。

損害賠償については、発注者のその後の手間などを含めた金額が請求されます。具体的には、残工事のチェックや、再設計をした上での再入札の費用などが合算されます。

公共工事を施工する大きなメリット

公共工事においては、「前受金」制度を設けていることがあります。これは、工事の施工前に請負金額の40％を受け取ることができる制度です。通常、民間の建設工事の多くは、完成後に一括請求したり、毎月の出来高に応じて分割された代金が支払われます。この場合、材料の仕入れや外注費の支払いを自社で前払いするケースが大半です。一方、公共工事の場合は、受け取った前受金でそれらの費用に充填できるので、資金繰りが容易になるというメリットがあります。

また、要件を満たせば、「中間前払金」（右図参照）を受け取ることもできます。この場合、工事の完成前までに合計で請負金額の60％を受け取れることになります。

履行保証保険

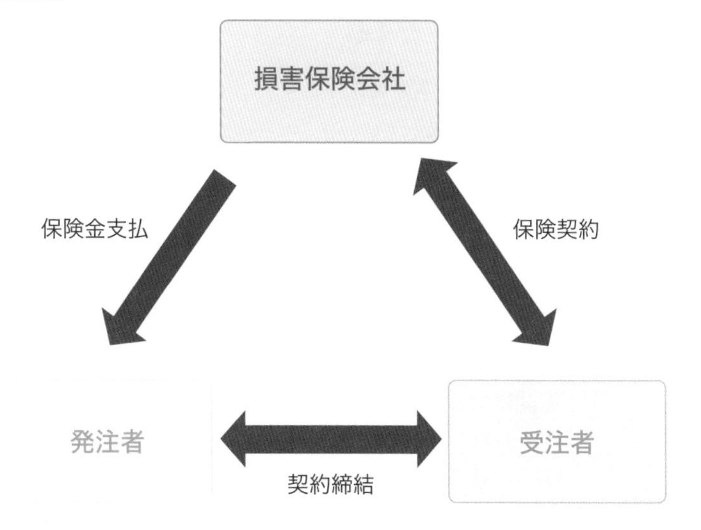

中間前金払制度について

中間前金払制度	当初の前払金(請負代金の40%)に加え、工期半ばで20%を追加(合計60%)して前払いするもの。当該工事の請負契約約款(やっかん)などに中間前払金の条項があり、次の要件を満たしている場合、発注者の認定を受けた上で、請求することが可能。

要件1	要件2	要件3	要件4
当初の前払金が支出されている。	工期の2分の1を経過している。	工期の2分の1を経過するまでに実施すべき作業が行われている。	工事の進捗出来高が請負金額の2分の1以上に達している。

出所：国土交通省「中間前金払制度とは…」をもとに作成

土木工事では着工前の段取りが大切である

土木工事は、とにかく「段取り」が大切です。工事の着工前には、工事原価が落札した際の価格に対して妥当であるかを確認し、施工計画を練り、契約内容に従って、問題なく施工できるかをチェックする必要があります。

着工前に必要な準備

請負契約を締結したらいよいよ着工となりますが、すぐに工事を開始することはできません。契約した内容に沿って、材料を購入したり、重機を調達したり、工事に必要な人員を確保したりなどの準備が必要だからです。

そして、上記と同時にやらなければならないことは、まずは現場の再調査です。ここでは、指示された図面どおり現場の施工ができるかをチェックします。そして、調査の段階で施工できないことが判明した場合は、**発注者と協議**をする必要があります。これが判明したのが施工中の場合、工事がストップして大損害が発生する危険性があるため、工事が可能であるかを事前に把握しておくことは大切です。

発注者と協議
公共工事において、当初、設計された内容では施工ができないとわかった場合は、設計変更などを行うために、発注者と協議する必要がある。その場合、請負金額が増減することもある。

加えて、工事に必要な原価をしっかりと把握しつつ、効率性、経済性、安全性の高い施工計画を練ることが重要です。

施工計画は周辺への影響を考慮する

公共工事においては、公共物を造ることから、私たちが日常生活で使用している機能が一時的に使えなくなることが多いため、近隣住民や周辺へ与える影響を把握することが大切です。

とくに、渋滞、騒音、振動、断水などは、近隣で生活する人には大きな問題です。だからこそ、施工計画時に、できる限り近隣住民の生活に影響が出ないように計画をすることが重要であり、影響が出る場合には事前に説明を実施します。工事の影響について事前に説明しておくことは、近隣住民の理解を得る上で重要なポイントであり、ひいては工事を円滑に進めることにつながります。

契約後の段取りの流れ

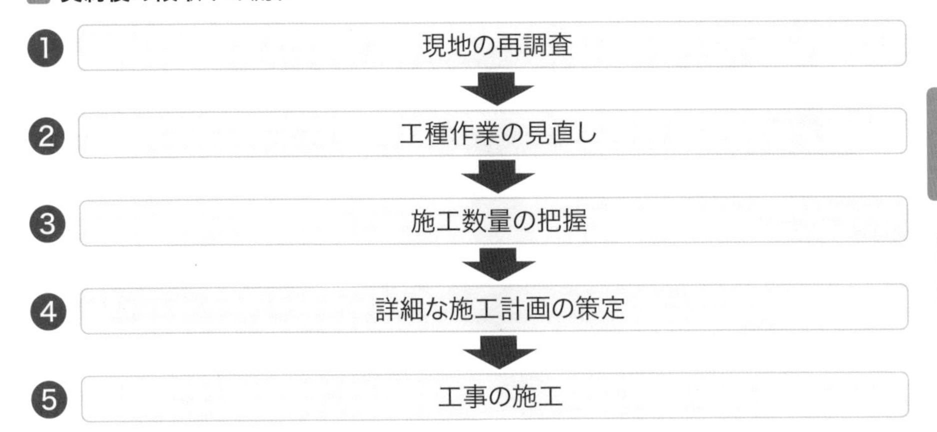

施工計画で用いる工程表

バーチャート工程表

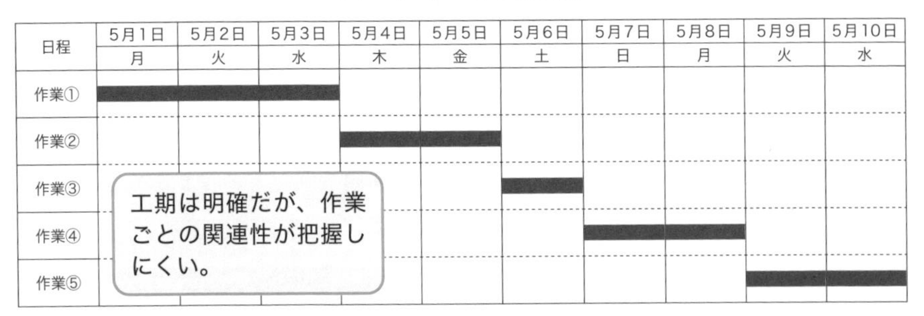

ガントチャート工程表

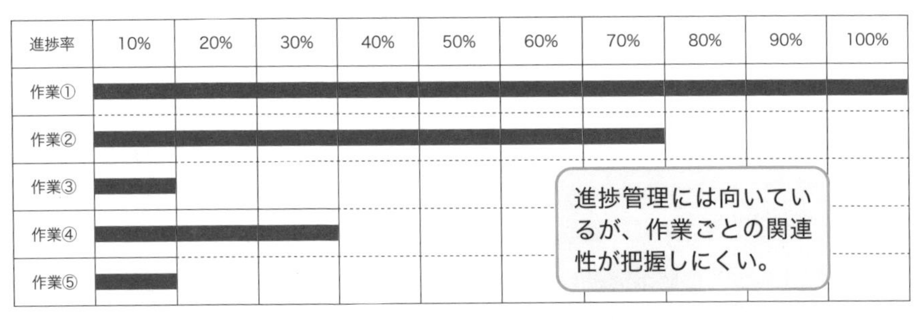

工程表は、このほかにも「グラフ式工程表」「出来高累計曲線」「ネットワーク工程表」などの種類がある。

建設業者による工事の施工

ここまで解説した準備ができたら、いよいよ工事の施工に入ります。土木工事は天候による影響を受けやすいため、工程表で工程管理を行いながら計画的に進めていきます。

着工からの工程

工程管理をするための工程表が完成したら、いよいよ工事を進めていきます。工程には、クリティカルパス（右図参照）というもっとも所要日数がかかる経路が存在します。工程管理をする上ではクリティカルパスを把握することが重要です。

そして、土木工事は屋外で行われるため、天候による影響を考慮する必要があります。とくに、雨天の多い梅雨の時期や、雪の多い冬期は、天候により工期が大幅に遅れる可能性があります。そのため、悪天候による影響を踏まえた工程管理をすることが重要になります。また、近年は**猛暑日**が増加していることもあり、作業員の健康管理も重要になっています。これを受けて、国土交通省は令和５年度から、天候不良などによる作業不能日に猛暑日を含めるとしています（右図参照）。

工事中に注意するべきこと

工事を進める上で土木会社が注意するべきことは、作業員の**手待ち時間**を減らすことです。たとえば、コンクリートを打設したいときに生コンが到着しない場合、作業員は生コンが届くまでの間ただ待つことになり、時間のロスが発生します。こうならないよう、効率よく工事を進めるためには「段取り」が非常に重要になってきます。

また、作業員はもちろん、工事に関係のない人たちも含めて、工事中の事故をなくすことも重要です。土木工事は施工場所が頻繁に変わるため、歩行者が安全に通行できる通路の確保や、工事中の注意看板の配置場所や夜間時に備えた点滅灯の設置など事故を防ぐための一層の配慮が必要になります。

猛暑日
気象庁が定義している猛暑日は、最高気温が35度以上の日とされている。しかし、それ以外にも暑さ指数（WBGT）というものがあり、これによると31以上が対象となっている。WBGTは熱中症を予防することを目的としており、①湿度、②日射・輻射（ふくしゃ）など周辺の熱環境、③気温の３つを取り入れた指標である。

手待ち時間
作業はしていないが、指示があった場合はすぐに取り掛かれる状態で待機している時間。手持ち時間は休息時間ではなく、基本的に労働時間に含まれる。

クリティカルパス

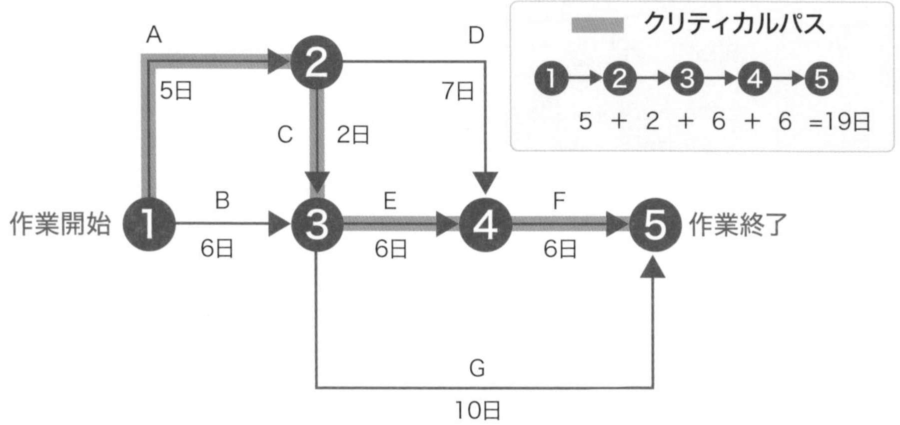

A作業（所要日数：5日）とB作業（6日）を同時に始めても、❸からEやGの作業に移るには、「A→C作業（7日）」を完了している必要があるため、B作業をしていた人は、1日待機などする必要があります。このような工程を把握することで、工事の遅延などを防ぐことができます。

猛暑日などを考慮した工期設定

工期への反映イメージ

天候などによる作業不能日頻発
猛暑日頻発
地域の祭りによる通行規制

地域の実情に応じて作業制限や制約を考慮。

工種	単位	数量	施工計画									
			4月	5月	6月	7月	8月	9月	10月	11月	12月	…
準備	式	1										
道路土工	m^2	10,000										
排水構造物工	m	500										
舗装工	m^2	5,000										
付帯施設工	式	1										
区画線工	式	1										
後片付け	式	1										

「休日」と「天候などによる作業不能日」などが重複しないよう設定。

工期設定で猛暑日（WBGT値31以上の時間から日数を算定）を考慮。

必要に応じて重機解体や検査データの作成日数を考慮。

出所：国土交通省「令和5年度 国土交通省土木工事・業務の積算基準等の改定」をもとに作成

Chapter2
07

検査用書類の作成

現場の施工管理以外にもやるべきことが多い公共工事

土木工事の多くは、地中に埋設される構造物を築造したりするため、多数の写真を撮影する必要があります。また、公共工事では多数の検査が行われるため、それに伴って作成する検査書類も相当な数になります。

検査書類の多い公共工事

公共工事では、段階的な検査や、工事完成後の検査などの複数の検査が行われます（2-08参照）。そのため、その検査ごとに必要な書類を作成する必要があります。

たとえば、**監督員**の検査は施工の最中に行われることから、現場で測量などを行い、高さや位置を確認し、適切に配置されているかをチェックできる出来形図面（できがたずめん）を検査書類として準備します。また、持ち込まれた材料が施工をする上で適正であるかを検査するため、どんな材料を搬入したのかを書類で提示する必要があります。

検査員の検査は主に完成後に行われるため、工事写真、**出来形管理**図、品質管理関係書類などを作成する必要があります。工事写真については、日々の施工の際にさまざまな写真を撮影しておく必要があります。たとえば、道路であれば掘削後の高さがわかる写真や、そこから埋戻していく際の路盤の厚さがわかる写真を撮影しておきます。この写真は道路の測点ごとに撮影するため、トータルで相当な枚数の写真を撮影することになります。これは、工事完了後に問題が発生した際（2-10参照）に、適切な施工を行っていることの証明にもなるため、結果として建設業者の立場を守る役割もあります。

検査書類を作成する際のポイント

検査書類を作成する際のポイントは、あらかじめ決められた**規格値**どおりに書類を作成できるかどうかです。つまり、施工前に規格値を把握し、それに沿った施工をしなければ、適正な検査書類も作成できないということです。

監督員
発注者の担当職員のこと。受注者である建設業者は、この監督員と工事の施工について話し合うことになる。

検査員
公共工事が適切に行われているかをチェックする。

出来形管理
たとえば、道路を造る工事であれば、道路の高さや舗装の厚みなどを管理すること。

規格値
出来形管理などを行うにあたって、定められている数値のこと。たとえば、右ページ図でアスファルト舗装の厚さが－7mmや－9mmとなっているのが規格値である。計画値より、所定の数値以内で施工することが求められる。

検査ごとに必要な書類

❶ 「監督員」が段階的な検査を行う。
（必要書類：出来形図面）

❷ 「検査員」が工事完成後の検査を行う。
（必要書類：工事写真、出来形管理図、品質管理関係書類など）

現場の検査

画像提供：株式会社藤川興業所

規格値の例

単位：mm

編	章	節	条	項	工種	測定項目	規格値			
							個々の測定値（X）		10個の測定値の平均（X10） ＊面管理の場合は測定値の平均	
							中規模以上	小規模以下	中規模以上	小規模以下
3 土木工事共通編	1 一般施工	6 一般舗装工	7		アスファルト舗装工 （表層工）	厚さ	–7	–9	–2	–3
						幅	–25	–25	―	―
						平坦性	―		3mプロフィルメーター（σ）2.4mm以下直読式（足付き）（σ）1.75mm以下	

出所：埼玉県「埼玉県土木工事実務要覧　第7管理基準編　出来形管理基準（令和4年10月）」をもとに作成

Chapter2
08

段階確認検査と完成検査

公共工事は複数の検査によって、適正な施工がなされたかを確認する

公共工事は私たちの税金を使って行われる事業であるため、間違ったことが行われないよう厳格な管理が求められます。適正な施工が行われたかを確認するため、さまざまな調査が行われます。

検査の多い公共工事

公共工事では税金が使われるので、常に厳格な管理が求められます。また、上下水道管などの地中に埋設されてしまうものも多いため、間違いがないよう、埋設される前に検査をする必要があります。そのため、工事の施工中に**段階的な検査**が行われることになります。検査には、監督員が行う検査と、検査員が行う検査があります。

工事の発注者が行政機関である場合、監督員は**公共工事を担当する部署**の職員であり、受注した建設業者と日々やり取りをします。一方、検査員は検査室という部署の職員で、適正に工事がなされているかを厳正にチェックしています。つまり、監督員の仕事は設計どおりの施工をしているかを日々チェックすることで、検査員の仕事は完成した構造物が適正に施工されたかをチェックすることです。

工事の規模にもよりますが、監督員の検査は複数回、検査員の検査は2回程度行うことになります。

段階確認検査
たとえば、道路を造る工事であれば、道路はアスファルト舗装の下にも路盤という砕石などの層があることから、これらの厚みを確認したりする際に行うことがある。

公共工事を担当する部署
下水道課や土地区画整理事務所、道路課、施設営繕課など多岐にわたる。

検査が実施されるタイミング

監督員の検査は日々の施工の最中に行われる関係で、構造物が埋設される前に行います。そのため、建設業者は工程管理をしながら、検査に適切な時期を予想し、監督員と調整した上で検査を実施する必要があります。

一方、検査員の検査は完成した構造物を対象にすることが多く、完成した現場だけではなく、施行中に撮影した写真や監督員が行った検査の内容などをもとに検査をします。また、検査員の検査は工事の完了後、速やかに実施する必要があります。

監督員による段階確認検査の流れ

❶ 建設業者が監督員に検査を依頼

❷ 監督員が承諾

❸ 検査を実施。問題箇所には指摘と対処方法の指示

監督員による段階確認検査（道路の路盤の検査）

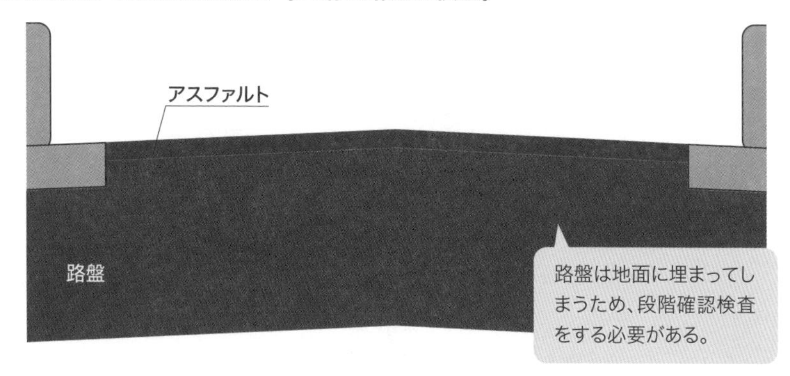

検査員による検査の流れ（施工後の検査の場合）

❶ 工事の施工完了

❷ 建設業者が検査書類を作成

❸ 監督員に提出。監督員がチェックを行う

❹ 監督員から、検査員に検査を依頼。書類を提出

❺ 検査員による検査を実施

❻ 目的物引渡。工事成績を建設業者に通知

Chapter2 09

完了検査合格後の目的物の引渡しと工事成績通知

公共工事が完了し、検査員の検査に合格して目的物を引き渡すと、発注者から工事成績通知書を渡されます。ここでは、工事成績通知書の成績にはどんなことが反映されるのかについて解説します。

目的物の引渡し

工事が完了し、検査員の検査に無事合格したら、目的物を引き渡します。万が一、合格できなかった場合には、必要な箇所を補修して再検査を受け、合格後に引渡しを行います。

検査の合格後、業者は工事の代金を請求できるようになります。この代金の支払いについて、多くの行政機関では、「建設業者に請求を受けた日から40日以内に支払わなければならない」と約款(やっかん)に定めています。

なお、目的物の引渡し前であっても、受注者の承諾を得ることで、例外的に目的物の一部を使用をすることができます。何らかの事情により、工事中の道路を部分的に供用する必要がある場合などに、この例外が適用されます。

約款
契約内容をあらかじめ定めた条項のこと。公共工事を契約する際は、契約書と工事の契約約款がセットになっており、工事について発注者と受注者が守るべき事項などが記載されている。

施工後の工事成績通知

検査の合格後、検査員から建設業者に対して成績が通知されます。この成績は、検査書類と現場の検査結果などによって判定されることになります。

この検査では、出来形や品質の精度が重要な評価ポイントです。このほか、適切な施工管理がされているか、施工にあたって地元住民との交渉は適切に行われたか、施工に関する苦情への対応が適切になされているか、などの項目が評価されます。加えて、作業員の休日確保や月１回程度の**社内パトロール**の実施も評価項目になる場合があります。

つまり、単に目的物の完成度が高いだけではなく、施工管理、安全管理、地域住民との関係や従業員の働き方などの項目も適切に対応することが、高得点の秘訣です。

社内パトロール
工事現場の安全パトロールのこと。

検査後の流れ

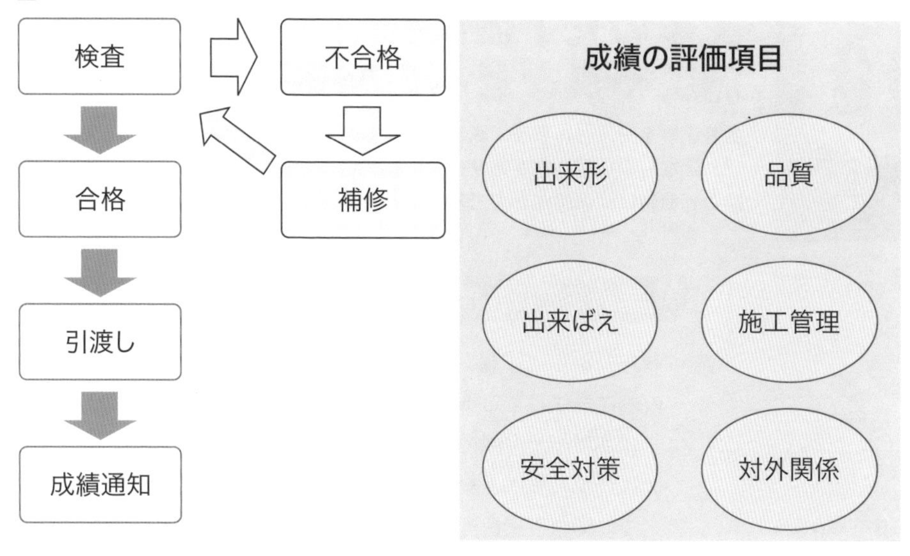

工事成績評定表（抜粋）

考査項目		担当監督員（30%）					総括監督員（10%）							工事検査員（60%）						
		氏名					氏名							氏名						
項目	細別	a	b	c	d	e	a	a	b	b	c	d	e	a	a	b	b	c	d	e
1施工体制	(1) 施工体制一般	+1.0	+0.5	0	−5.0	−10														
	(2) 配置技術者	+3.0	+1.5	0	−5.0	−10														
2施工状況	(1) 施工管理	+4.0	+2.0	0	−5.0	−10								+5.0	—	+2.5	—	0	−7.5	−15
	(2) 工程管理	+4.0	+2.0	0	−5.0	−10	+2.0		+1.0		0	−7.5	−15							
	(3) 安全対策	+5.0	+2.5	0	−5.0	−10	+3.0		+1.5		0	−7.5	−15							
	(4) 対外関係	+2.0	+1.0	0	−2.5	−5.0														
3出来形及び出来ばえ	(1) 出来形	+4.0	+2.0	0	−2.5	−5.0								+10	+7.5	+5.0	+2.5	0	−10	−20
	(2) 品質	+5.0	+2.5	0	−2.5	−5.0								+15	+12	+7.5	+4.0	0	−12.5	−25
	(3) 出来ばえ													+5	—	+2.5	—	0	−7.5	—
4工事特性	(1) 施工条件等への対応						+ (20)													
5創意工夫	(1) 創意工夫	+ (7)			—	—														
6社会性等	(1) 地域への貢献等						10	+7.5	+5.0	+2.5	0	—	—							

出所：新座市「工事成績評定表」をもとに作成

担当監督員が30%、総括監督員が10%、工事検査員が60%の計100%となっており、各人によって、評価項目が異なっていることがわかります。

Chapter2 10

工事の完了後に判明する施工不良などへの対応

公共工事を施工し、無事、検査が完了したあとでも、受注者が責任を負わなければならない可能性があります。契約時の約款に記載がありますので、契約の締結時には確認が必要です。

契約完了後に問題が発生したときの対応

公共工事の完了検査の終了後、目的物の引渡しが行われます。その後に受注者である建設業者が責任を負わなければならないのは、どういった場面でしょうか。

これについては、契約締結時の約款に記載されていますが、その1つに契約不適合責任があります。この契約不適合責任があった場合、発注者は、受注者に対して履行の追完の請求、損害賠償の請求、代金の減額の請求、契約の解除などができます。

契約不適合責任
目的物に不備などがあった場合に、受注した建設業者が責任を負うこと。

履行の追完とは、不具合部分の補修をすることです。つまり、「工事の不具合を直してください」と発注者が請求できるのです。

なお、上記の請求をする場合は何が不適合なのか、損害賠償の請求ではその金額の根拠は何であるか、受注者に対して具体的に示す必要があります。また、多くの地方公共団体などの約款では、請求できる期間は「2年」と規定しています。

契約不適合責任請求が起こる場面

そもそも、公共工事はいくつもの検査を経て完成に至るため、不適合な部分はその都度補修されます。このため、施工中の問題は完成時にはなくなっているのが普通であり、建設業者が契約不適合責任に問われるケースはまれです。しかしながら、建設業者が故意に不適合部分を隠していた場合などは、後になって責任を追及されることになります。故意かどうか疑われないためにも、施工中の写真をしっかりと撮影し、証拠として残しておくことが建設業者にとっては大切になります。

また、不適合の原因が発注者側にある場合は、受注者に責任追及ができない可能性があります。

契約不適合責任に対する請求内容

	請求内容
履行の追完	不適合な箇所の補修など。
損害賠償請求	損害が発生した場合に請求が可能。
代金減額請求	履行の追完ができない場合などに、代金の減額請求が可能。
契約解除	履行の追完ができない場合などに、契約解除できることがある。

契約不適合責任の線引き

道路が陥没した場合

土木工事では、設計時に想定できなかった事故や災害がしばしば発生します。また、原因の特定が困難な場合も多いため、どこまでが契約不適合責任に該当するのかの線引きは困難です。

Chapter2 11

発注者支援業務の目的と種類

発注者支援業務は、工事の発注者である国や地方公共団体等の業務を、民間企業が代わりに行うものです。ここでは、多岐にわたる発注者支援業務の内容について解説します。

発注者支援業務とは

発注者支援業務とは、発注者である技術職員の負担の軽減などを目的とした制度で、民間企業が入札などで受注します。発注者支援業務には「積算技術業務」「技術審査業務」「工事監督支援業務」という3つの種類があります。

積算技術業務では、**工事の積算**に必要な工事発注用図面や積算資料を作成します。これにより、発注者が円滑かつ的確に発注工事の「予定価格」を算出できるよう支援します。

工事の積算
工事に必要な費用をあらかじめ予測し、算出すること。

技術審査業務では、入札契約手続きにおける企業の技術力評価のため、審査資料の作成などを行います。これにより、発注者が円滑かつ的確に技術評価をできるように支援します。

工事監督支援業務では、監督員の業務を支援することで、発注者が施工業者との的確な協議などを行えるようにします。

発注者支援業務を受注する企業

発注者支援業務では、上記の3つの業務を適切に履行できる人材が求められます。このため、受注のため入札に参加する企業は**建設コンサルタント**ということになります。

建設コンサルタント
建設コンサルタント業界には、一般社団法人建設コンサルタンツ協会があり、RCCM（8-11参照）の資格制度の実施もこの協会で行われている。

建設コンサルタントとは、公共工事に係る調査・設計・積算などの業務を日頃から行っている企業です。そのため、技術力があり、発注者支援業務を行うのに最適な存在です。

しかしながら、たとえば、工事監督支援業務を支援してもらうと、発注者側の担当者は現場に出る機会がほとんどなくなります。そうなると、職員の技術力の低下は避けられません。そのため、支援範囲をよく検討した上で、発注することが大切です。

発注者支援業務とは？

発注者支援業務		
積算技術業務	技術審査業務	工事監督支援業務
工事の積算に必要な工事発注用図面、数量総括表、積算資料、積算データの作成などの業務の支援。	入札契約手続きにおける企業の技術力評価のため、審査資料の作成などの業務の支援。	工事目的物の位置、寸法、使用する材料などについての適否の確認および監督員の報告や工事施工業者から提出される資料と現地状況の照合および、設計変更協議用資料の作成などの支援。

工事監督支援業務の概要

工事監督支援業務の目的

発注者が工事の契約事項の履行を円滑に確認でき、
的確に施工業者との協議などができるよう支援する。

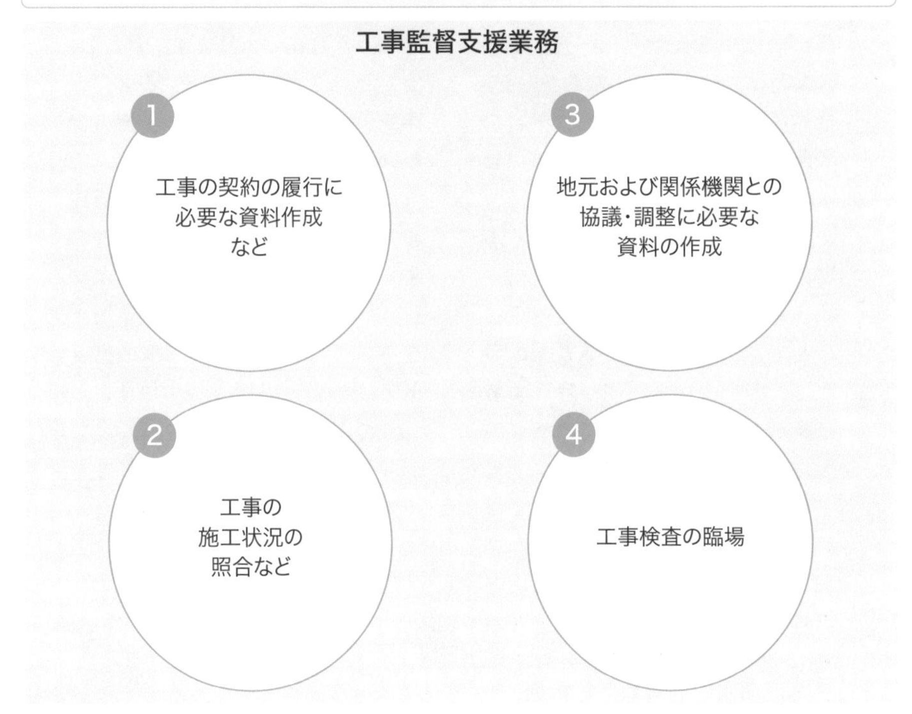

出所：国土交通省「令和4年度 発注者支援業務等 説明資料」をもとに作成

COLUMN 2

公共工事の予定価格が公表されている理由

2章では、公共工事の発注者側が「予定価格」を決めて工事を発注することを説明しました。予定価格は公表される場合と公表されない場合があり、それぞれメリット／デメリットがあります。

発注者が国の場合は、会計法予決令第79条により、予定価格は事前に公表できません。一方、地方公共団体では法令上の制約がなく、地域の実情に応じて、それぞれの判断で予定価格が公表されています。

公共工事の予定価格を公表する場合、1つ目のメリットは応札（入札への参加）の減少を防止できることです。予定価格が非公表の場合、工事を受注する側が積算する必要があります。これだけでも相当の労力が必要ですが、必ず落札できる保証はなく、原則として提示価格が一番安い企業が落札します。すると、費用対効果が悪いと判断して入札に参加しない企業が増え、適正な競争が行われなくなる可能性があります。

2つ目のメリットは不正の防止です。積算に余計な労力をかけずに工事を落札したい企業の中には、予定価格を探るために、発注者への贈賄などをする不届き者が出てくる可能性があります。そのような不正をなくすため、事前に予定価格を公表するケースは多いのです。

予定価格を公表するのは、以上のような理由によります。しかし、予定価格を事前に公表すると、工事を受注するためのおおよその価格が明白になります。すると、できる限り高い価格で落札したい建設業者が談合をする可能性が生じます。また、積算をする能力がないレベルの企業でも入札に参加できるようになるため、工事の品質低下につながる恐れもあります。

このように、予定価格の公表にはメリットとデメリットがあるのです。

第3章

土木工事の具体例

土木工事には、道路工事やトンネル工事のほかにも、河川工事や海岸工事などがあります。この章では、それぞれの土木工事がどのように行われているか見ていきます。

道路工事

Chapter3 01 毎日利用している道路のさまざまなしくみ

私たちが毎日利用している道路がどのような工程で造られているか、ご存じでしょうか？道路は交通量、交通荷重、路床の支持力や寿命などの要素を考慮して造られています。

道路工事はアスファルトを舗装するだけではない

道路といえばアスファルト舗装のイメージがありますが、道路はアスファルトだけで造られているわけではありません。一般的にはアスファルトの下に**砕石**が敷かれおり、この砕石の部分までを含めて「舗装」と呼びます。

砕石
天然の岩石を砕いて使用したり、コンクリートの廃材を利用したりする。

砕石やアスファルトの厚さは、道路によってまったく異なります。厚さを変える理由は、交通量や交通荷重が道路によって異なるからです。たとえば、幅が4mしかない道路と、国道のような片側2車線以上ある道路とでは、日々の交通量や通行する車両が異なります。そこで、舗装の厚さを変えることで対応するのです。

また、**路床**の**支持力**によっても舗装の厚さは変わります。路床の支持力が十分でない場合は、舗装の施工前に路床自体を改良することもあります。

路床
路盤下約1mの地盤の部分を指す。路床の支持力があれば、舗装の厚さは薄くてもよいことになる。

支持力
地盤が支えることができる大きさのこと。

道路の施工で注意すべきこと

道路の厚さが決まれば実際に施工をするわけですが、施工自体は綿密に行われます（第1章参照）。

まず、重機を使用して計画の高さ（深さ）まで掘削しますが、路床部に到達するまでの間に水道管、下水道管、ガス管などの埋設物が埋まっている可能性があります。そのため、事前に埋設管の調査をしっかりと行い、慎重に掘削をする必要があります。

無事、路床部まで掘削が済めば、その路床部が計画の高さになっているかを確認し、徐々に路盤から仕上げていきます。その際に、重機でしっかりと路盤の締固めを行い、高さの管理や**現場密度試験**などを実施して、質のよい路盤に仕上げていきます。そして、最後にアスファルトを舗設します。

現場密度試験
品質管理を目的とした、砂置換法などで行う試験のこと。現場の土の密度を把握し、締固めの程度を調べることができる。

道路の構成

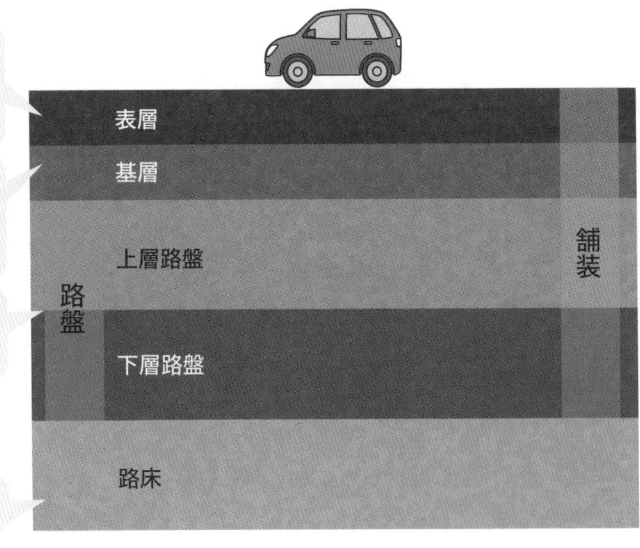

※道路の構成は、基層がないなど、各々の路線により異なります。

舗装の役割

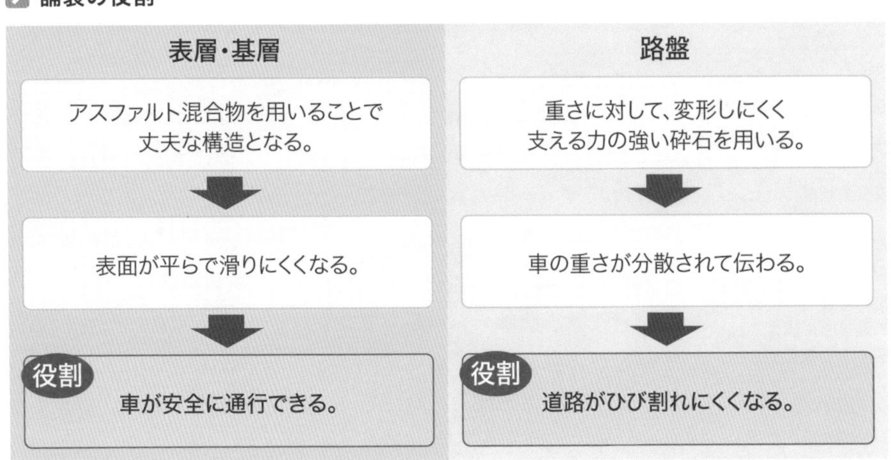

トンネル工事

交通の利便性を格段に向上させたトンネル工事

トンネルといえば、山の中に道路や線路を通す場合などに建設されますが、青函トンネルや東京湾アクアラインのように、海中を通るものもあります。ここではトンネルの形状や工法について説明します。

トンネルの形状

私たちがよく目にするトンネルは、なぜ上部が丸い形をしているのでしょうか？これは、外から圧力が加えられたときに、最も強い形が円形であるからです。これが正方形だった場合、四隅にかかる力によって変形しやすくなってしまいます。しかしながら、車が通るためには、トンネルの下の部分は平らにする必要があります。そのため、上部だけを円形にして、全体として見れば馬蹄のような形になります。

トンネル工事の4つの工法

トンネル工事は4つの工法を採用しています。

代表的な工法は山岳工法です。この工法は**地山**(じやま)を掘削し、**支保工**(しほこう)で安定させながら掘削を続け、山に穴をあけるものです。最近ではNATM（ナトム）という工法が一般的で、掘削後に吹付けコンクリートを施工し、ロックボルトを打ち、地山の安定を確保して掘進します。

シールド工法は、**シールドマシン**と呼ばれる機械の先端を回転させながら掘り進む工法です。工事用地の確保を最小限にできる利点があり、都市部の工事ではよく利用されています。地下鉄の建設工事にも採用されています。

そのほかには、開削工法(かいさくこうほう)と沈埋工法(ちんまいこうほう)があります。開削工法は地上から堀ってトンネルを建造し、完成後に埋め戻す工法です。沈埋工法は海中トンネル工事に用いられる工法で、トンネルを地上で作成してから海上に運搬し、海中や川に沈めます。

どの工法を採用するかは、事前に調査をしっかりと行った上で決定します。

地山
人為的な手が加えられていない、自然のままの地盤のこと。

支保工
トンネルのような構造物の建造中、完成するまでに支える役割をする仮設構造物。

シールドマシン
シールド工法で用いられる掘削機のこと。

山岳工法（NATM）

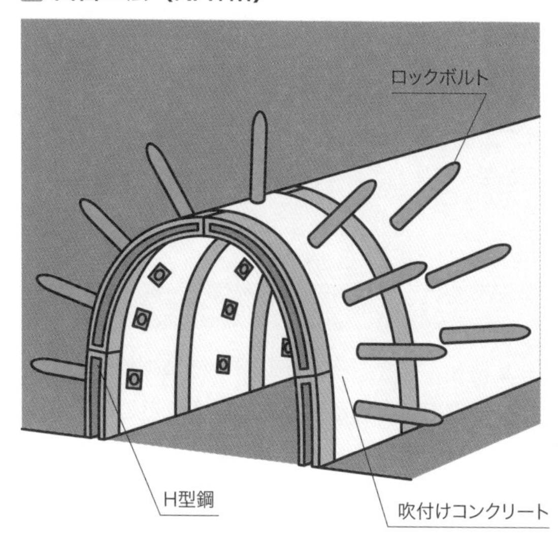

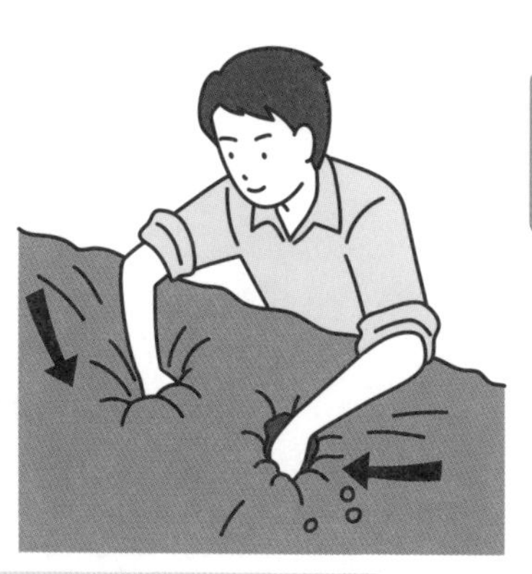

地山が持っている強度を最大限利用しながら機械や爆薬で掘っていく工法。必要に応じて、支保工を行う。

シールド工法

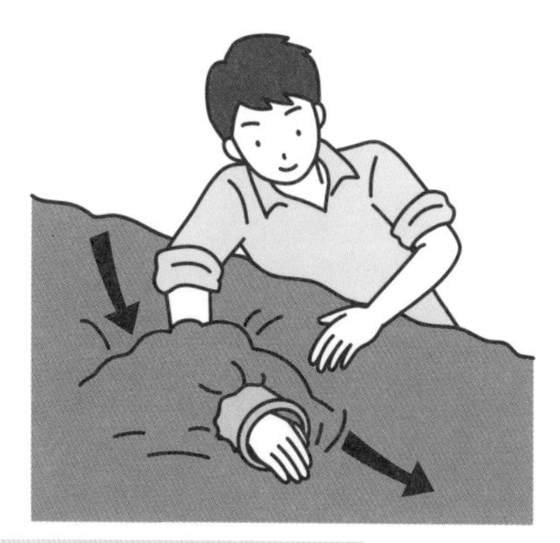

シールドマシンで崩れやすい地山を支えながら掘り進んでいく工法。

Chapter3
03

吊り橋以外にも多くの種類がある橋梁工事

第1章で触れた明石海峡大橋は、「吊り橋」という種類になります。それ以外にも、橋には多くの種類が存在します。ここでは、橋梁工事の全体像と主な施工方法について触れていきます。

さまざまな橋の種類

橋にはさまざまな種類が存在しますが、どの種類の橋を設置するかは、立地条件、景観、費用面などから検討されることになります。橋の種類としては、桁橋、トラス橋、アーチ橋、ラーメン橋、吊り橋などが存在します（右図参照）。

たとえば、明石海峡大橋（1-08参照）は支間長が1,991mですが、このように橋の支間（スパン）の距離を長くしたいときは、吊り橋でなければ施工条件的に厳しいといえます。これは、吊り橋にはケーブルがあり、このケーブルの強度を大きくすることで、支間長を長くすることが可能という特徴があるためです。

橋梁の施工方法

橋梁工事は「下部工」と「上部工」に分けられます。

下部工では、主に**基礎**・**橋台**（きょうだい）・**橋脚**（きょうきゃく）を造ります。明石海峡大橋の基礎工事で制作されたケーソンも下部工の一部です（1-08参照）。この下部工は、地形や地盤の状態、橋下の土地利用の状況などを踏まえた上で、位置を決定します。これにより、橋がまたぐ距離が決まります。

上部工では橋本体を築造します。上部工で重要なのは、橋の架設現場にクレーン車や船が入れるか否かです。

たとえば、クレーン車が進入可能で、**ベント**という仮の支柱が設置可能な場合は、「ベント架設工法」が採用できます。このベント架設工法は安全性と施工性に優れており、最も一般的な工法です。反対に、**橋桁**（はしげた）の下にクレーン車や船が入れない場合は、橋桁を離れた場所で完成させ、少しずつ連結させて、手延機で前に押し出す「送出し工法」などの工法を採用します。

基礎
地中で橋を支える部分のこと。

橋台
橋の両端にある上部などを支えるもの。

橋脚
橋の中間にある上部を支えるもの。

ベント
橋桁を支持する仮の支えの柱。橋の種類や地形などによって、設置位置を決定する。

橋桁
「梁」の部分のこと。橋の上を人が歩いたり、車が走ったりするのを支える役目をする。一般的には「桁」と表現されている。

橋の種類

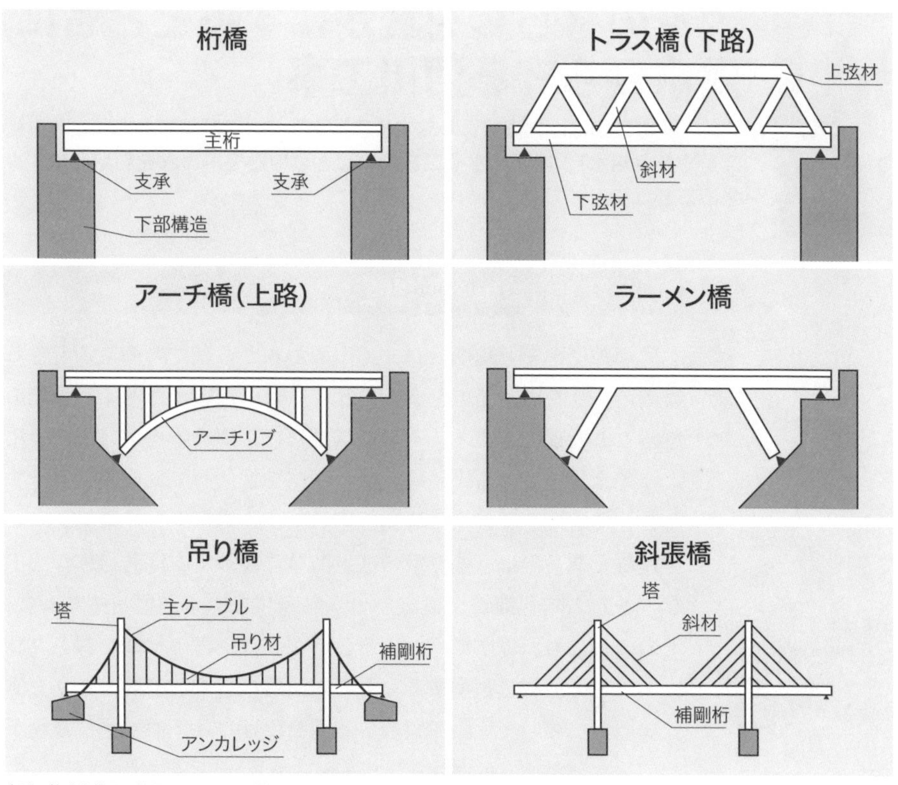

出所：株式会社長野技研Webサイト「橋梁の基礎知識 その1 － 橋梁の構造と種類について」
(https://www.naganogiken.co.jp/knowledge00/knowledge1/) をもとに作成

下部工と上部工

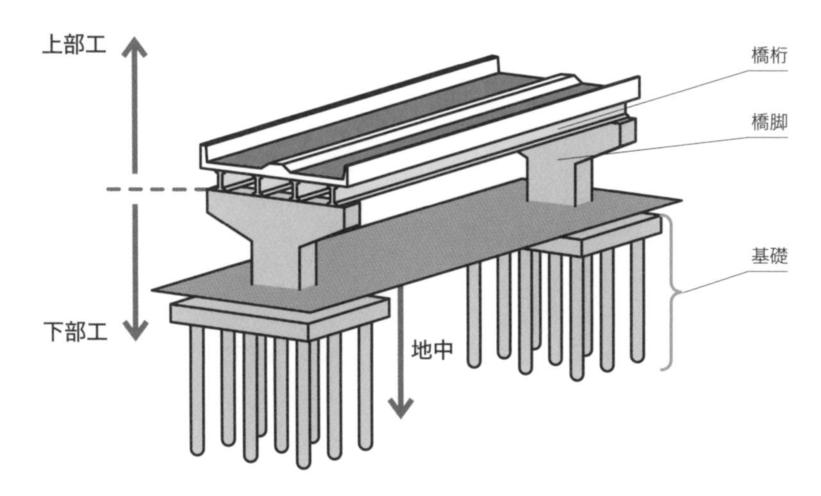

人々の暮らしを豊かにするとともに洪水から守る河川工事

河川工事の理由は、大雨により発生する洪水などの自然災害から私たちの生活を守り（治水）、農業用水や工業用水などの用途で川の水を利用しやすくすること（利水）です。

主な河川工事と築堤時の注意点

河川敷にある「堤防」は、河川の洪水から私たちの生活を守る設備の1つです。堤防を造ることで、河川から水があふれ出すのを防ぐことができます。堤防のほかには、川の幅を広げることによって水位を下げる「引堤（ひきてい）」や、河川を掘削して断面を大きくすることで水位を下げる「河道掘削」という方法もあります。

堤防を造る際は、築造時の盛土荷重によって、堤防自体が沈下などを起こす可能性があるため、**余盛り（よもり）**をする必要があります。そのほかにも、堤防に水が入らないように、表のり面をコンクリートなどの材料で被覆するなどの対策も検討する必要があります。軟弱地盤において堤防を築造する場合には、沈下やすべり破壊が起こらないように薬液注入工法（4-04参照）などの対策を行います。

余盛り
盛土をする際に、沈下を考慮して、あらかじめ計画高より高く仕上げること。

河川工事では、工事中に洪水の氾濫を起こすリスクを減らす必要があります。とくに、雨の多い時期を避けるなど、工事時期に注意します。そのため、河川工事は雨が少ない11月から翌年の5月ごろまでに施工するのが望ましいとされています。

堤防をずっと維持していくための工夫

河川で水が流れ続けることによって、堤防が流水で削られたりすることを「洗掘」といいます。そして、洗掘を防止するために検討されるものが「護岸」です。上記のコンクリートでの被覆も護岸の一種で、そのほか石をモルタル、コンクリートで緊結する練石積みの護岸などがあります。この護岸は、基礎の洗掘により破壊されることが多いため、**根入れ**を深くします。また、護岸付近の流速が速いと護岸が破壊されるため、表面に突起を設けるなど粗度（そど）をもたせ、流速を暖めるなどの工夫がされています。

根入れ
基礎や構造物を地中に埋めること。

堤防の名称

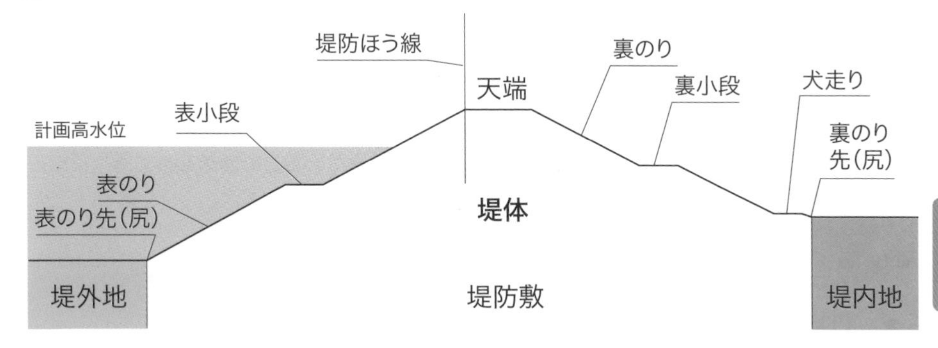

洪水対策（堤防）

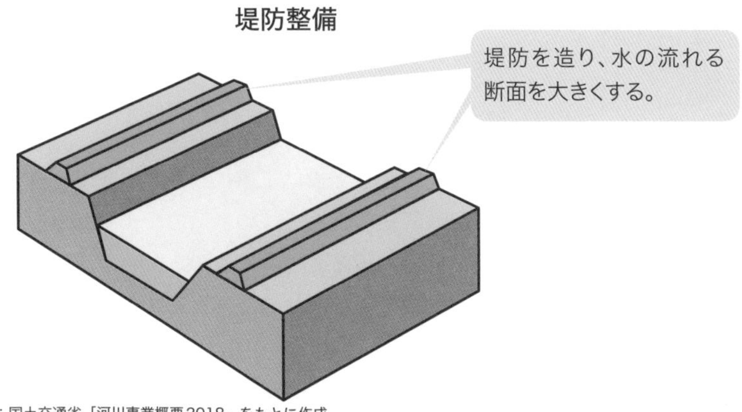

出所：国土交通省「河川事業概要2018」をもとに作成

洪水対策（引堤）

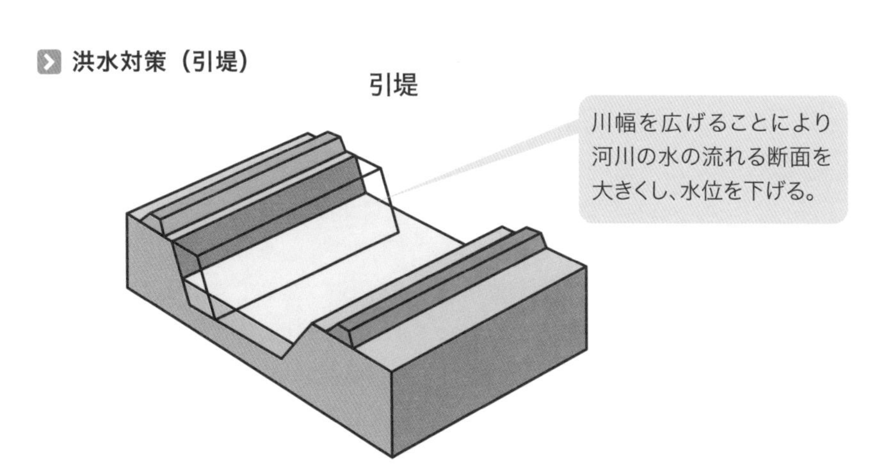

出所：国土交通省「河川事業概要2018」をもとに作成

ダム工事

Chapter3 05

ダムの事前調査・完成までとダムの役割

普段、ダムを目にする機会はあまりないと思いますが、私たちの生活に必要不可欠なものといっても過言ではありません。ここではダムの工事や役割について説明します。

ダム工事に着工するまで

ダムを造るにあたって、まず考えないといけないことは、ダムを築造するのに適した場所であるかということです。たとえば、貯水目的のダムを造る場合は、できる限り河床勾配が緩い方が貯水量は多くなります。ほかにも、地震などで壊れてしまっては大変ですので、**断層**の場所に配慮をしたりします。生態系に与える影響を考慮することも重要です。

そして、場所を選定した後は工事に着手しますが、ダムを造る場所には川が流れているため、その状態のままで工事をすることはできません。その対策として、仮設のトンネルを掘ってそちらに水を流し、一時的に川の流れを変える方法がとられます。これを「転流工」といいます。

断層
地層や岩石に力が加わったことで、割れ目に沿ってその両側が移動し、ずれが生じた状態のこと。今後も活動する可能性のある断層を「活断層」と呼ぶ。

工事の着工および完成後の対応

転流工が完成したら、いよいよダム本体の基礎工事に着工します。基礎地盤がダム本体を支えられるように、表面の土砂などを取り除き、地盤である岩盤の亀裂部分に**セメントミルク**を注入します。これを何か所も行うことで、コンクリートのカーテンを形成し、水が亀裂部分から流れていかないようにします。その後、ダム本体を築造します。

ダム本体は、水や堆積した土砂の圧力を常に受けます。そのような負荷がかかることも踏まえて、転倒したり、滑ったり、壊れたりしないように設計・施工を行います。

ダムが完成した後は、水がたまるように転流工のトンネルをふさぎます。その後、ダムにきちんと水がたまって問題なく運用できるか、1年ほどかけて試験を行います。

セメントミルク
セメントと水を目的に合った濃度で混合したもののこと。

河床勾配

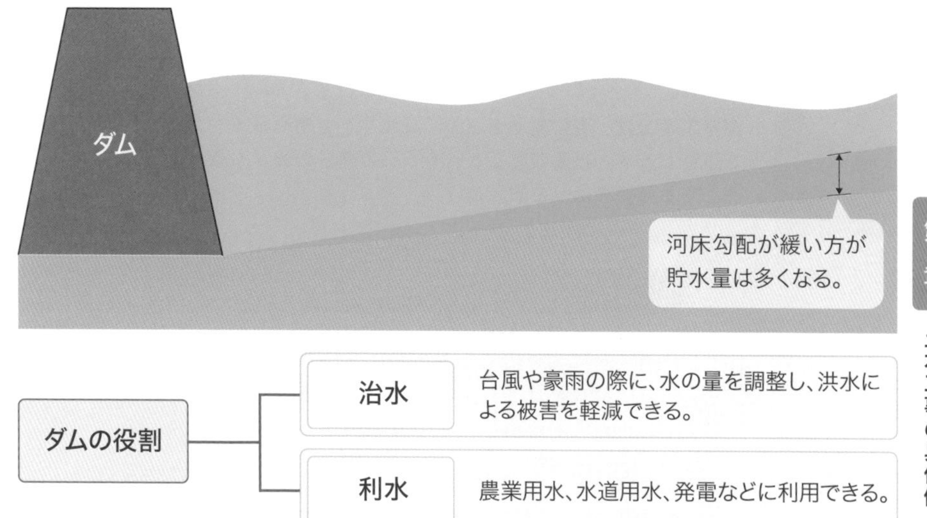

ダムの役割		
	治水	台風や豪雨の際に、水の量を調整し、洪水による被害を軽減できる。
	利水	農業用水、水道用水、発電などに利用できる。

ダムの水力発電のしくみ

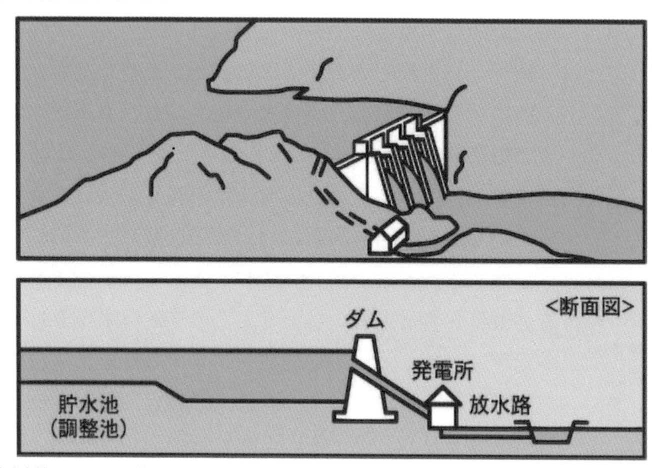

出所：中部電力株式会社Webサイト「発電方法の種類」
(https://www.chuden.co.jp/energy/renew/ren_shikumi/wat_shikumi/wat_hatsuden/) をもとに作成

水力発電は二酸化炭素などの温室効果ガスを発生させることなく、電力を作り出すことができます。

Chapter3 06

海水の進入を防ぐ海岸工事

海岸工事では、主に高潮や津波、波浪などを防ぐ盛土やコンクリート構造物を築造します。計画段階でどれくらいの高さの波がくるかを想定し、設計・施工する必要があります。

海岸堤防には減災効果がある

海岸工事では、波・潮・風などの自然の影響を大きく受けます。そのため、海岸工事の1つである海岸堤防の築造にあたっては、不規則な波の影響を踏まえて設計する必要があります。

さらに、東日本大震災の経験を踏まえて、「粘り強い構造」の海岸堤防を整備することになりました。これは、津波が越えた場合でもすぐには倒壊しない強靭な構造にすることで、住民が避難する時間を稼ぎ、浸水面積や浸水深を減らすなどの減災効果を備えた堤防にするというものです。

実際、岩手県の**釜石港**には防波堤があったため、東日本大震災では津波の高さが14mから8mに減少し、津波が防潮堤を超えるまでの時間を6分間遅らせています。防波堤と堤防では役割は違いますが、このような土木構造物の減災効果は証明されています。

また、海岸堤防の前面には、波圧を軽減する目的で消波ブロックが設置されることがあります。消波ブロックでよく知られているのは**テトラポッド**でしょう。このテトラポッドも単に置いているだけではなく、沈下や洗掘を防止するために捨石などで**根固め**を行っています。そして、据付けの際は、ほかのテトラポッドとしっかりとかみ合うように設置します。

釜石港
岩手県釜石市にある港湾。港湾管理者は岩手県で、港湾法上の重要港湾、港則法上の特定港に指定されている。

テトラポッド
護岸を目的に設置するブロック。総称は「消波ブロック」であり、「テトラポッド」は株式会社不動テトラの登録商標である。

根固め
洗掘防止や滑動防止のため、捨石などを用いて施工する。

海岸の浸食対策

風や波によって海岸から失われる砂れきの量が、河川などから運び込まれる砂れきの量よりも多い場合には、海岸が少しずつ後退してしまいます。これを防止するために、「突堤」や「離岸堤」などを築造します。海水浴場や釣り場でよく見かける土木構造物は、海岸を守る大事な役割を果たしています。

粘り強い構造へと生まれ変わる海岸堤防

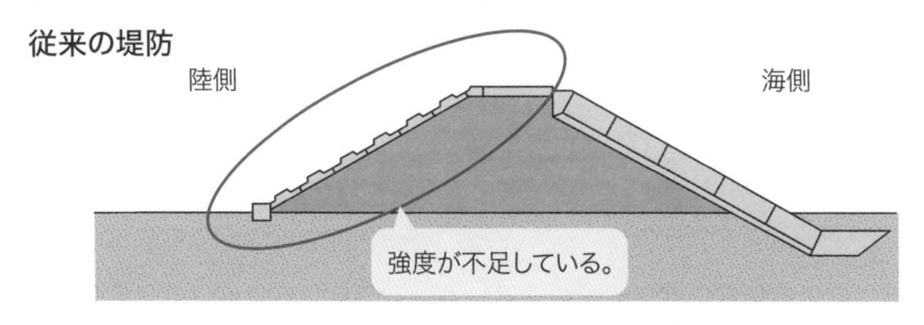

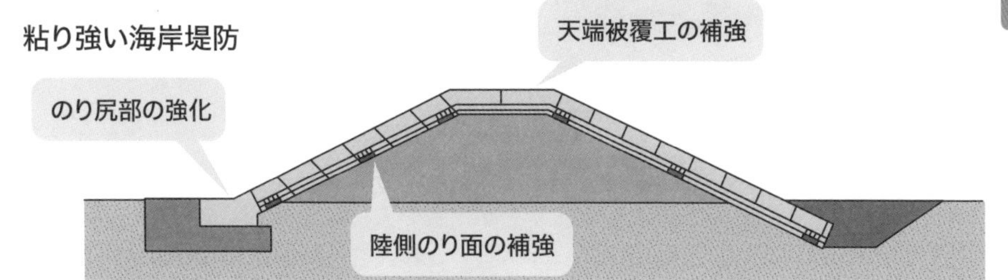

出所：国土交通省「粘り強い構造の海岸堤防について」をもとに作成

突堤と離岸堤

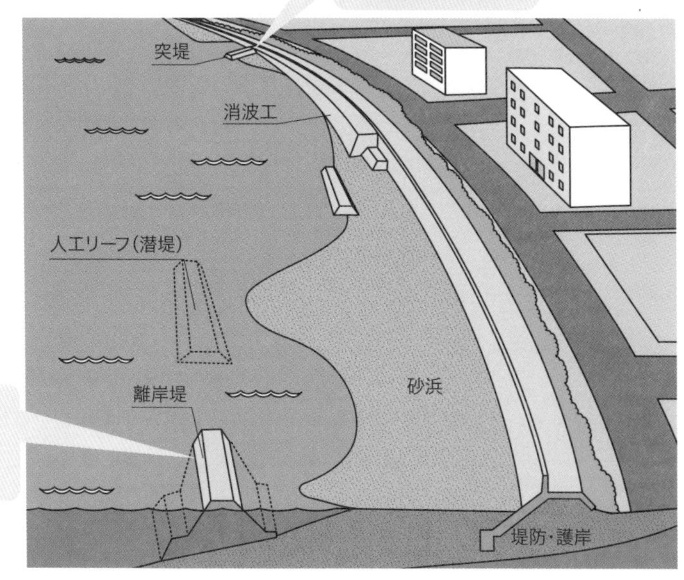

Chapter3
07

水道関連工事

私たちの生活と命・経済を守る水道工事

水道といえば、蛇口から出てくる水を思い浮かべると思いますが、この水はいったいどこからやってくるのでしょうか？ここでは、水道関連工事のうち、土木に関連する水道工事について説明します。

水が蛇口にやってくるまで

水が安全な水道水として供給されるまでには、さまざまな工程があります。まず、**ダム**で貯めた水や井戸の水を取水場から浄水場へ送り、浄水場できれいな水に浄化し、**配水池**（はいすいち）で水を貯め、その水が配水管を通り、私たちの家に届きます。

地中に埋設されている水道管には、取水場から浄水場に水を送る「導水管」や、浄水場から配水池に水を送る「送水管」、各家庭に水を送る「配水管」、配水管から分岐して各家庭へ供給するための「給水管」などの種類があります。

施工上の注意点

これらの管路については、計画・施工時にいくつか注意事項があります。まず、路面と管頂部の**土被り**については、**道路法施行令**の取り決めで、標準は1.2m（やむを得ない場合は0.6m）以下にはできません。これは、道路にかかる車両などの荷重によって、埋設した管に影響が及ばないようにするためです。

また、下水道管やガス管など他の地下埋設物と近接する場合には、少なくとも0.3m以上の間隔を保つようにします。これは、維持補修や施工時の事故防止、**サンドエロージョン現象**への対策をするためです。

さらに、付属設備として仕切弁（バルブ）などを設置します。仕切弁は断水の必要がある場合などに、一定区間の配水を止めるため、配水管の分岐点などに設置します。そのほかにも、重機で誤って損傷させないよう、水道管の位置がわかるように、埋設管と地表との中間に埋設標識シートを設置したりします。

ダム
（3-05参照）

配水池
飲み水を配るために、一時的に溜めておくための施設。

土被り
地中に造られる構造物の上端から地表面までの厚さ。地表面からの深さのこと。

道路法施行令
道路網の整備を図るため、道路に関して路線の指定および認定、管理、構造、保全、費用の負担区分などに関する事項を定め、これによって交通の発達に寄与し、公共の福祉を増進することを目的とする道路法の施行令。

サンドエロージョン現象
水道管から漏水して噴出した水の付近の土砂が混じり、ガス管などにジェット状に当たることにより摩擦が起こり、最終的に穴が開いてしまう現象のこと。

きれいな水が家に届くまで

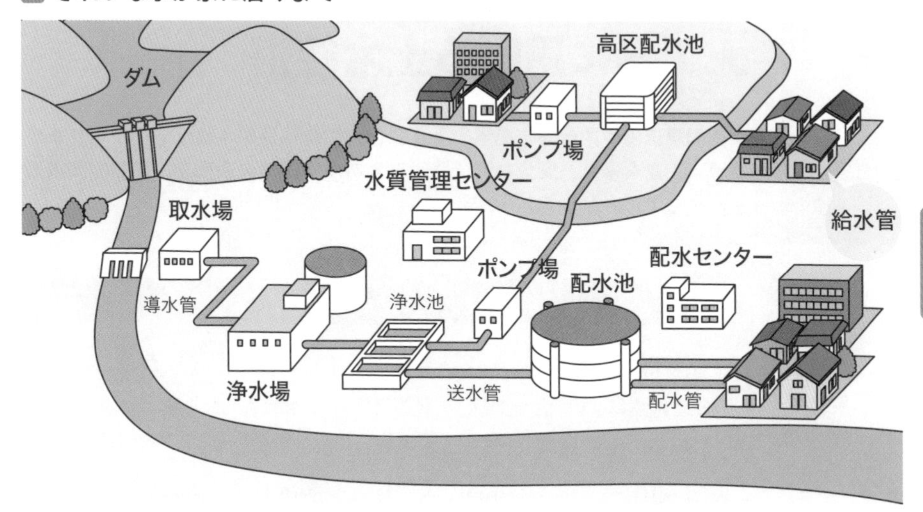

出所：政府広報オンラインWebサイト「飲み水はどこから？使った水はどこへ？暮らしを支える「水の循環」」（令和5年（2023年）7月11日）（https://www.gov-online.go.jp/useful/article/201507/4.html）をもとに作成

土被りと他の埋設物との間隔

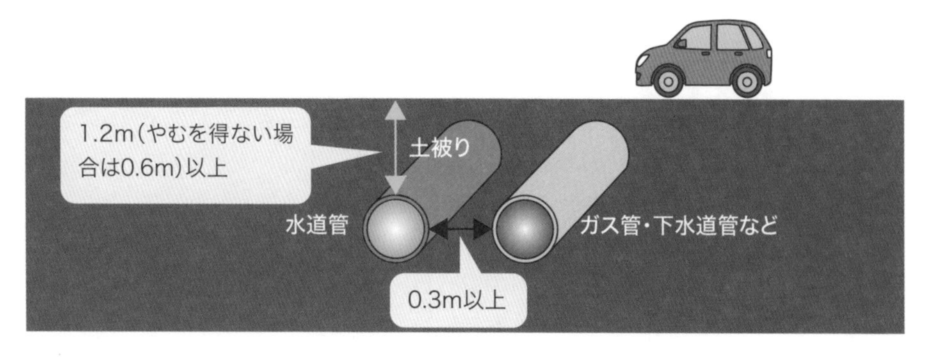

サンドエロージョン現象

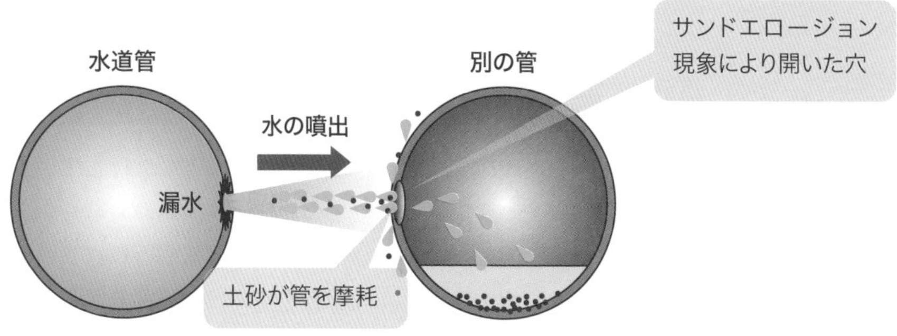

出所：公益財団法人水道技術研究センター　水道技術ジャーナルNo.80（2016年7月）p.27をもとに改変し作成

人工島に用いる土木技術

関西国際空港や中部国際空港のように、人工島に建設された空港があります。この人工島を造り、安全な滑走路ができあがるまでの過程を、関西国際空港を例にして紹介します。

人工島（埋立地）ができるまで

空港には飛行機が発着する「滑走路」がありますが、この滑走路は人工島で造られていることがあります。人工島とは、何もない海の上に新たに生み出された土地のことです。

人工島を造るときは、工事による海水の濁りが広がらないよう、工事区域の周辺に**汚濁防止膜**を設置する必要があります。

人工島の工事には、もともと海底にある粘土層に含まれている水を抽出するための大量の砂が必要になります。そして、調達した砂を船から直接、予定地全体の海底に敷き均した後、**地盤改良工事**を行います。その後、護岸工事として、ケーソンやテトラポッドなどを人工島予定地周辺に設置します。これにより、周囲が波から防御された状態になります。

汚濁防止膜
汚濁水の拡散を防止するために設置するフェンスなどのこと。

地盤改良工事
（4-05参照）

次に、土砂による埋立工事を行います。土砂の運搬は船による輸送が中心ですが、均一に敷均す必要があるため、超音波の反射を利用した海底測量を行い、土砂投入の際にはGPSを利用して正確に埋め立てます。さらに、滑走路やターミナルなどの重要な施設を建設するには強固な地盤に仕上げる必要があるため、振動ローラーなどの重機による締固めを行います。そして、最後に舗装を敷き均し、「滑走路」が完成します。

沈下を続ける人工島

関西国際空港の人工島では、現在も地盤沈下が進行していることが確認されています。とはいえ、これは人工島の築造時から想定されていたことで、当時からさまざまな対策が行われています。

このように、土木技術は人々が安全に施設を利用できるように、将来にわたるリスクを計算して利用することが大切です。

人工島の築造から滑走路の完成までの流れ

❶ 汚濁防止膜の設置（土砂投入などによる周辺海域への影響を軽減）

↓

❷ 敷砂工事（海底の粘土層の水を早期に抽出）

↓

❸ 地盤改良工事（サンドドレーン工法など）

↓

❹ 護岸工事（ケーソンやテトラポッドを使用）

↓

❺ 埋立工事（船による運搬、重機による締固め）

↓

❻ 舗装工事

沈下への対策（旅客ターミナルビルのジャッキアップ）

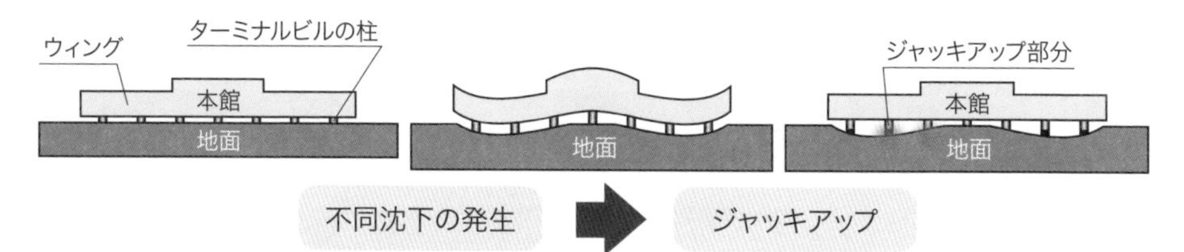

不同沈下の発生 → ジャッキアップ

出所：関西エアポート株式会社Webサイト「関西国際空港 不同沈下対策～ジャッキアップ技術～」（http://www.kansai-airports.co.jp/efforts/our-tech/kix/sink/hudou.html）をもとに作成

不同沈下	ジャッキアップ
地盤のゆがみなどにより、建物などが傾くこと。	不同沈下があった場合に、建物の柱をジャッキで持ち上げて鉄板のプレートを挟むことで、建物の傾きを調整する。

Chapter3
09

下水道工事

縁の下の力持ち！汚水や雨水を処理する下水道

土木工事における下水道工事といえば、大きく分けて「雨水管」工事と「汚水管」工事があります。これらの設備は普段は目にする機会がありませんが、私たちの生活に必要不可欠な存在です。

下水道の役割と方式

下水道の役割のうち１つは、「汚水」を処理して公衆衛生の向上や水質の保全を推進することです。もう１つは「雨水」を処理して、浸水を防止することです。

この下水道の排除方式には、「分流式」と「合流式」があります。分流式は雨水と汚水がそれぞれ別の管ですが、合流式は同じ１本の管です。施工効率で考えると、管が１本で足りる合流式の方が施工もしやすく安価です。ただし、大雨の時などに大量の水が管に流れてくるため、汚水を含んだ水も未処理のまま放流されることになり、水質汚濁の問題が生じます。そのため、現在は分流式の施工が一般的です。

下水道のしくみ

下水道は**自然流下**が原則です。そのため、正確な**勾配**で施工する必要があります。しかし、どうしても自然流下が難しい箇所は、マンホールポンプを使って汲み上げています。

また、管の点検や清掃などの作業を行うほか、外部との換気ができるように、「マンホール」の設置が必要になります。管が合流したり、勾配が変化したり、管の太さが変わったりする所などには、必ずマンホールを設置します。

マンホール内には、下水の流下を円滑にするための**インバート**という導水路を設置します。管の施工方法としては、地面を直接掘削して埋設する「開削工法」や、工場で製造された推進管の先端に掘進機を取り付け、ジャッキで推進する「推進工法」などがあります。推進工法を行う際には、通常、人の出入りや材料の搬入などに使う「立坑」という垂直の坑道を用意します。

自然流下
原則として、下水道は管に傾きをつけることで、雨水や汚水を重力によって流下させる。

下水道の勾配
下水道の理想的な流速は、1.0～1.8m/秒程度とされているので、それを踏まえて勾配を決定する。また、下流に行くにしたがって漸増するようにする。

インバート
汚物などを滞留させないために、マンホールなどの底部に設けられる半円形の流路のこと。

下水道の合流式と分流式

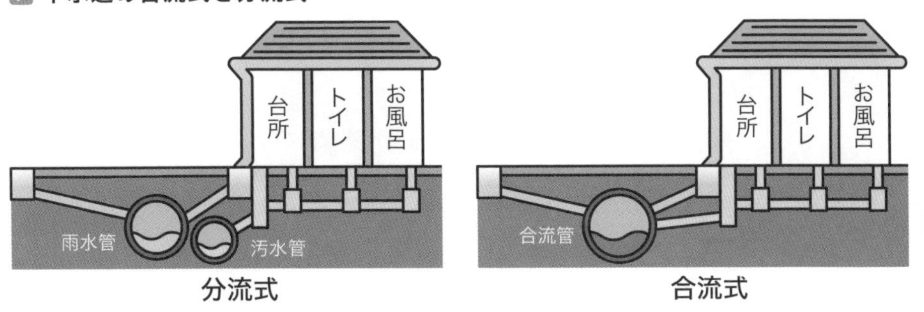

開削工法と推進工法

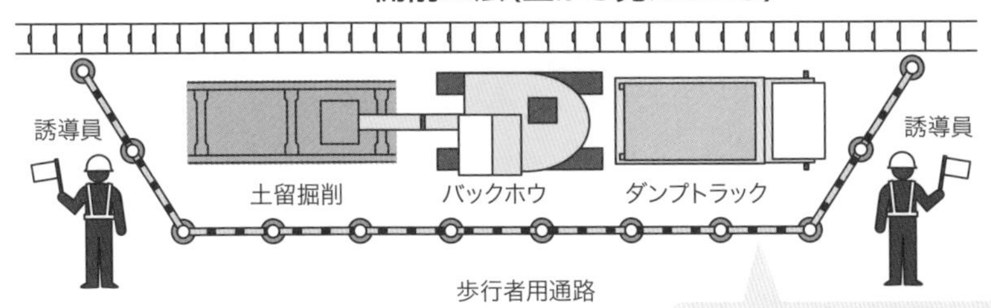

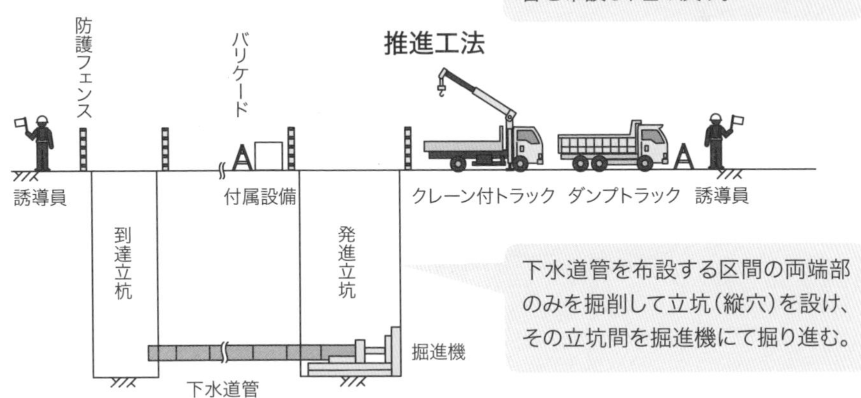

Chapter3
10

鉄道工事

夜間に行われることが多い鉄道工事

鉄道の土木工事といえば、主に列車が走る線路の新設・補修などの工事です。ダイヤの密度にもよりますが、列車の運行中に線路の補修工事を行うのは困難です。そのため、主に夜間を通して行われています。

鉄道が走る線路の新設工事

鉄道における土木工事といえば、代表的なものとして、線路、**橋梁**、**トンネル**工事が挙げられます。ここでは、線路の工事について解説します。

鉄道の線路は、「軌道」と軌道を支える「路盤」から構成されます。軌道は**道床**の上に**まくらぎ**を並べ、その上に2本のレールを平行に設置したものです。

道床は、「バラスト道床」と呼ばれる砕石や砂利から造られるものが一般的です。バラスト道床には、列車通過時の荷重や衝撃を分散させる役割があります。橋梁やトンネルなどの沈下変形のない場所では、コンクリート製の「スラブ道床」が利用されます。レールを支えるまくらぎは、主にコンクリートや木でできています。

路盤は、良質な自然土などを使用する土路盤もあれば、アスファルトを使用する強化路盤もあります。その路盤の下には、道路と同じように路床が存在します。

主に夜間に行う線路の補修工事

列車が通るたびに軌道のまくらぎは劣化し、バラストも砕けます。バラストが砕けると、列車の荷重や衝撃が分散されなくなります。さらに、レールも摩耗してゆがみます。そうなると、列車を安全に運行をすることができません。そこで、それぞれ定期的なメンテナンスが必要になります。

バラストの交換には、**軌陸車**(きりくしゃ)や**軌陸バックホウ**を使用します。まくらぎの交換は、専用の**アタッチメント**を取り付けたバックホウなどを使用します。

橋梁
(3-03参照)

トンネル
(3-02参照)

道床
列車の衝撃を緩和し、まくらぎからの圧力を均等に路盤に伝える役割をするもの。軌道内の雑草の成長を防ぐ役割もある。

まくらぎ
レールを支え、列車の荷重をバラストに伝える役割をする。

軌陸車・軌陸バックホウ
鉄道用の車輪を取り付けて、道路と軌道の両方を走れるようにした車両。軌陸バックホウは同様の改造をした油圧ショベル。

アタッチメント
(軌陸)バックホウのアーム先端のバケットと交換するパーツ。コンクリートの解体で使うブレーカなどがある。

線路の構造

まくらぎの交換に使われるアタッチメント

平成28年10月から平成29年5月までの間に4件の列車脱線事故が生じたことにより、国の運輸安全委員会は、平成30年6月に国土交通大臣に対して、木製のまくらぎを計画的に耐久性に優れ保守が容易な「コンクリート製のまくらぎ」への交換をするように意見を出しています。

Chapter3 11

防災と住民の生活向上のための土地区画整理事業

土地区画整理とは、都市計画区域内で行われる市街地整備の手法の1つです。狭い道路が複雑に入り組んだ、古い街などを整備します。公共施設を整備し、宅地の利用増進を図る手法です。

複合的な工事が行われる土地区画整理

土地区画整理ではさまざまな工事が行われたあとに、換地処分（かんちしょぶん）（右図参照）が実施されます。その際、土地区画整理事業地内に住んでいる住民は、土地区画整理によって生み出された新しい宅地へ移転することになります。

土地区画整理によって道路の形も大きく変わるため、結果として、道路を新造する必要が生じます。ただし、一般的な土地区画整理において、区域内の全住民を一度に移住させるのは困難なので、段階的に事業を進めます。道路も段階的に完成させていきますが、道路の地中には水道管や下水道管、ガス管などが埋設されており、それらの経路も変更することになります。

この変更よって住民の生活に支障が出ることがないよう、工事を進める必要があります。このため、事業全体の施工計画を立案することは、土地区画整理事業における最難関といえます。

換地処分
区画整理事業によって、従来その区画に土地を所有していた人に新しい土地を割り当てることを「換地処分」、換地処分によって割り当てられる土地を「換地」という。

土地区画整理のメリット

土地区画整理が行われると、道路の幅は広がり、形が整います。また、大きい道路は無電柱化されることも多いため、地震の際に電柱が倒壊する恐れがなく、車両が通行しやすくなることから、防災面の向上にもつながります。そのほかにも、下水道が全面的に整備され、新しく公園が造られることも多々あります。

宅地もきれいな形に整うので、宅地の利用がしやすくなり、地域が活性化されるなどのメリットが生じます。その反面、道路を始めとするさまざまな公共施設が整備されるため、土地区画整理の施行前と比べると、個人の宅地用の面積は減少するのが一般的ではあります。

無電柱化
代表的な手法として、「電線共同溝」がある。これは、電柱が果たしている機能を地中で実現するもので、防災面や景観面で大きなメリットがある。

土地区画整理の換地処分

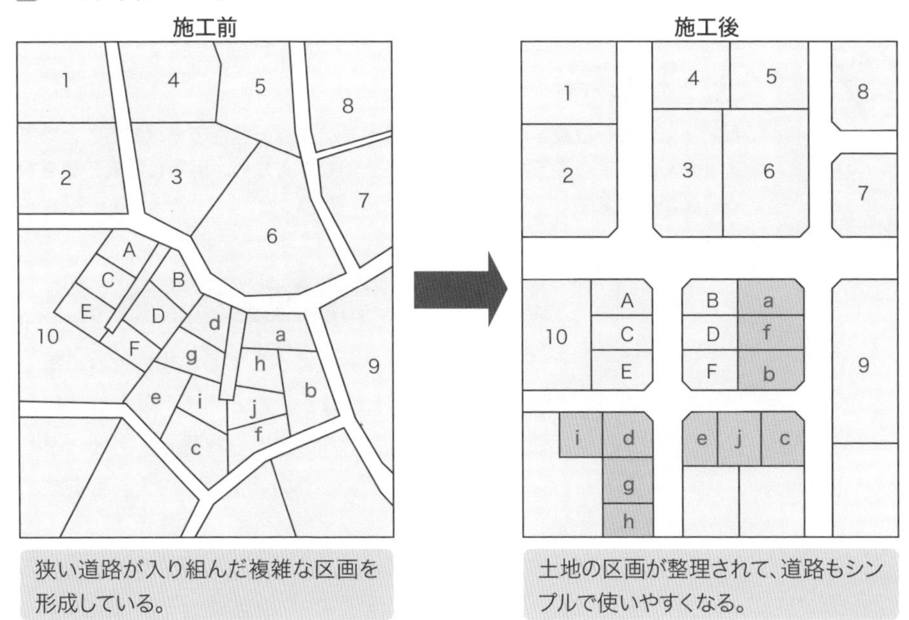

出所：公益社団法人街づくり区画整理協会Webサイト
「土地区画整理事業とは」（https://www.ur-lr.or.jp/outline/about.html）をもとに作成

無電柱化

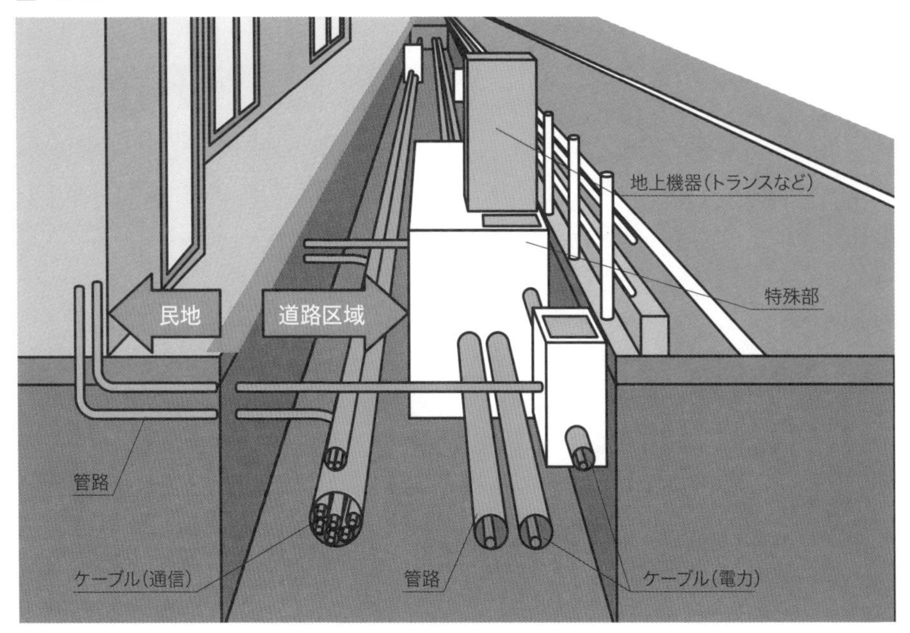

Chapter3
12

造成工事

住宅地を開発するときなどに行う造成工事

たとえば、畑や放置された荒地は、そのままでは分譲住宅を建てることはできません。住宅を建てて、人が住める土地にするため、事前に造成工事をする必要があります。

造成工事の目的

造成工事とは、土地を利用できるようにするために行う工事です。第1章で触れた盛土や切土のほか、たとえば、現在は畑にしている土地に住宅を建てる場合、畑の土を取り除き、宅地に適した土と入れ替える必要があります。この「土の入替え」も造成工事の一種です。

造成工事は、主に土に手を加える工事のため、土量の管理がとても重要です。土を掘削してほぐすと、体積が増えます。つまり、いま現場にある土量と、実際に**ダンプトラック**に積む土量では、体積が異なるのです。また、入れ替えのために持ってきた土を締め固めると、体積は減少します。施工管理においては、搬出入の際は、このような土の性質を考慮することも重要です。

ダンプトラック
荷台の積み荷を降ろすための装置を備えたトラック。油圧シリンダーで荷台を傾けることで、重力によって土砂などの積み荷を一気に降ろすタイプが多い。ダンプ、またはダンプカーと呼ばれることもある。

盛土工事は要注意！

造成工事において、盛土工事をする場合には注意が必要です。盛土はいったんほぐした土を締め固めます。たとえば、宅地として利用する土地の締め固めが甘いと、ふかふかの土の上に家を建てる状態になってしまうため危険です。

また、造成工事で盛土工事をする際は、**擁壁**（ようへき）を設置することもあります。この擁壁は、第1章のコラムで解説したような鉄筋コンクリート製で、土圧によって生じる引っ張りの力に強い鉄筋が使われているものもあります。しかし、「擁壁を設置したから安全」というわけではありません。鉄筋コンクリートには寿命があり、年月が経過するとヒビ割れなどの劣化が生じます。このため、盛土だけではなく擁壁にも目を配り、しっかりと施工をする必要があるのです。

擁壁
盛土が崩れることなどを防ぐ土留めのこと。コンクリート擁壁や石積み擁壁など、さまざまな種類の擁壁がある。

土量の管理

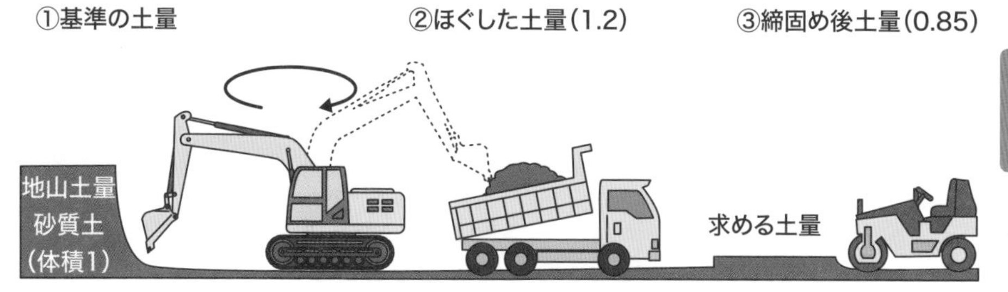

擁壁工事

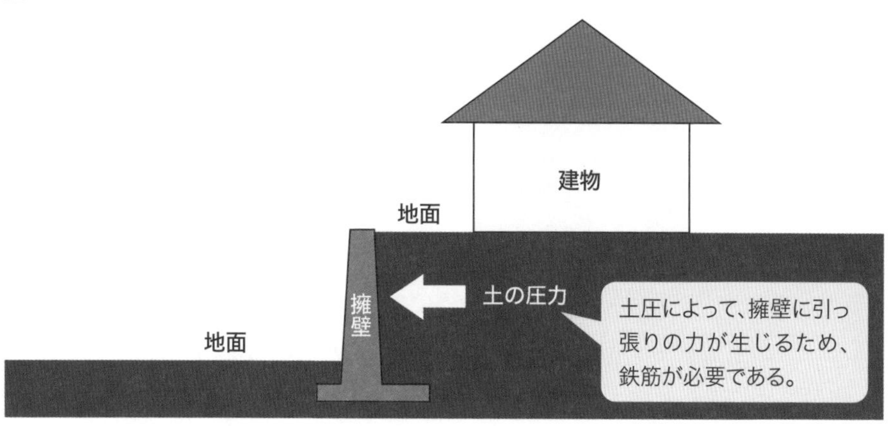

ONE POINT

造成工事と擁壁工事のポイント

造成工事のポイント

・地山に極力手を加えないように、丁寧に掘削する。

・土木構造物などによっては、地盤の改良なども併せて検討する。

擁壁工事のポイント

・現場打ちコンクリート擁壁の場合は、配筋やコンクリートの打設を適切に行う。

・安定した品質が確保できるプレキャスト擁壁の施工も検討する。

解体工事

解体した土木構造物は産業廃棄物として処理する

建築物の解体と同じように土木工事においても、既存の構造物を解体して撤去することは、よくあります。その構造物を撤去する際に、注意するべきことについて説明します。

解体される土木構造物

これまで説明してきた土木構造物には、それぞれ寿命があります。たとえば、私たちの身近にある道路についても、アスファルトの舗装が割れたりしているのをよく目にすると思います。破損が大きい場合は舗装を作り直すことになりますが、その際、割れた古い舗装はどこに行くのでしょうか？

このような古い舗装は**産業廃棄物**として扱われます。アスファルトの舗装は、産業廃棄物を処理できる許可を持った処理業者へ運搬されることになります。そして、廃棄されたアスファルト舗装のほとんどは、最終的にリサイクルされます。このように、再生可能な産業廃棄物はきちんとリサイクルをされるしくみになっているのです。

産業廃棄物
事業活動で生じた廃棄物のうち、汚泥、廃油、廃酸、廃プラスチック類、がれき類など政令で定められた廃棄物のこと。

不法投棄をさせないマニフェスト制度

土木構造物の解体工事によって排出された産業廃棄物が適正に処分されず、自然の中に不法投棄されれば、重大な環境問題になります。このため、産業廃棄物を排出した事業者（排出事業者）に対して責任を持たせて、自社で処理できないために他人に「運搬」や「処分」を委託するような場合は、産業廃棄物の引渡しと同時に**産業廃棄物管理票**（マニフェスト）を交付することが義務付けられています。

そして、排出事業者は年に1回、マニフェストを交付した産業廃棄物の種類、排出量、交付枚数などについて、都道府県知事などに報告する必要があります。ただし、電子マニフェストを交付した分については、電子マニフェストの運用組織から都道府県知事などへ報告があるため、事業者からの報告は不要です。

産業廃棄物管理票
産業廃棄物の名称、数量、運搬業者名、処分業者名などを記入し、産業廃棄物の流れを自ら把握、管理するための伝票。

アスファルト舗装におけるリサイクルの流れ

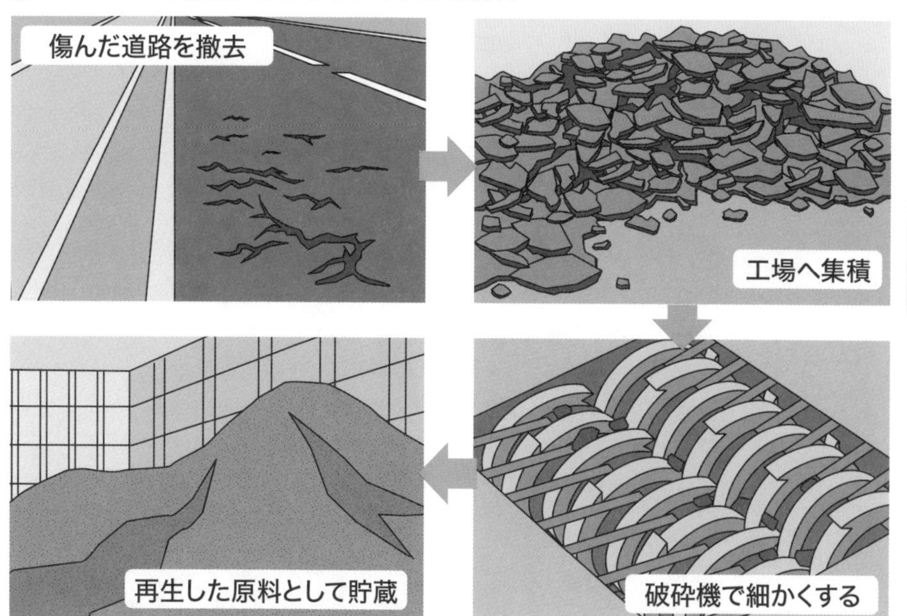

マニフェストの報告義務

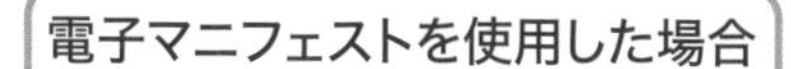

紙マニフェストを使用した場合

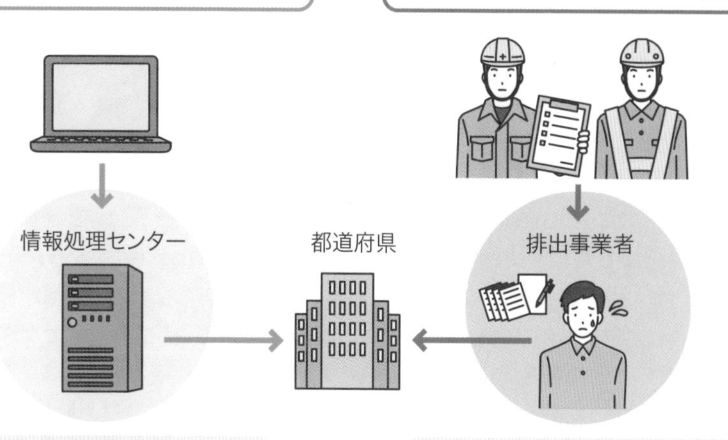

情報処理センターは1年間のマニフェストデータを集計し、電子媒体に保存して都道府県に報告する。

排出事業者は1年間に交付した紙マニフェストを集計して都道府県に報告する。

COLUMN 3

土地の地名からわかる？地盤の強さについて

土地の地名には、過去のその地域の地形そのものを表しているものが存在することをご存知でしょうか？

たとえば、「川」「沼」「浦」「浜」といった名前の付く地名です。私たちの住んでいる地域の中にも、上記のような名前が付く場所は、多く存在していると思います。

これらの文字を聞くと、「水」を連想しませんか？実際、上記のような文字の付いている地名の中には、今でもその面影を残している所も存在します。

そして、この「水」が実際にあったような場所、たとえば、今は宅地や道路になっているけれども、昔、川だったような場合、その地盤は、かなり弱いことになります。

地盤の調査をしてみないと正確にはわからないのですが、もともと「水」が何かしらの形であった場所の多くは、現在は、見た目ではきちんとした土地になっていたとしても、家を建てるなどの場合に、十分な地盤の強さがないです。

今のご時世、地震などに耐えられるかどうかは、大切なポイントになっていますので、地盤が弱ければ、いくら建物を頑丈にしても意味がないのです。そのため、地盤改良などを講じる必要があり、余分な費用が発生することもあります。

実際に、東日本大震災でも発生しましたが、液状化現象は、その土地固有の状況が原因で発生します。リスクを避けるには、実際にその土地が、昔どうなっていたかを知ることが、非常に重要になってくるのです。

しかし、この話を聞いて、注意していただきたいことが1つあります。このような名前が付いているから、この名前が付く市区町村などは、全域において、地盤が弱いといっているわけではありません。

ただ、たとえば「浦」が付くような名前の地域では、昔、少なくとも「浦」が実際にどこかにあった可能性があります。そうなると、実際にその浦があった土地においてのみいえば、長い年月を経て、地層が積み重なっているとしても、地盤が弱い可能性があるということになります。

つまり、名前だけで判断はせず、名前を参考に、実際に、その土地が昔どうなっていたか、を知ることが大切ということです。

第4章

おもな土木工法

土木工事では、掘削、コンクリートの打設、舗装の施工などの工事の種類に応じて、さまざまな工法が存在します。この章では、土木工法の中でも代表的な工法を紹介します。

Chapter4
01

舗装はアスファルトだけではない?!

いろいろな種類がある道路工事の舗装構造

道路といえば、一般的には黒い色のアスファルトの舗装を思い浮かべるでしょう。よく考えてみると、アスファルト以外にもさまざまな舗装があることを思い出せると思います。

コンクリート舗装とは

コンクリート舗装とは、名前のとおりコンクリートを使用した舗装のことです。私たちの普段の生活ではアスファルト舗装をよく目にしますが、高速道路などにあるトンネルでは、耐久性の高いコンクリート舗装を使用している所が多々あります。

これは、コンクリートがアスファルトに比べて丈夫で長持ちするため、交通量が多く補修工事が困難なトンネルの舗装に向いていることが理由です。また、コンクリート舗装は白色のため、アスファルト舗装と比べて照明効率がよく、照明費用を抑えられるというメリットもあります。その反面、コンクリート舗装は、アスファルト舗装のようにかんたんに切断したりできないため、水道管などが埋設された場所では修理が困難になります。この関係で、コンクリート舗装は施工場所が限定されます。

マカダム舗装とその他の舗装

路床
(3-01 参照)

自然転圧
車両の走行などによる荷重で、自然に転圧されること。

マカダム舗装とは、路床の上に砕石を敷き均しただけの、工事の難易度が低く維持費が安い砂利道の舗装です。日本国内で見かけることは少なくなりましたが、砕石の上を通行する車両が自然転圧することで緻密な舗装になるとの考え方をもとに、一部で採用されています。そのため、施工する際は路床がしっかりしている必要があります。

このほか、荷重がかかるとブロック間の目地に充填した砂によりブロック相互のかみ合わせ効果（荷重分散効果）が得られる、インターロッキングブロック舗装もあります。この舗装は、主に歩道や公園などで見られることが多く、色合いが美しく景観性に優れるのが特徴です。

アスファルト舗装とコンクリート舗装の比較

	長所	短所
アスファルト舗装	施工しやすい 交通開放がすぐにできる 初期の施工費が安い	わだち掘れが起きやすい すぐに壊れる
コンクリート舗装	耐久性が高い 維持補修費が安い 照明費用を抑えられる	初期の施工費用は高い 施工が難しい 交通開放に時間がかかる

マカダム舗装とインターロッキングブロック舗装

マカダム舗装

画像提供：Wikipedia

スコットランドの技術者、ジョン・ラウドン・マカダムが考案したため、マカダム舗装と呼ばれる。

インターロッキングブロック舗装

ブロックを敷き詰める舗装法。景観性や意匠性に優れ、車道、歩道、広場、公園、建築外構など、幅広い分野で使われている。

Chapter4 02

路面を削る工程をスキップする

道路の維持補修で合理的なオーバーレイ工法

アスファルト舗装には、設計時に決められた耐用年数があります。そのため、時間が経過するとともに交通荷重や自然条件などにより劣化し、補修する必要があります。ここでは、その代表的な工法を紹介します。

アスファルト舗装は補修が必要

一般的な道路には、表面のアスファルト舗装とその下に砕石で造られた路盤があります（3-01参照）。これらを合わせて「舗装」と呼びますが、この舗装には寿命があるため、設計時に**ライフサイクルコスト**を加味して各々の厚さを決定します。

アスファルト舗装は、毎日の車両の交通荷重などを受けることで、ひび割れや陥没などの破損が生じてきます。このため、定期的な補修が必要となります。

道路の補修法は大きく分けて、路盤や路床まで補修する方法と、アスファルト舗装だけ補修する方法があります。

ライフサイクルコスト
土木構造物（ここでは舗装）を設計する際に検討する項目の1つで、施工後、役割をまっとうするまでの期間にかかる費用のこと。

アスファルト舗装を補修するオーバーレイ工法

アスファルト舗装の補修方法として、**オーバーレイ**工法が採用されることがあります。オーバーレイ工法とは、原則としてアスファルト舗装だけを補修する方法です。ただし、オーバーレイ工法にもいくつかの種類があり、局部的に不良箇所がある場合には路盤や路床も含めて補修することもあります。

オーバーレイ工法は舗装を「重ねる」工法のため、施工では劣化や損傷をしている舗装の上に新たな舗装を重ねます。そのため、舗装自体が厚くなり、頑丈な舗装になります。

オーバーレイ工法の中で一般的なのは、切削オーバーレイ工法です。この工法では、古い舗装を削って不陸（ふりく）や段差を解消し、その後に新しい舗装を敷き均します。舗装を重ねるだけのオーバーレイ工法と異なり、舗装を削る工程があるため、騒音や振動の発生に注意が必要です。

オーバーレイ
日本語では「重ねる」「覆う」といった意味がある。

切削オーバーレイ工法の流れ

①切削機で古い舗装を除去。不陸などを解消

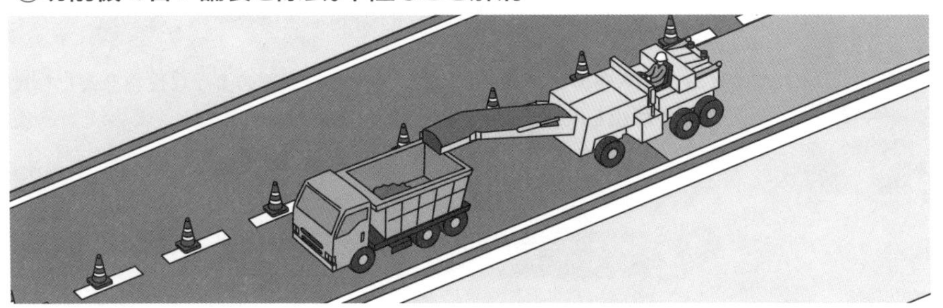

②乳剤の散布

③アスファルト混合物を敷き均す

④締固め

Chapter4
03

道路舗装の前に散布する

接着剤などの役割を果たす プライムコート、タックコート

プライムコートやタックコートは、いわゆる接着剤のような役割を果たします。4-02で解説したオーバーレイ工法にも使用されており、それぞれ、使用するタイミングが異なります。

プライムコートの役割

プライムコートは、一般的にはアスファルト舗装における、路盤とアスファルト舗装の間に散布するものです。通常はアスファルト乳剤（PK-3）を使用し、標準的な散布量は1～2ℓ/m^{2}です。

プライムコートの主な役割は、接着剤として路盤とアスファルト混合物のなじみをよくすることです。また、降雨による路盤の洗掘や表面の浸透を防止する機能も備えています。そして、路盤からの水分の蒸発を遮断する役割もあります。

散布するタイミングとしては、路盤を仕上げた後に速やかに施工をします。散布する舗装面積が広い場合は、ディストリビューターを使用することもあります。なお、製造から60日が経過したアスファルト乳剤は使用しないのが望ましいとされているため、乳剤の製造年月日を確認することも大切です。

プライムコートの散布後、養生してからアスファルト混合物を舗設します。

洗掘
水流により、土が洗い流され、削られること。

ディストリビューター
乳剤を散布する車両。

タックコートの役割

タックコートの主要な役割は、アスファルト舗装でいう基層と表層の付着をよくすることです。アスファルト乳剤（PK-4）を使用し、標準的な散布量は0.3～0.6ℓ/m^{2}です。

タックコートは散布する量が多すぎたり、不均一に散布したりすると、表層の流動などの原因になります。このため、タックコートは必要量を均一に散布することが重要です。また、異物が付着しないように、散布後はできる限り早く表層を舗設するのが望ましいとされています。

基層
表層上の荷重を均一に路盤に伝える役割がある。さらに、路盤の凹凸を修正し、表層と路盤の接触を円滑にする役割もある。

表層
アスファルト舗装などの一番上の層のこと。交通荷重を分散し、交通の安全性、快適性など、路面の機能を確保する役割がある。

プライムコートとタックコートの違い

基層と表層の付着をよくする。

路盤とアスファルト混合物のなじみをよくする。

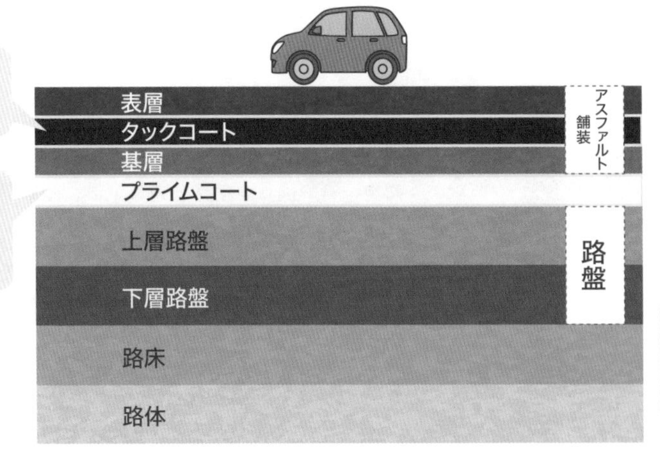

ディストリビューターによる乳剤散布、施工順序

DS-FGDT/DS-FCDT シリーズ

写真提供：範多機械株式会社

施工順序

1. 路盤工
2. プライムコート
3. 基層
4. タックコート
5. 表層

Chapter4
04

薬液で地盤の強度を高める

軟弱な地盤に用いられる薬液注入工法

薬液注入工法とは、地盤を強化するために、土を固結させる薬液を注入する工法です。騒音や振動が発生しにくい反面、地下水などに影響を及ぼす可能性があるため、事前にしっかりと調査を行う必要があります。

薬液注入工法とは

薬液注入工法とは、地盤改良工法の一種です。この工法は、管を通して薬液を地盤に注入することで、地盤を固結させます。地盤の強度を増大させたり、止水のために地盤の透水性を減少させたりするときに用いられます。

この工法では、主に**水ガラス**系の薬液を使用します。任意に固化時間（**ゲルタイム**）を調整することができ、浸透させたい範囲などに応じて、数秒から数十分単位での調整が可能です。

薬液注入工法の最大の特徴は、作業は薬液の注入だけであることです。これにより、騒音や振動が少なく、産業廃棄物がほとんど出ないため、環境への影響が少ないというメリットがあります。

代表的な工法としては、二重管ストレーナ工法や二重管ダブルパッカー工法などがあります（右図参照）。

水ガラス
主剤がケイ酸ナトリウムであり、液状で劇物またはフッ素化合物を含まないものに限られる。

ゲルタイム
水ガラス系薬液の水ガラスの反応時間のこと。薬液が流動性を失い、粘性が急激に増加するまでの時間をいう。

薬液注入工法の注意点

薬液注入の際に、注意するべきことがいくつかあります。

まず、**ボーリング調査**や地下水位などの事前調査を実施して、薬液注入工法を採用するのが妥当であるかを判断します。その後、現場注入試験を実施して、使用する薬液の材料を選定し、注入による効果について検討します。

実際の施工時には薬液を注入するので、地面に圧力がかかります。そのため、近くの構造物や地盤に変状を与えないように注意する必要があります。さらに、周囲の地下水に悪影響がないように、注入箇所からおおむね10m以内に数箇所、地下水を採取する場所を設置して、水質を監視します。

ボーリング調査
地質に孔をあけ、採取した土や岩盤の試料により地質の状況を把握すること。

二重管ストレーナ工法

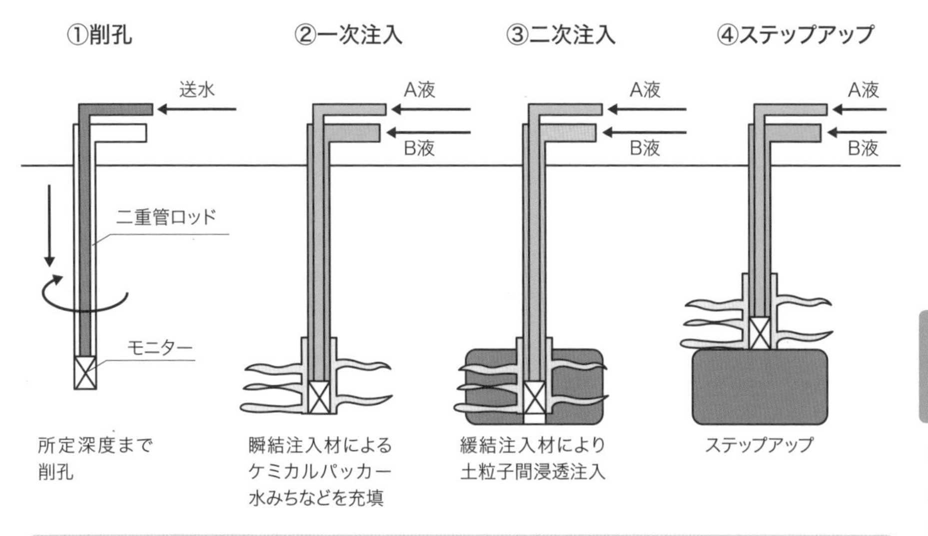

短いゲルタイムの薬液で一次注入を行い、空隙の大きい部分などを粗詰する。続いて、長いゲルタイムの薬液で二次注入を行い、地盤のより小さい間隙に浸透させることが可能。

二重管ダブルパッカー工法

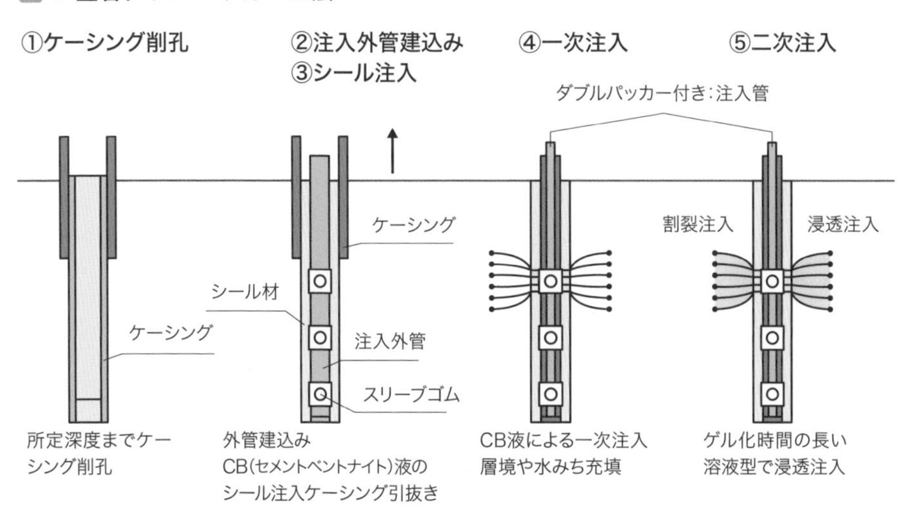

長いゲルタイムの薬液をゆっくりとした速度で注入できるため、均質な改良が可能。また、低い圧力で薬液の注入が可能なため、重要構造物の直下や埋設物に近接した位置での施工がしやすい。

Chapter4
05

軟弱な地盤を強くする

幅広い工事に用いられる軟弱地盤対策工法

4-04で解説した薬液注入工法のほかにも、さまざまな軟弱地盤対策の工法があります。ここでは、その中でも代表的な置換工法、改良工法について解説します。

そのまま土を置き換える置換工法

置換工法とは、その名前のとおり軟弱土を良質土に置き換える工法です。

道路工事においては、路床の支持力が不十分な場合に、路床自体を置き換えることもあります（3-01参照）。この場合、路床を掘削し、良質土に置き換えたあとにしっかりと転圧することで、必要な路床の支持力を確保します。

また、掘削した軟弱土については、土質改良して再利用することが望ましいとされています。たとえば、土地区画整理工事を行っている場合などは、別の道路工事などで掘削した後に改良した土を利用することもよくあります。

さまざまな改良工法

一口に改良工法といっても、さまざまな工法があります。

たとえば**空港建設工事**では、地盤改良工事として「サンドドレーン工法」が採用されています。サンドドレーン工法とは、粘土質の地盤に**鉛直方向**の砂柱を設置することで水の抜け道を作り、**圧密沈下**を促進させる工法です。ただし、サンドドレーン工法自体は、圧密そのものを起こさせる工法ではありません。このため、サンドドレーン工法と併用して**盛土載荷重工法**などを実施して、上に載っている土の重みで粘土の中の水を絞り出し、地盤の強度を高めます。

このほかには、石灰やセメントなどの添加剤を軟弱土と混ぜることで改良する「表層混合処理工法」があります（右図参照）。この工法では、生石灰を使用すると発生する水和熱が大きいため、発熱による火傷に注意が必要です。また、そもそも必要な改良結果が得られるのか、事前に調査することも大切です。

空港建設工事
(3-08参照)

鉛直方向
重力が作用する方向。

圧密沈下
圧密によって生じる地盤や盛土の沈下現象のこと。水が含まれている粘土の場合、荷重を加えることで時間経過とともに水が絞り出され、土全体が圧縮され、沈下が起こる。

盛土載荷重工法
あらかじめ盛土をして、地盤に圧密沈下を促進させる工法。事前に沈下をさせることで、施工後の沈下量を抑えることができる。

置換工法

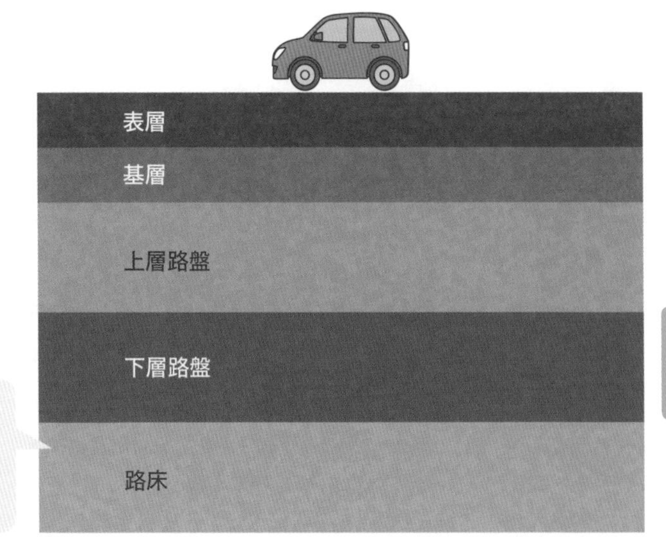

路床の軟弱土を良質土に置き換える。
⇒掘削した軟弱土は再利用！

サンドドレーン工法

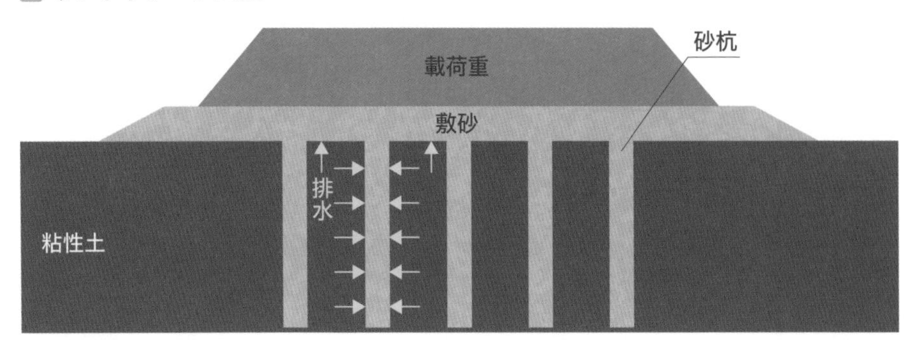

表層混合処理工法

①掘削　②添加剤散布　③混合攪拌　④転圧仕上げ

Chapter4
06

不可能を可能にする技術

水中にコンクリートを打設するトレミー工法

コンクリートを水中にそのまま打設しようとしても、材料が分離してしまうため、打設することができません。しかし、トレミー工法を使用することで、水中での打設が可能になります。

水中での打設を可能にするトレミー管

コンクリートはさまざまな材料を混ぜて製造するため、そのまま水中に打設すると、**材料分離**を起こしてしまいます（右図参照）。トレミー工法では「トレミー管」という鋼製のパイプを使用して、コンクリートを打設場所まで運ぶことで水中での打設を可能にします。また、先端（下端）部分を、常に打設したコンクリート中に入れておくことで、品質の低下を防ぎます。なお、水中コンクリートはその面をなるべく水平に保ちながら打設し、所定の高さに達するまでは連続して打設することもポイントです。

トレミー工法では鋼製のパイプを使用するため、差替えを必要としない狭い面積での施工に向いています。一方、広い面積で施工する場合は、コンクリートポンプで圧送するなどの別の方法を採用します。

材料分離
コンクリートに含まれている砂や砂利（細骨材・粗骨材）とセメントなどが分離してしまうこと。

材料分離しにくい特殊なコンクリート

コンクリートの中には、材料分離しにくい「特殊なコンクリート」があります。通常のコンクリートは水中に打設するとかんたんに材料が分離してしまうため、**明石海峡大橋の巨大ケーソン**のように水中に建造する必要がある構造物で効果が発揮されます。

この特殊なコンクリートでは、水中不分離性の**混和剤**を使用して粘性を高めています。これにより材料分離を防止でき、品質の低下も小さくなります。材料分離が少ないことから、水質の汚濁を防止できるため、環境保全にも高い効果を発揮しています。このコンクリートは、鹿島建設・三井化学産資・日本海上工事が共同で開発をしており、研究施設を自社で所有するスーパーゼネコンの強みといえます（1-04参照）。

明石海峡大橋の巨大ケーソン
材料分離が少ない特殊なコンクリートを約27万m^3使用して、ケーソン内部の海水とコンクリートを入れ替えることで主塔の基礎とした。1-08も参照のこと。

混和剤
セメントと混合し、耐久性などを改善する材料。代表的な混和剤としては、AE剤（コンクリートの施工性が上がる）がある。

トレミー工法

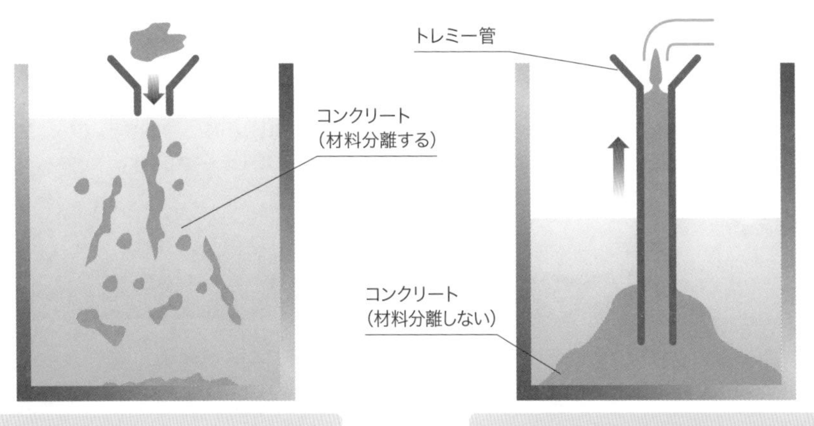

明石海峡大橋のケーソン基礎の施工

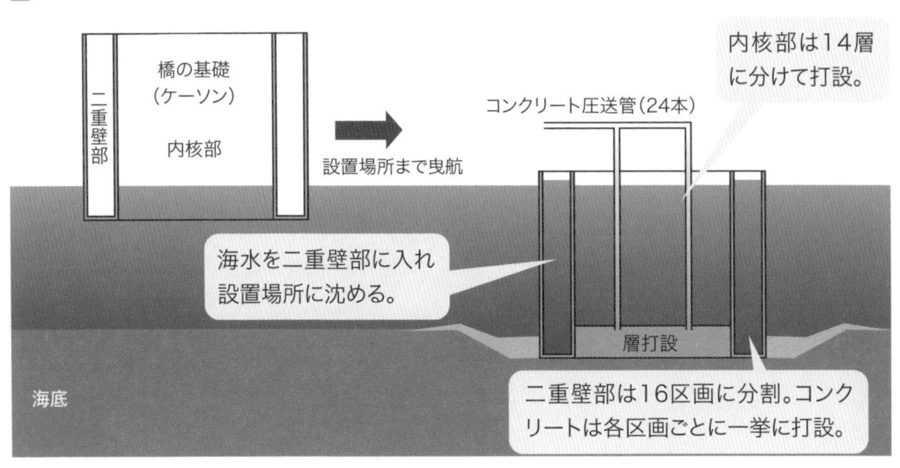

Chapter4
07

代表的な掘削工法①

工事の範囲全域を掘削していくオープンカット工法

掘削の方法は、全体を掘削していく方法と、部分的に掘削をしていく方法の2つに大別できます。ここで解説する「のり切りオープンカット工法」と「山留めオープンカット工法」は前者の工法です。

のり切りオープンカット工法

のり切りオープンカット工法は、斜面が崩壊しないように、安定している**のり面**を残しながら掘削を進める工法です。**山留め**をしないため、山留めの設置にかかる手間と費用が不要で、施工効率に優れています。しかし、周囲の建造物や構造物に影響が出ないように配慮する必要があるため、工事用地に余裕がある場合に採用されます。

のり面
切土や盛土の斜面などのこと。

山留め
地盤を掘削するとき、周辺の地盤が崩れないように設置する山留め壁などの構造物のこと。

山留めオープンカット工法

山留めオープンカット工法は、山留め壁や支保工などを使用することで、土砂の崩壊を防ぎながら掘削を進める工法です。

都市部や周辺に構造物がある住宅街などでは、通常、広い工事用地を確保することは困難です。その場合、周囲の構造物への影響がないよう山留め壁を使用したり、それだけでは崩壊の可能性があるならば支保工（3-02参照）を利用したりなどします。

山留め壁や支保工は、水道管、下水道管、ガス管などの埋設管の工事でよく利用されます。これらの管は道路の下に埋設されているため、布設や補修をするときは道路を掘削する必要があります。のり切りオープンカット工法では道路全体を通行止めにするなど、住民生活への影響が大きくなるため、工事用地が小さくてすむ山留めオープンカット工法が採用されます。

掘削工事で求められるのは作業のクオリティだけではありません。このように、現場の周囲にできる限りの配慮をすることも考えて、施工していく必要があります。

のり切りオープンカット工法

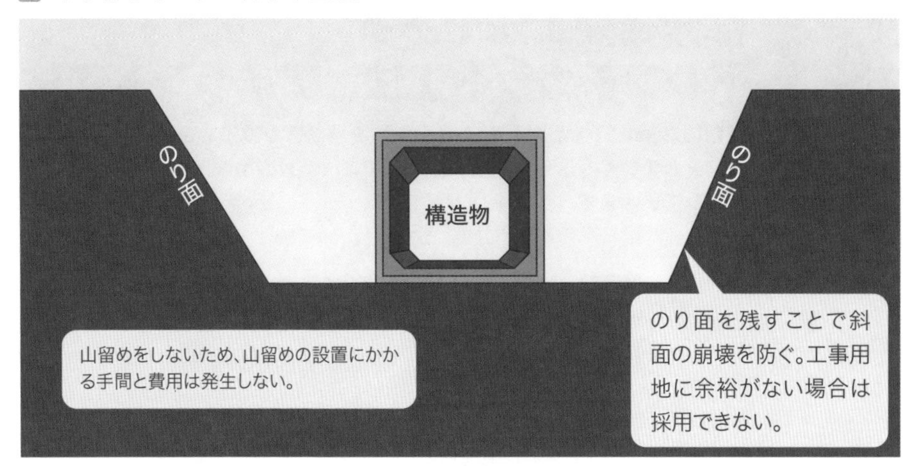

山留めオープンカット工法

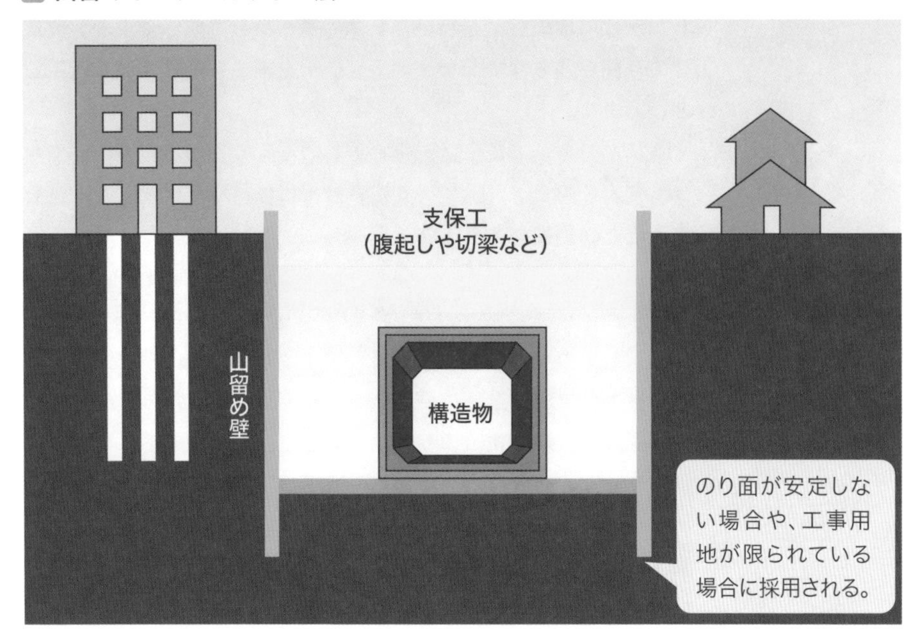

Chapter4
08

代表的な掘削工法②

部分掘削工法である トレンチカット工法、アイランド工法

掘削には、4-07で解説したような全体を掘削する方法もあれば、部分的に掘削をしていく方法もあります。本節では、部分掘削の代表的な工法を2つ紹介していきます。

外周部を先行して掘削するトレンチカット工法

トレンチ
「堀」や「溝」のこと。「浸透トレンチ」のように、掘った溝に砕石や透水管などを構築し、雨水の対策を行うこともある。

トレンチカット工法とは、外周部を先行して掘削する工法です。掘削後は、外側と内側に矢板を打ち込んで両矢板の間を溝にし、土留(どど)めを行いつつ掘削をします。その後、その掘削した部分である外周部に土木構造物を築造します。

次に、その外周部に築造された土木構造物を土留めとして利用しながら内部の掘削を行い、全体の構造物を完成させます。周辺にのり面が残らないため、地下構造物を施工する際に適した工法といえます。

トレンチカット工法は、それぞれの掘削の幅が小さく・深くなります。このため、全体を安定させるには、バランスよく掘削をすることが重要になります。

中央部を先行して掘削するアイランド工法

トレンチカット工法とは逆に、アイランド工法は中央部を先行して掘削します。全体の掘削面に対して、安定したのり面を残しつつ掘削を行います。のり面施工のため、この段階では切梁を使用しません。

切梁
土留め壁を支える腹起こしを通して作用する土圧を受ける梁のこと。

そして、中央部に土木構造物を一部築造したあとに、この土木構造物を支えとして**切梁**を仮設しつつ、のり面部分である外周部を掘削していきます。切梁を仮設する必要はありますが、中央部に土木構造物を構築することで、トレンチカット工法と比べて全体の切梁の量を減らすことができます。

トレンチカット工法、アイランド工法ともに部分掘削を行っていきますが、全体としては広範囲の掘削になるため、広い面積の掘削が必要な工事に採用されます。

トレンチカット工法

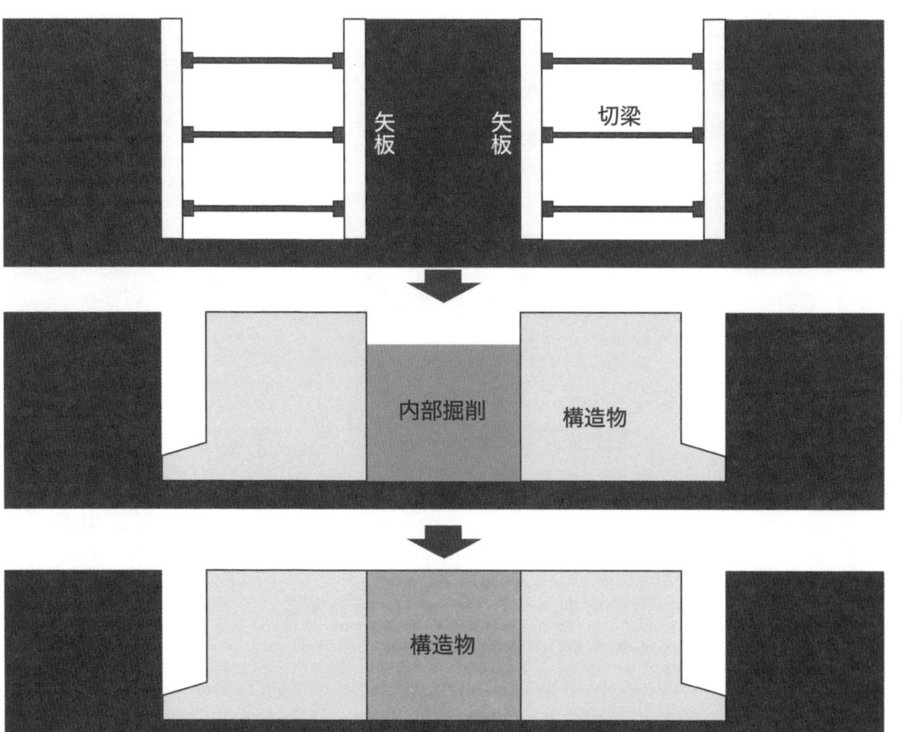

アイランド工法

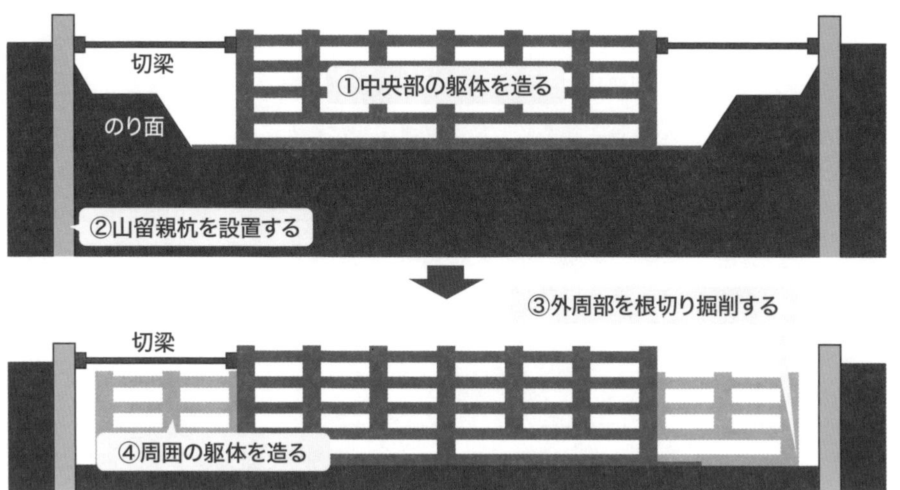

第4章 おもな土木工法

Chapter4
09

工期を大幅に省略できる

工場で生産された品質の高いプレキャスト擁壁

擁壁工事では、配筋やコンクリートの打設を行いますが、実は工場で生産することも可能です。ここでは、現場打ちの擁壁とプレキャスト擁壁の違いなどについて解説します。

擁壁とは

擁壁(ようへき)とは、高低差のある土地に建つ家や坂道の道路などで、地盤などを支えるためのコンクリートの壁のことです。主に土留めの役割を果たしています。

土留め
壁などを造り、土が崩れないようにすること。

擁壁は大きく分けて、「現場打ちの擁壁」と「プレキャスト擁壁」があります。両者の主な違いは、擁壁が作られる場所です。現場打ちの擁壁は現場でコンクリートを打設して擁壁を築造し、設置します。一方、プレキャスト擁壁は工場で擁壁を築造してから現場に搬入し、設置します。

なお、工場であらかじめ製造されたコンクリート製品を「プレキャストコンクリート」といいます。プレキャストコンクリートは品質が均一で、工期を短縮できるメリットがあります。擁壁以外にも、高層ビルの部材などでも使用されています。

現場打ちの擁壁とプレキャスト擁壁

現場打ちの擁壁の場合、コンクリートを打設する前にさまざまな工程を経る必要があります。たとえば、コンクリートを打設するためには流し込める枠になるものが必要であり、型枠を制作・設置します。そして、L型擁壁の場合、埋戻し後の土圧により「引っ張りの力」がかかるため、それに耐えるための鉄筋を配筋します。さらにコンクリートは打設後の養生が不可欠なので、トータルでかなりの時間を要することになります。

L型擁壁
L字の形をした、鉄筋コンクリート造擁壁の一種。地面下の敷地側にL字の底部分を設置することにより、敷地ギリギリの設置が可能で、敷地を有効に活用できる。

一方、プレキャスト擁壁の場合は、事前に工場で制作されたものが現場に搬入され、据え付けたあとは接合するだけなので、工期を大幅に短縮できます。工場の安定した環境で制作されるため、品質がよいこともメリットです。

擁壁の工程

※⑥〜⑨にかなり時間を要する。

プレキャスト擁壁の構造図

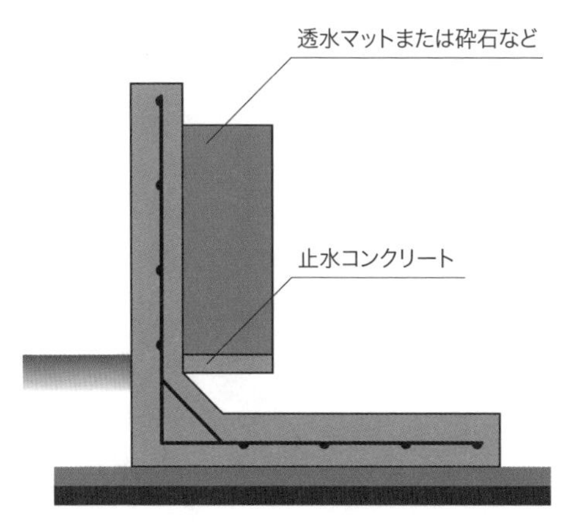

第4章 おもな土木工法

上下水道管を布設する

交通への支障が少ないなど
メリットが多い推進工法

上下水道管の布設工事で一般的な開削工法は、交通に支障が出やすいことがデメリットです。ここで紹介する推進工法は、交通への支障を最小限にできます。

交通に支障が出にくい推進工法

上下水道管を布設する際、開削工法（3-09参照）では道路を掘削し続けるため、かなり長い距離を**片側交互通行**にせざるを得ません。しかし、「推進工法」を採用することで、片側交互通行にする区間を大幅に縮小できます。

推進工法では、「立坑（たてこう）」と呼ばれる穴を掘ります。ここから材料の搬入などをするため、それ以外の場所を開削する必要がありません。つまり、道路が使用できない区間を大幅に短くできるのです。また、地面の掘削が少ないため、騒音や振動を抑えることもできます。このような理由から、推進工法は交通量の多い場所や市街地などでの施工に向いているといえます。

片側交互通行
道路の片側車線を通行止めにして、残りの片側車線で交互に通行させる交通規制のこと。対向車と交互に通行させるため、交通誘導員による誘導が必要になる。

基本的な推進工法の施工方法

推進工法では、まず「発進立坑」と「到達立坑」を設置します。その後、「支圧壁」という、推進力を受ける役割を果たす壁を発進立坑に築造します。そして、推進ジャッキなどの推進設備を設置したあと、掘進機をセットし、推進して掘削をしていきます。この掘削された箇所に推進管が布設されていきます。

地下で掘削した土（掘削土）は地上に運ぶ必要があります。その方法の1つ**泥水式推進工法**の場合、掘進機の先端に泥水を送り込み、この泥水と掘削土を混合して坑外へ搬出します。そして、坑外の泥水処理設備で掘削土と泥水に分けられ、泥水は再び掘進機の先端に送り込まれるというサイクルになっています。

これらの作業を繰り返し、到達立坑に達すると、掘進機を回収します。そして、立坑部分には点検口の役割を果たすマンホールを築造し、上下水道管の完成となります。

泥水式推進工法
「大中口径管推進工法」に分類されており、管径800mm～3,000mmがこれに該当する。150mm～700mmまでは「小口径管推進工法」に分類される。

推進工法の種類

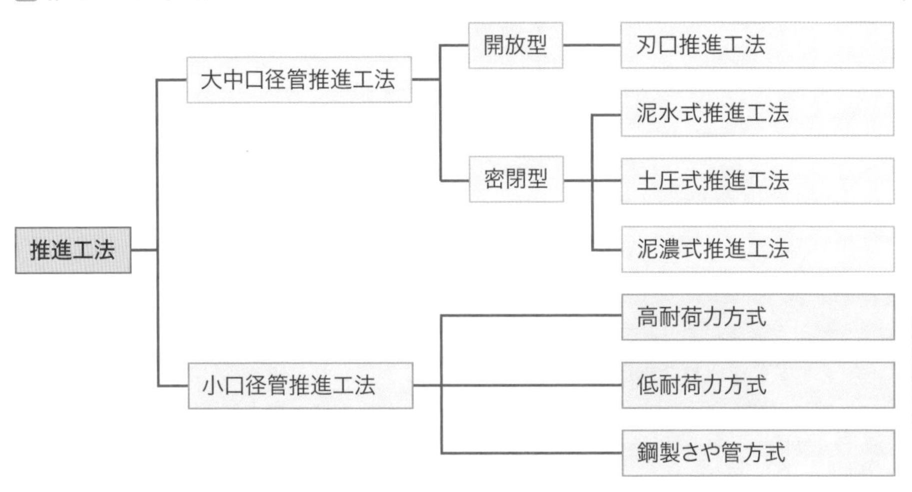

泥水式推進工法

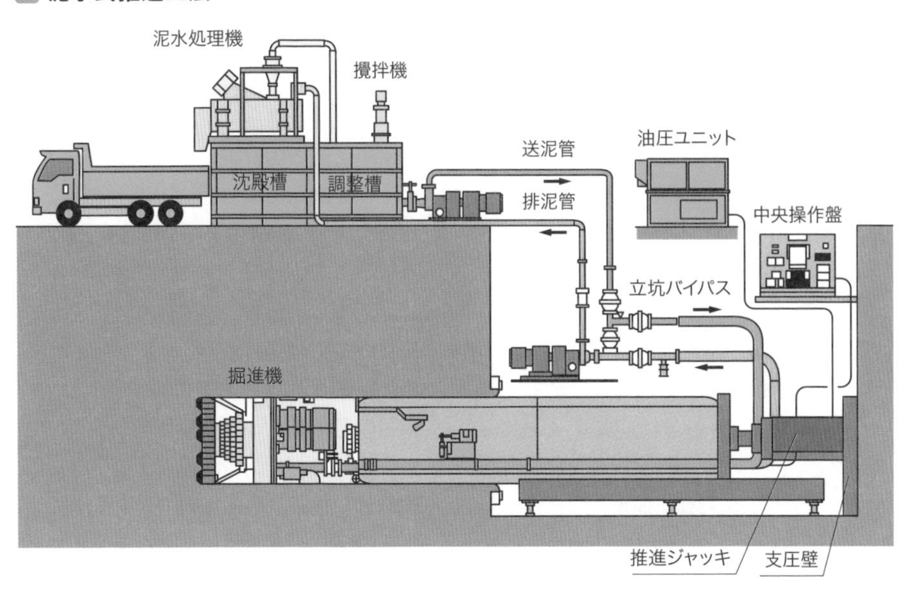

第4章 おもな土木工法

COLUMN 4

絶対に知っておくべき！擁壁に関する大切なお話

第1章のコラムで解説したように、コンクリートは引っ張りの力に弱いという弱点があり、強度を上げるために鉄筋を入れた鉄筋コンクリートにします。また、4-09では、擁壁を鉄筋コンクリートで築造することで、埋め戻したあとの土圧に耐えられるようになることを説明しました。

コンクリートはアルカリ性です。これは、原料であるセメントに含まれる成分が水と反応して、水酸化カルシウムという物質が生成されるためです。しかし、大気中の二酸化炭素がコンクリート内に侵入すると、炭酸化反応が発生します。これによって、コンクリート内の水分はアルカリ性から中性へと変化します。この化学反応を中性化といいます。

中性化によって、コンクリート内の鉄筋の腐食が進行します。その際に鉄筋は膨張して体積が2.5倍になり、コンクリートにひび割れを生じさせる原因となります。これは鉄筋コンクリートならではの現象で、鉄筋コンクリートのデメリットの1つです。

また、コンクリートを劣化させる原因は、中性化のほかにもいくつかあります。このため、コンクリートを放置すると、いずれ寿命を迎えることになります。

話を擁壁に戻すと、高低差のある場所で建物を建築する場合などに、土地を形成するために擁壁が築造されます。この擁壁が万が一にも壊れるようなことがあると、建物にも大きな影響が出てしまいます。このような事態を防止するためにも、擁壁はしっかりと造られている必要があります。

そういった意味では、工場の安定した環境で制作されるプレキャスト擁壁は、品質が均一で安全性が高いといえます。一方、現場打ちの擁壁で重要なのは、「適切な施工が行われているか」です。これによって、擁壁の寿命がまったく異なります。

なお、エポキシ樹脂注入工法をはじめとして、ひび割れたコンクリートを補修する方法はいくつかあります。劣化をいち早く発見して修復することも、コンクリート構造物を長持ちさせるうえで重要です。

第5章

土木の最新技術

テクノロジーの発展により、これまで有人で作業していた工事も無人で作業できるようになってきました。この章では、日々進化する土木業界の科学技術を紹介していきます。

Chapter5
01

地震による水道管の破損を防ぐ

自然災害に強い 可とう性を持つダクタイル鉄管

地震を始めとする自然災害が発生すると、私たちの住む家だけではなく、道路や、その道路の下にある水道管などが破損する可能性があります。この破損のリスクを下げる水道管がダクタイル鉄管です。

耐震性に優れるダクタイル鉄管

ダクタイル鉄管の「ダクタイル」とは「延性のある」という意味で、**継手**（つぎて）部分が伸縮・屈曲をするしくみになっています。これにより、地震が発生した際も管路全体で地盤の変位を吸収するため、耐震性に非常に優れているといえます。

ダクタイル鉄管自体は20世紀半ばから存在していますが、21世紀になって、さらに改良された**GX形**が登場しました。GX形とはダクタイル鉄管の継手の名称で、これまでのNS形と呼ばれる耐震性に優れたものをさらに改良し、施工性の向上・長寿命化に成功した管です。

GX形は受口内面にセットされたロックリングが最終的に「挿し口突部」に引っかかることで、継手の離脱を防止できる構造です。このダクタイル鉄管は耐震管としての役割を持っています。

GX形の直管の施工については、挿入力が低減したことにより、管上の**レバーホイスト**1台で接合可能になっています。さらに、外面塗装の耐食性の向上により、100年以上の長寿命が期待できるとされています。

継手
管と管を接続する部分のこと。

GX形
ダクタイル鉄管の継手の名称。「Next Generation（次世代）」の意味を持つ。

レバーホイスト
ダクタイル鉄管を接合するのに使用する工具。

ダクタイル鉄管の施工

ダクタイル鉄管の施工では、開削工法や推進工法が採用されています。開削工法を基本としつつ、非開削工法としてシールド内配管工法や推進工法が存在します。そのほか、既設管の中に口径を小さくした管を挿入するPIP（パイプ・イン・パイプ）といった工法も存在します。どの工法を採用するかは、ほかに存在する埋設管などの状況を加味し、施工性や経済性を検討して決定されることとなります。

ダクタイル鉄管（GX形）の構造とGX形管のつり上げ

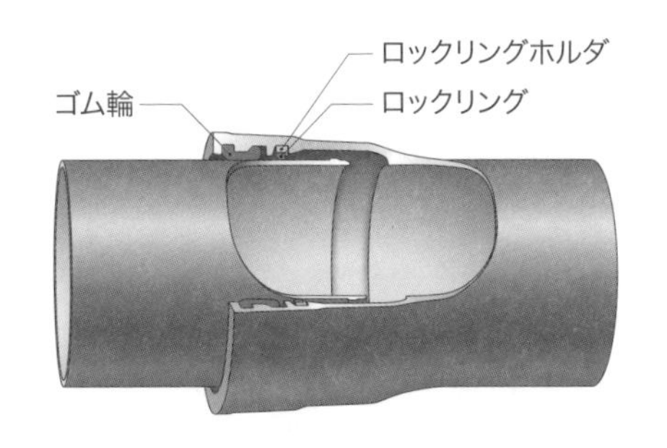

画像提供：一般社団法人日本ダクタイル鉄管協会

耐震継手ダクタイル鉄管が自然災害に耐えた事例

画像提供: 一般社団法人日本ダクタイル鉄管協会

使用されている水道管の管材

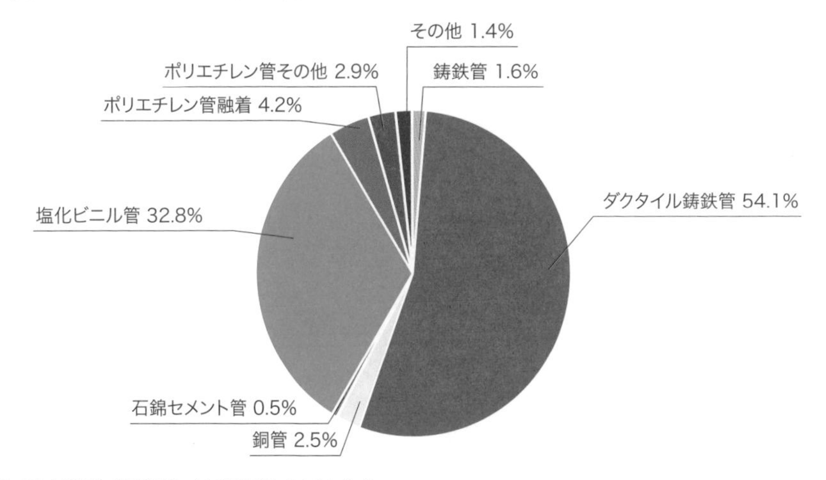

出所: 日本水道協会「水道統計」（令和2年度）をもとに作成

液状化対策ができる人工再生盛土材

地震による液状化を防ぐことができる盛土材

近年、国内で大きな地震が続けて発生しており、東日本大震災の際にも各地で液状化現象が多発しました。これは地盤に問題があることが原因ですが、ここではそのメカニズムと対応できる盛土材について解説します。

地盤の沈下を引き起こす液状化現象

液状化現象とは、ゆるく堆積した砂の地盤において、水分を含むことで互いに支え合っていた砂の粒子の結合が地震の振動によって崩れ、砂と水が分離しドロドロの液状になるになる現象です。埋立地、干拓地、昔の**河道**を埋めた土地、砂丘や砂州の間の低地などで発生しやすいことが知られています。

河道
川の水が流れるところ。

液状化現象が発生すると、重い砂は沈下して、地表面は水の多い状態になります。このとき、地表の建物や土木構造物は水より重いため、沈んだり傾いたりしてしまいます。

液状化現象の対策

液状化現象の対策においては、建物などを支える「地盤」が大切です。石炭灰（バイオマス灰・タイヤ灰など）を主原料とした人工再生盛土材である「お陰盛土」を使用することで地盤は強固になり、地震があっても液状化を抑制することができます。これは、盛土材の**自硬性**により施工後も強度が向上するためです。

自硬性
自然に固まる性質のこと。

この盛土材の特徴の１つは、環境に配慮して、火力発電所から排出される石炭灰をリサイクルしていることです。また、**最適含水比**が通常の購入土（真砂土）の約5倍あるため、雨天での施工が可能です。そして、購入土と比較して有色水のろ過効果が高く、特別な流出防止の措置をとらなくても、雨や散水による土砂の流出を抑制できることも大きなメリットです。

最適含水比
土を一定の方法で締固めた時に、最もよく締まる状態になる含水比のこと。

さらに、通常の購入土と比べて安価なため、土木工事で利用しやすいという特徴もあります。

人工再生盛土材（お陰盛土）の特徴

購入土(真砂土)

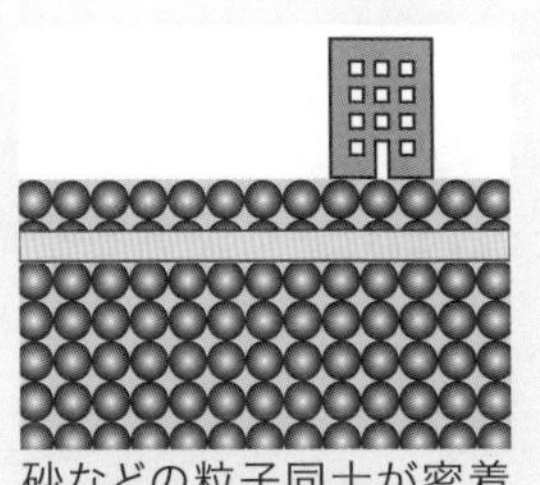

砂などの粒子同士が密着し、その間を水が満たして地盤を支えている。

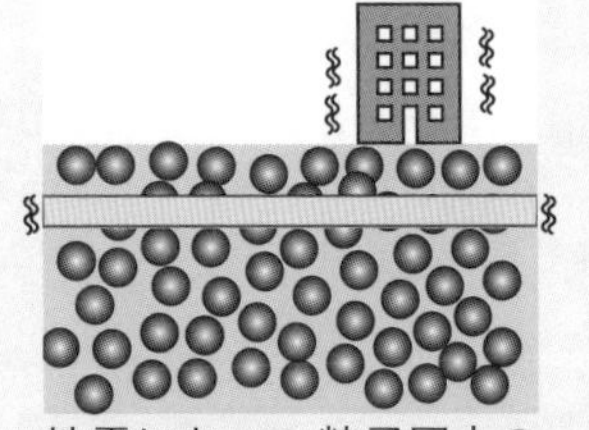

地震によって、粒子同士の結合がくずれ、水に浮いた状態になる。

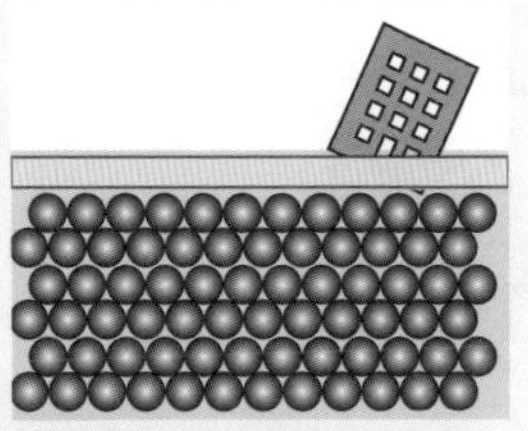

砂の粒子は沈下して水と分離し、土木構造物の沈下や亀裂を引き起こす。

人工再生盛土材(お陰盛土)

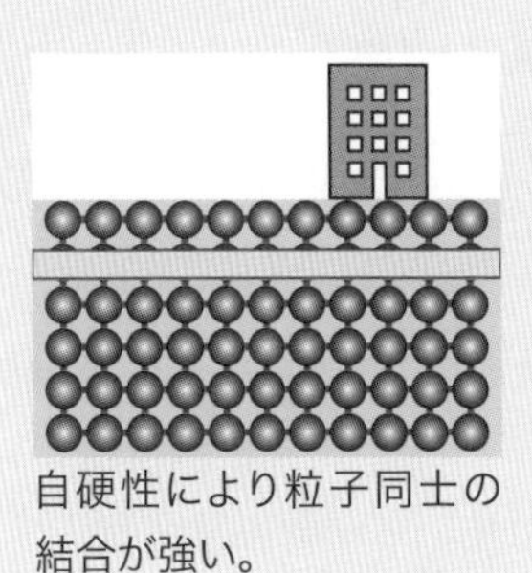

自硬性により粒子同士の結合が強い。

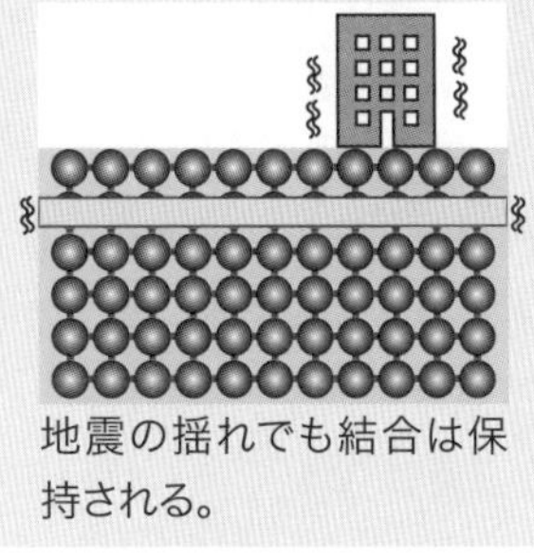

地震の揺れでも結合は保持される。

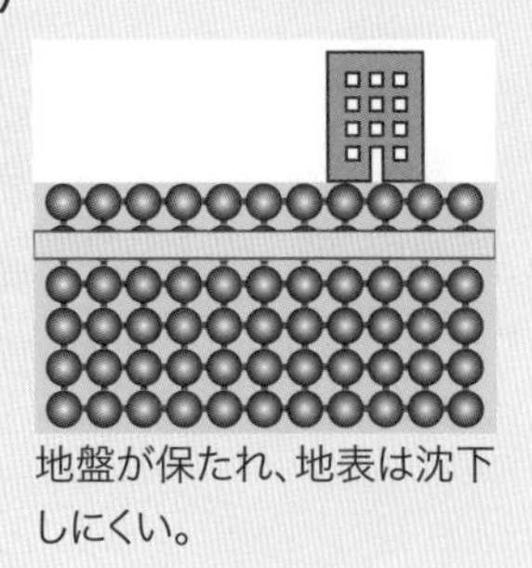

地盤が保たれ、地表は沈下しにくい。

液状化強度の比較

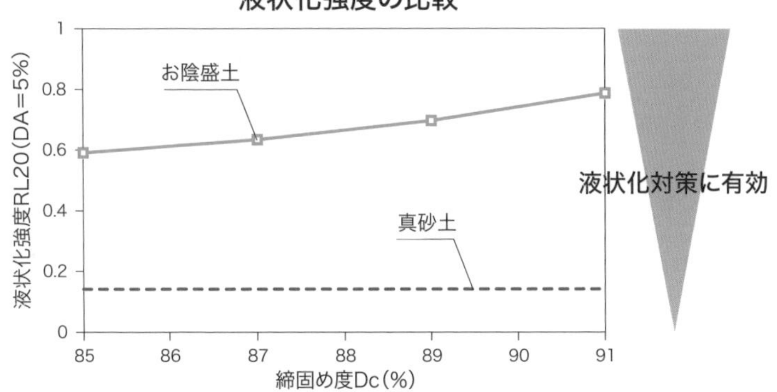

出所：NETIS「新技術概要説明情報　多機能性人工再生盛土材（お陰盛土）」をもとに作成

人工再生盛土材（お陰盛土）と真砂土の経済比較

	数量	単価
人工再生盛土（お陰盛土）	100m^3	およそ13～14万円
購入土（真砂土）	100m^3	およそ15～16万円

測量の手間を大幅に削減できる

Chapter5
03

UAVを利用した最新の測量技術

ICT施工でも利用される機会が増えているUAV（ドローン）ですが、一体、どのようにして測量がされているのでしょうか？ドローンを利用した最新技術について紹介します。

ドローンを利用した測量

UAV
「Unmanned Aerial Vehicle（無人航空機）」の略称。人が搭乗しない航空機のこと。

UAVを利用した最新技術の測量では、ドローンにレーザースキャナを搭載し、上空から3次元点群データを取得することで測量を行うレーザー測量があります。搭載したレーザースキャナで大量のレーザーを照射し、対象物からの反射情報を記録することでデータを取得します。これにより、これまでのドローンによる空中写真測量では難しいとされていた森林のような植生下の場所であっても、草木の隙間から地表面にまでレーザーを照射させることで測量が可能になりました。

3次元データ
対象となる物体・構造物や地形を3次元で表現したデータのこと。

トータルステーション
距離と角度を同時に測ることができる機械。TSと略されることも多い。

一方、ICT活用工事でよく使用されているのが写真測量です。ドローンに取り付けたカメラで連続的に撮影することで、撮影した写真から**3次元データ**を復元できます。これにより、これまでの**トータルステーション**などによる測量と比べて、人力による測量の手間が大幅に減り、業務の効率化につながりました。また、測量技術がなくても測量できるため、人手不足の対策にもなっているといえます。そして、災害箇所や急傾斜地などの、人が立ち入ることができない場所においても、ドローンであれば測量ができるのも大きなメリットです。

土量計算などでも活躍するドローン

土量計算をする際、これまではトータルステーションやレベルなどを使用することが一般的でしたが、大規模な建設現場では計測に時間がかかってしまいます。しかし、ドローンを使用することで1人で対応することができ、高さがあるような土量計算であっても上空からの撮影ができるため、作業時間を大幅に減らすことが可能です。

ドローンによる写真測量とレーザー測量の比較

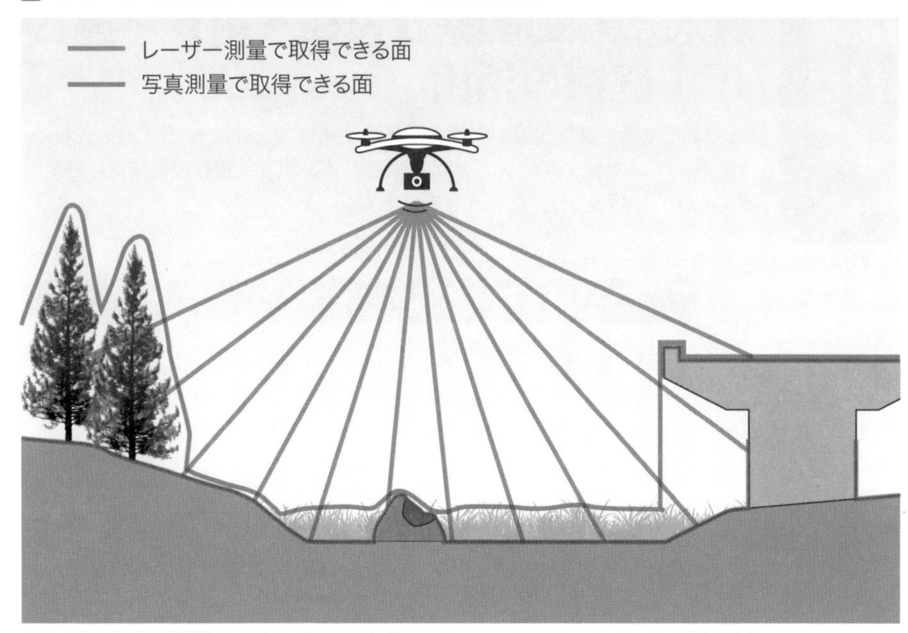

出所：株式会社CSS技術開発Webサイト「UAV測量」（https://www.css24.jp/service/uav/）をもとに作成

ドローンによる写真測量と測量データ

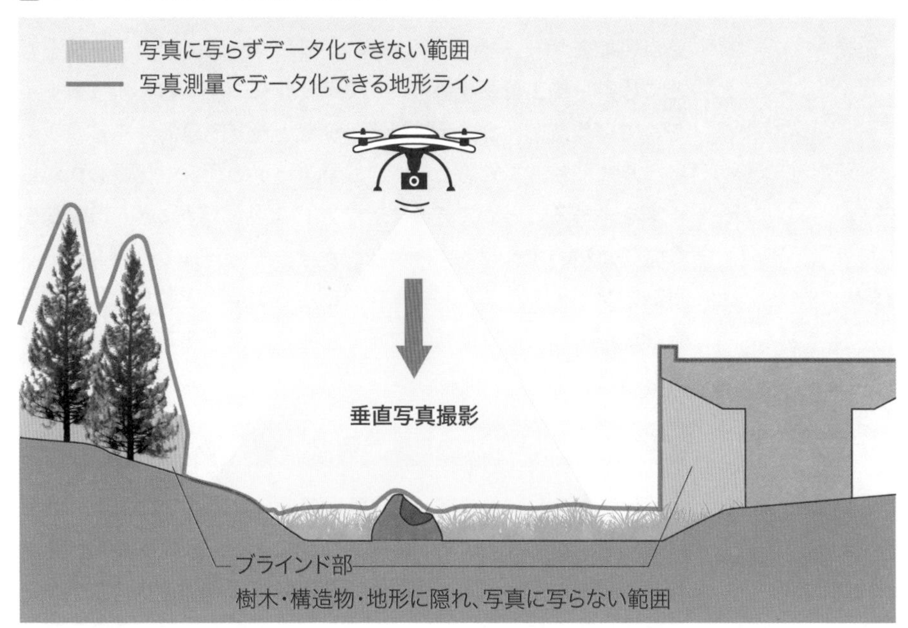

出所：株式会社CSS技術開発Webサイト「UAV測量」（https://www.css24.jp/service/uav/）をもとに作成

Chapter5 04

重機の運転に技術がいらない

建設機械の繊細な運転技術が不要!? ICT建機の活用

公共工事では、建設生産システム全体の生産性向上を図る「i-Construction（アイ・コンストラクション）」の一環として、「ICT（情報通信技術）の全面的な活用（ICT土工）」を導入しています。

ICT建機を使用するメリット

ICT建設機械（ICT建機）とは、ICTを搭載した重機のことです。ICT建機について理解するには、まずICTやICT土工について知る必要があります。

ICTとは、「Information and Communication Technology（情報通信技術）」の略です。そしてICT土工とは、土工の調査・測量、設計、施工、検査などのあらゆる建設生産プロセスに、3次元データを使用するICTを導入することです。これにより、抜本的な生産性の向上が期待されます（右図参照）。

ICT土工の例として、ドローンによる3次元測量があります。ドローンを利用して写真測量をすることで、短時間で高密度な測量が可能になります（5-03参照）。そして、この測量データをもとに設計・施工計画を練り、3次元設計データなどを作成します。ここで、作成した3次元設計データなどをICT建機である油圧ショベルに読み込ませることで、設計データと現況を比較しながら作業を進めることができます。これにより、ICT建機が自動制御されるため、オペレーターの技術がなくても正確で迅速な施工が可能になります。また、従来から使用していた**丁張り**をする必要もないため、工期短縮につながり生産性が向上するというメリットもあります。

丁張り
切土・盛土および構造物などの位置・高さを把握し、掘削するために準備する仮設の構造物のこと。

油圧ショベル以外のICT建機

油圧ショベル以外にもICT建機は存在します。たとえば、「盛土の締固め」にもICT建機が使用されますが、従来のオペレーター頼りの締固めと比べて、転圧回数を視覚的に確認することができるため、施工にムラがない、正確な転圧が可能になっています。

ICTの全面的な活用イメージ（3次元データの活用）

従来の方法

測量器具を使用

設計図から施工土量を算出

書類による検査

測量 → 設計・施工計画 → 施工 → 検査

①設計図に合わせて丁張り設置
②丁張りに合わせて施工
③検測と施工を繰り返して整形

i-Construction

ドローンなどによる3次元測量

ICT建設機械による施工

検査の省力化

測量 → 設計・施工計画 → 施工 → 検査

3次元測量データによる設計・施工計画

出所：国土交通省九州地方整備局Webサイト「i-Constructionの取り組み」
（http://www.qsr.mlit.go.jp/ict/iconstruction/torikumi.html）をもとに作成

ICT施工による、盛土の締固めの管理

従来の施工	ICT施工

転圧回数・転圧箇所はオペレータなどが確認	運転席モニタにて規定転圧回数を確認

オペレータの経験と勘頼りの転圧	転圧した箇所が視覚的にリアルタイムで把握できる

締固めが所定の回数まで達していない可能性が考えられる	施工と同時に確認できるので、確実に全面を所定の回数まで締固めできる

出所：国土交通省関東地方整備局
「ICT建設機械による施工について」をもとに作成

Chapter5
05

BIM/CIMの活用事例

関係者間の情報共有を容易にするBIM/CIM

令和5年度から、原則としてBIM/CIMが適用されています。ここでは、そもそもBIMやCIMとはどんなものなのか、どのように活用されているのかを解説します。

業務の効率化と高度化を行うBIM/CIM

BIM/CIMとは、建物や土木構造物の形状や構造を3次元モデル化して、一連の建設生産・管理システムにおける受発注者双方の業務の効率化や高度化を図るための概念で、i-Constructionの一翼を担う存在です。計画・調査・設計の段階から3次元モデルを導入し、その後の施工、維持管理の各段階においても関係者間で情報を共有します。

BIM/CIMは、3次元モデルに位置情報・材質・施工写真などのさまざまな属性情報を結び付け、データベース化することが大きな特徴です。これにより情報を一元的に管理することができ、業務や工事の効率化、高品質化を図ることができます。

BIM/CIM
BIMはBuilding Information Modeling（建物情報のモデル化）、CIMはConstruction Information Modeling/Management（建設情報のモデル化）の略。2018年、国土交通省は国際標準化の動向を踏まえて、地形や構造物などの3次元化の総称として「BIM/CIM」に統一した。

BIM/CIMの具体的な活用方法

たとえば、BIM/CIMモデルは、工事現場の住民説明会における資料として活用できます。設計段階の構造物などが3次元モデルによって可視化されるため、地元の理解の促進が期待できます。また、関係機関への工事説明で3次元モデルを使用することで、地下埋設物の位置関係などをあらかじめ確認でき、協議を円滑に進めることができます。さらに、施工計画の妥当性の確認、施工時のミスの防止、手戻りがないかの検証などにも利用できます。

さらに、BIM/CIMモデルをVR化することで、橋梁工事において、**ランプ**線形上を走行するシミュレーションを実施できます。それにより、視認性の検証、標識の必要性の確認などができます。今後も、公共工事などでBIM/CIMがどのように利用されるのか注目されています。

ランプ
道路を立体交差とする場合において、交差接続する道路を相互に連結する道路のこと。「インターチェンジ」や「ジャンクション」の構造の一部。

BIM/CIMの全体像

測量、調査、計画・設計

【作成・追加する情報】

・地形データ(3次元)
・詳細設計(属性含む)
(施工段階で作成する方が効率的なデータは概略とする) など

施工(着手前)

【作成・追加する情報】

・起工測量結果
・細部の設計(配筋の詳細図、現地取付けなど) など

施工(完成時)

【作成・追加する情報】

・施工情報(位置、規格、出来形・品質、数量) など

属性情報

維持・管理

【作成・追加する情報】

・点検・補修履歴　など

出所：国土交通省大臣官房技術調査課「初めてのBIM/CIM」をもとに作成

BIM/CIMの活用事例「VRを活用した走行時の視認性の確認【橋梁】」

①

本線下り右折車が合流する箇所の視認性は問題ないことを確認した。

②

矢印の場所で停止線が前に出ており、視認性に問題ないことを確認した。

③

橋台が障害になっており、歩行者が視界から隠れる可能性がある。また、ONランプへ転回する導入路が視認できないため、標識などの設置の必要性を確認した。

④

合流箇所は大きな左カーブとなっている。ガードレールが障害となる可能性があるため、左カーブを伝える標識について検討する必要があることを確認した。

出所：国土交通省「BIM/CIM事例集ver.2」をもとに作成

遠隔操作ロボットの活用で無人でも施工が可能

災害復旧の現場で威力を発揮する建設機械の遠隔操作

通常、油圧ショベルのような建設機械は人が乗り込んで運転しますが、近年は無人で建設機械を遠隔操作できる技術も増えてきました。ここでは、そのうちの1つを紹介します。

災害現場などでの二次災害を回避する

油圧ショベル
整地、運搬、積込み、掘削作業などを行う建設機械。ほかにも「ショベルカー」、「バックホウ」、「パワーショベル」といったさまざまな名称で呼ばれることがあるが、すべて同じものを指している。

ICT建機
(5-04参照)

油圧ショベルのような建設機械は、通常は熟練したオペレーターの手によって運転されます。しかし、近年は生産性向上や人手不足の対策として**ICT建機**などの新しい技術が誕生しており、中には「遠隔操作」により無人で建設機械を運転できる技術もあります。遠隔操作ではコントローラーを操作する技術が必要ですが、災害現場などでの二次災害のリスクを回避できます。また、粉じんや悪臭などが発生した現場、崩落や落下の危険がある現場、放射線や有毒ガスで汚染された現場などでの活躍が期待できます。これは建設機械の操縦者の労働環境の改善につながります。

遠隔操作のしくみは、建設機械に搭載したロボットに無線で運転の指示をすることで建設機械を動かすというものです。ロボットの搭載は容易であり、遠隔操縦が必要な場合にだけ搭載すればよいことがメリットです。また、近年はロボットの搭載が不要な建設機械も開発されています。

有人と遠隔の比較試験では、有人による施工のほうが作業効率がよいという結果になりました。しかし、上記のような災害現場などの危険な場面では、効率化よりも「安全性」が優先されるため、今後も注目される技術といえます。

建設機械の自動化

ここまでは、遠隔操作について解説しましたが、自動化建設機械の技術も進歩しています。たとえば、鹿島建設ではダム工事などに自動化建設機械を投入し、遠く離れた東京都の本社の管制員が施工を管理した実績があります。

遠隔操作可能なロボット「SAM」

既存の重機　操縦は運転者による。

SAMを搭載　SAM(サム)はコーワテック(株)が開発した、重機の運転に搭載して遠隔操作を可能にするロボットの名称。

遠隔操作が可能に　運転席にSAMが搭載された重機は、リモコン操作での操縦が可能になる。

SAMを搭載することにより、災害時などの事故が起きやすい現場でも重機を扱うことができます。

従来型油圧ショベルの3次元マシンガイダンスショベル化

専用のパーツを取り付けることで、ICT施工対応型にすることが可能。

画像提供：コマツ

土木構造物を“印刷”する

生産性向上につながる3Dプリンタによる土木構造物の制作

3Dプリンタといえば、近年、注目されている技術の1つであり、フィギュアやインテリア雑貨などを作成できることはよく知られています。近年は、3Dプリンタを土木構造物に利用する例もあります。

3Dプリンタで“印刷”した土木構造物

3Dプリンタとは、3次元ソフトウェアで作成されたデータをもとに断面形状を積層し、立体に造形できる機器の総称です。3Dプリンタによる施工フローとしては、まず3次元ソフトウェアによる設計を行い、次に原材料の投入、印刷、**養生**を経て、印刷物を完成させた後、運搬・据付けをします。

土木構造物の1つに、**集水桝**というものがあります。これを現場打ちコンクリートで施工する場合、まず現場で型枠を組み立て、コンクリートの打設、その後の養生期間を経て、型枠を解体する必要があります。しかし、3Dプリンタを利用する場合、型枠の組み立てや解体の工程が不要になるため、工期の短縮が可能になります。

3Dプリンタ
現在は、集水桝や擁壁、縁石に使用されている。

養生
保護などをすること。コンクリートの場合、打設後、必要な強度を発現するまで湿潤状態を保つなどする。

集水桝
雨水を集めて排水するために道路などに設置される、四角や丸の形をした土木構造物。

3Dプリンタを使用した効果

令和2－3 年度南国安芸道路赤野橋下部外工事において、3Dプリンタで製造した集水桝が使用されました。これは公共の土木工事では初の試みであり、この現場では初期の強度発現に優れたモルタルを使用したことで、養生期間も短縮されました。品質については、通常の施工と比べて外観に凹凸はなく、機能性にも大きな差異はありませんでした。さらに、工期は通常の施工よりも5日間短縮し、作業時間は36時間短縮して、5人の人員の削減にも成功しています。費用としては、通常の施工と比べると約80万円高くなっていますが、今後、3Dプリンタによる施工が普及することで、安価になることが期待されています。

3Dプリンタを使用した集水桝

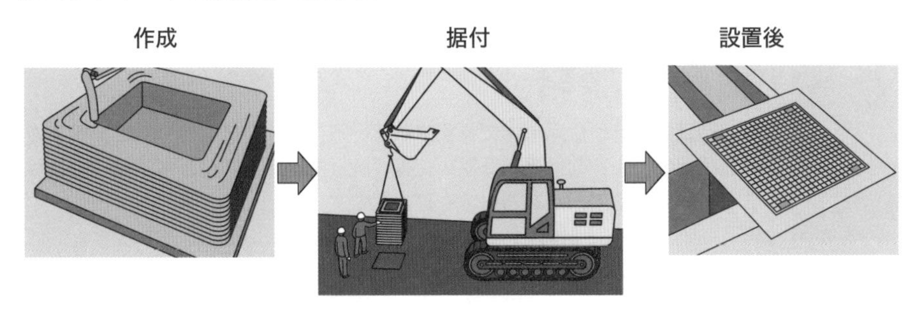

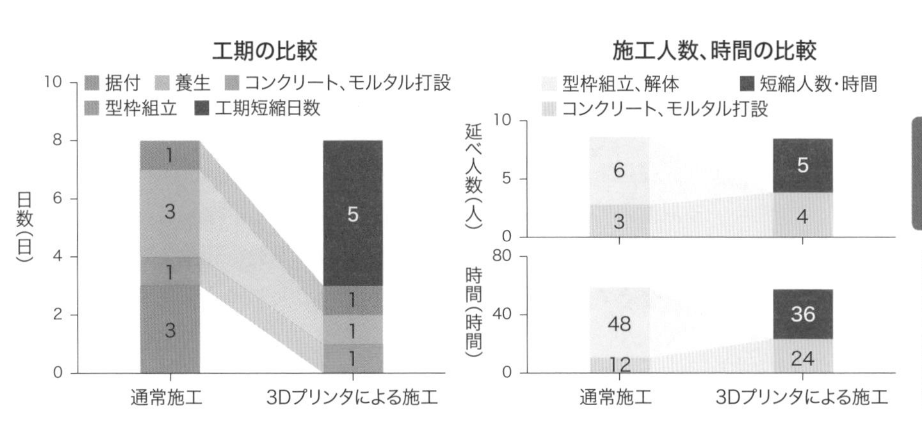

3Dプリンタの施工フロー

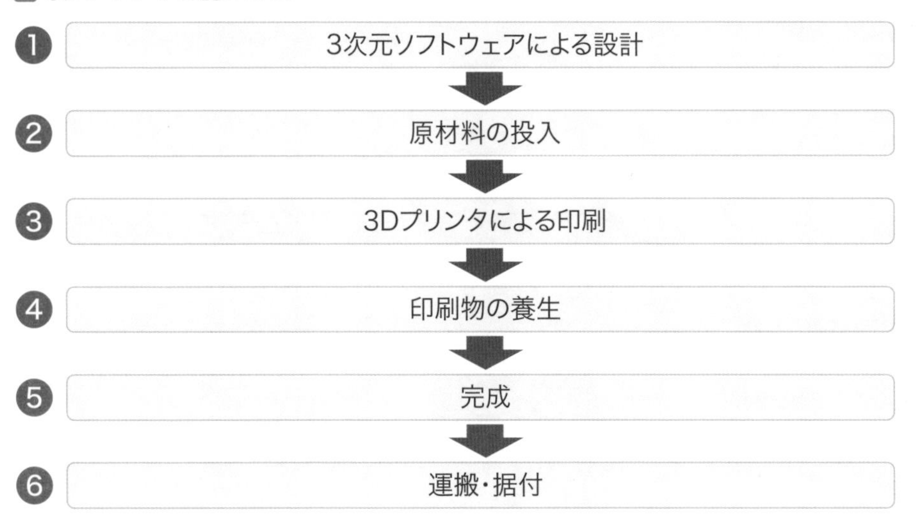

Chapter5
08

空気中の二酸化炭素を吸収固着する

カーボンニュートラルに寄与する土系舗装材

日々の経済活動や生活の中で排出されている二酸化炭素を含めた温室効果ガスが原因で、世界的に平均気温の上昇が続いています。土系舗装材の中には、これを抑制する効果があるものも存在します。

ZEROカーボNソイルの特性

カーボンニュートラルに寄与する土系舗装材「ZEROカーボNソイル」は、空気中の二酸化炭素を吸着固定できるという性質があります。

ZEROカーボNソイルの主原料である固化材（マグネシウム）と基盤材（石粉）は、生産過程で発生する副産物である廃棄物やリサイクル材を使用しているため、製造時に発生する二酸化炭素は極めて少ないのが特徴です。さらに、ZEROカーボNソイルに水をかけることで**水和反応**し、固化が始まり、反応前よりも二酸化炭素を吸収しやすい物質になります。固化が完了した後でも二酸化炭素を吸収し、それによってさらに固くなるという性質があります。

これに加えて透水性や保水性があり、**ヒートアイランド**対策にも役に立ちます。主に、一般歩道、駐車場、公園の広場などに使用できるほか、中央分離帯や植樹帯などの雑草抑制にも使用されます。**ポルトランドセメント**よりもアルカリ性が低い（Ph≒10）ため、周辺環境への負荷が少ないことも特徴の1つです。

土系舗装材の施工方法

土系舗装材を施工する際は、舗装材をそのまま敷き均し、散水するだけで自然な土の風合いのまま固まります。そのため、下準備として用途に応じた路盤を施工して①、路盤に均一に散水して②、舗装材を敷き均して③、表面の整正④と仕上げ⑤を行ってから、再び散水します⑥。その後、浸透状況（路盤まで透水しているか）を目視で確認し⑦、問題なければハンドローラーやコテ押さえで転圧して⑧、最後に養生散水を行います⑨（右図参照）。

カーボンニュートラル
温室効果ガスの排出を全体としてゼロにすること。日本では、2050年までにこれを達成することを目指している。

水和反応
酸化マグネシウムが水分と接触することで水和物をつくる化学的変化のこと。

ヒートアイランド
人工的な構造物や排熱を要因として気温が上昇し、都市の気温が周囲よりも高くなる現象のこと。

ポルトランドセメント
コンクリートなどの原料として使用されるセメントの一種。普通、早強、超早強など6種類があり、「セメント」というと代表的な「普通ポルトランドセメント」を指すことが多い。

ZEROカーボNソイル

ZEROカーボNソイル土系舗装材の原料

固化材
CO_2を吸着固定する
特殊高強度マグネシア

基盤材
自然石粉、リサイクル石粉・山砂
など

凝集性保水材
火山灰シラス(鹿児島県)から
作られた天然無機質系凝集剤

ZEROカーボNソイル土系舗装材の固化材に使用されている酸化マグネシウムは、以下の化学反応により大気中のCO_2を吸収する。

$$MgO + nH_2O \rightarrow Mg(OH)_2 + (n-1)H_2O$$

酸化マグネシウム　水　水酸化マグネシウム　ゲル中の水

$$Mg(OH)_2 + (n-1)H_2O + CO_2 \rightarrow MgCO_3 \cdot nH_2O$$

水酸化マグネシウム　ゲル中の水　二酸化炭素　炭酸マグネシウム水和物

土系舗装材の施工方法

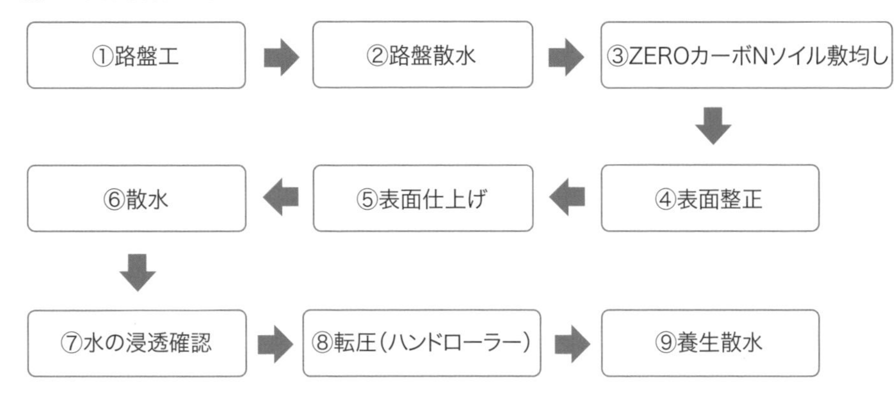

AIでコンクリート構造物を評価などする

Chapter5 09

コンクリートを見える化・データ化する最新技術

橋梁やトンネルなどのコンクリート構造物を築造する工事の大半は、長期にわたり大量のコンクリートを打設します。ここでは、その打設後のコンクリートを評価・分析する最新技術を紹介します。

コンクリート・アイ®とは

「コンクリート・アイ®」とは、コンクリート構造物の品質を確保・向上するためのシステムです。生コンクリートの現場受け入れ時の性質や状態、コンクリートの打継面の処理状態、打設後の表層の品質など、各段階における「コンクリートの状態」をリアルタイムで「見える化・データ化」し、それを分析することでコンクリート品質の改善活動（**PDCAサイクル**）に反映します。

2022年に鹿島建設が開発したアプリは、コンクリート・アイの中でも、コンクリート打設後の表面状態の検査と品質管理を支援するツールです。このアプリは、コンクリート構造物の品質を確保・向上するために、「AI」が表層品質を評価します。

PDCAサイクル
Plan（計画）、Do（実行）、Check（評価）、Action（改善）の頭文字を取った略語。この4つの工程を繰り返すことで、改善・解決を図ること。

AIで表層品質を評価する技術

上記のアプリを使用するには、まず、コンクリート構造物の表層の写真を撮影します。その後、コンクリート表層品質とグレード分けされたサンプル画像を比較して、項目ごとに点数を入力します。そして、AIが各項目の評価値を0.1単位で表示するため、入力者の個人差がない一定精度での評価が可能になります。

その後、評価結果はクラウド上に保存されるため、同一現場のコンクリート品質の評価推移などを即座に確認できます。さらに、施工条件や環境条件なども自動連携されることから、大量のコンクリートを打設する現場では、表層品質の向上のPDCAサイクルが回しやすくなります。これにより、コンクリート構造物の品質の確保と向上に大きく貢献できます。

将来的には、次に行うコンクリート打設における改善や工夫について、AIが技術者に提案する機能が搭載される予定です。

コンクリート・アイ

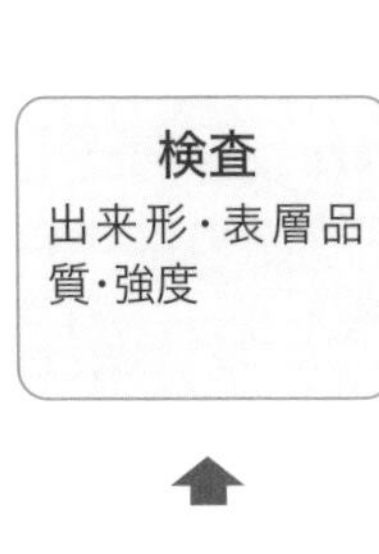
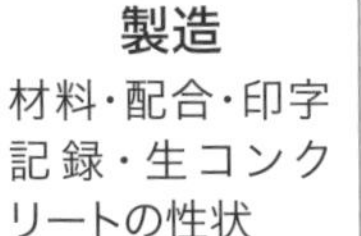
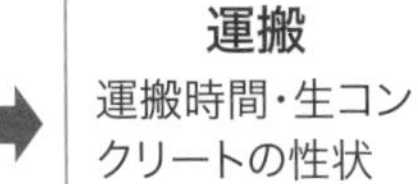

コンクリートの表層品質の向上に関するPDCAサイクル

Chapter5
10

メンテナンス作業を大幅に減らせる

バクテリアの力でひび割れを自己治癒するコンクリート

コンクリートはさまざまな条件により徐々に劣化し、ひび割れなどを起こします。そのひび割れをコンクリート自身で修復するという、画期的な技術について紹介します。

コンクリートを自己治癒するバクテリア

コンクリートは、日々劣化が進み、やがてひび割れなどを起こすものですが、そのひび割れをコンクリート自身で修復する技術があります。それがバクテリアの**代謝活動**の利用です。

まず、生コンクリートの製造時に、特殊培養したアルカリ耐性のあるバクテリアとその餌のもとであるポリ乳酸を、ほかの原材料と一緒に練り混ぜます。その後、バクテリアは強アルカリ環境下によって休眠状態を保ちます。そして、硬化後のコンクリートにひび割れが発生すると、侵入してくる水や酸素によってバクテリアは休眠状態から解放されると同時に、ひび割れ表面の**pH**が低下することで活動を開始します。この目覚めたバクテリアが餌を摂取し、代謝活動をすることで炭酸カルシウムを排出し、ひび割れを埋めていきます。

ひび割れが完全に閉塞すると、水や酸素の供給が断たれます。すると、バクテリアは再び休眠状態に入り、次のひび割れ発生に備えることになります。

代謝活動
バクテリアが活動して炭酸カルシウムを生成すること。

pH（ペーハー、ピーエイチ）
液体を酸性、中性、アルカリ性に分類する尺度。pH1に近いほど強酸性、pH14に近いほどアルカリ性となり、pH7が中性である。コンクリートはpH12～13の強アルカリ性である。

コンクリートの自己治癒

ひび割れをコンクリート自身で治せるということは、高耐久化が期待できます。これは、本来ならコンクリートの寿命により構造物を再建する際、コンクリートの原料であるセメントの製造時に排出される二酸化炭素の削減につながります。つまり、脱炭素化に大きく貢献することができます。

さらに、自己治癒により、メンテナンスそのものがほぼ不要になることから、修復コストの大幅な削減や人による維持管理や調査の手間が軽減されるため、人手不足の解消にもつながります。

自己治癒コンクリートのしくみ

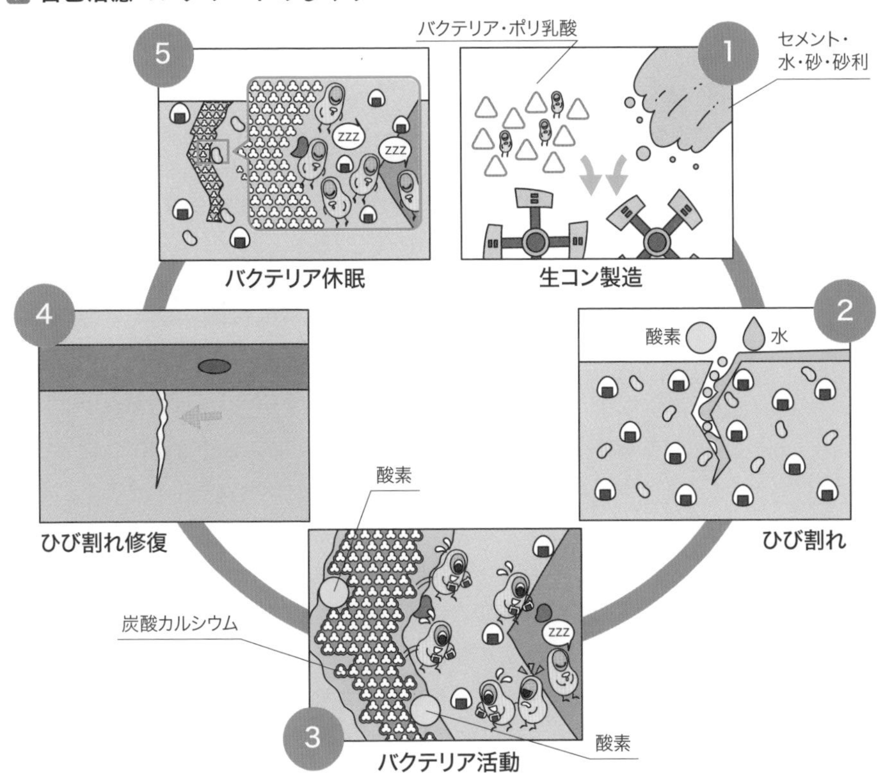

出所：會澤高圧コンクリート株式会社「Basilisk HA自己治癒コンクリート」国交省NETISに登録 脱炭素化の切り札として普及を加速」（2022年8月18日）（https://www.aizawa-group.co.jp/news2022081801/#:~:text=Basilisk%20HA）をもとに作成

二酸化炭素削減のしくみ

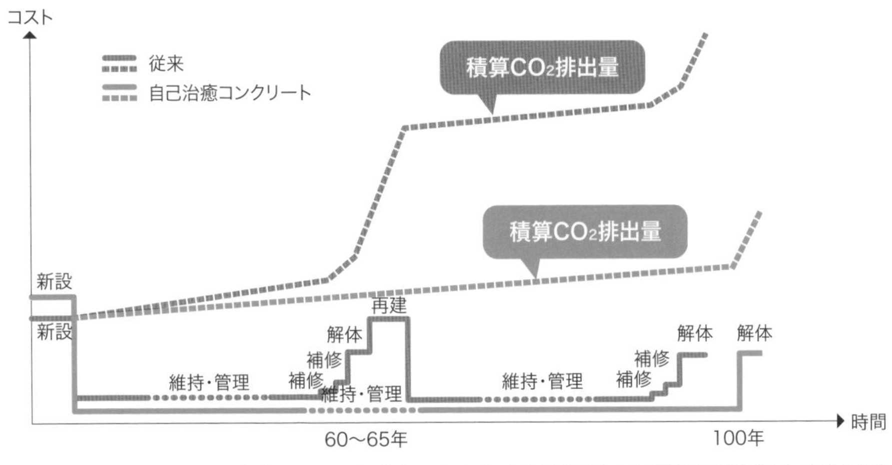

出所：會澤高圧コンクリート株式会社「Basilisk HA自己治癒コンクリート」国交省NETISに登録 脱炭素化の切り札として普及を加速」（2022年8月18日）（https://www.aizawa-group.co.jp/news2022081801/#:~:text=Basilisk%20HA）をもとに作成

Chapter5
11

首都高で活躍するインフラ維持管理システム

維持管理を効率化する最新技術 インフラドクター

高度経済成長期に建設されたインフラの老朽化が進行する中、少子高齢化と人口減少が進んでいます。このような状況で、インフラ構造物を効率的に維持管理していくために開発されたシステムについて紹介します。

車両が走るだけで状況把握ができる最新技術

インフラドクターとは、インフラ構造物を効率的に維持管理していくために開発されたシステムのことで、主に首都高で活躍しています。**GIS**をプラットフォームとし、維持管理に必要なさまざまな要素を地理情報に紐づけてクラウドに保存できます。そのため、情報検索が容易になり、作業効率が大幅に向上します。

インフラドクターでは、**3次元点群データ**をWebブラウザ上でかんたんに閲覧でき、計測や断面作成も可能です。この3次元点群データについては、MMS（Mobile Mapping System：レーザースキャナやカメラを搭載した移動計測車両）により取得します。MMSの走行軌跡が地図上に表示されているため、見たい場所をかんたんに探すことができます。また、点群データ取得の際に全方位動画も撮影しているので、動画と一緒に切り替えて見ることも可能です。そのため、現場に行かなくても室内で即座に現場状況を確認でき、インフラ管理の省略化を実現しています。インフラドクターに搭載されている3次元点群には**世界測地系**の座標値が付与されており、2点間の最短距離や垂直・水平距離などを瞬時に表示するといったことも可能です。

補修に必要な費用まで算定可能な技術

インフラドクターでは、**路面性状調査**による解析結果の見える化が可能です。3次元点群からわだち掘れや平坦性を算出し、ラインセンサカメラの画像からAIで路面のひび割れを検出します。そして、これらをGISでカラーマップとして表示することで、解析結果を見える化します。また、補修費用の自動算定にも対応します。

GIS
地理情報システム（Geographic Information System）の略。地理的位置を手がかりに、位置に関する情報を持ったデータ（空間データ）を総合的に管理・加工し、視覚的に表示することで、高度な分析や迅速な判断を可能にする技術。

3次元点群データ
3次元測量によって得られた3次元座標を持った点の集合データのこと。

世界測地系
測地系は位置を表す基準のこと。世界測地系とは、世界的な整合性を持たせて構築された測地系のこと。

路面性状調査
舗装路面の「ひび割れ」「平たん性」「わだち掘れ」の3要素について測定し、舗装の損傷度を評価すること。

インフラドクターの活用

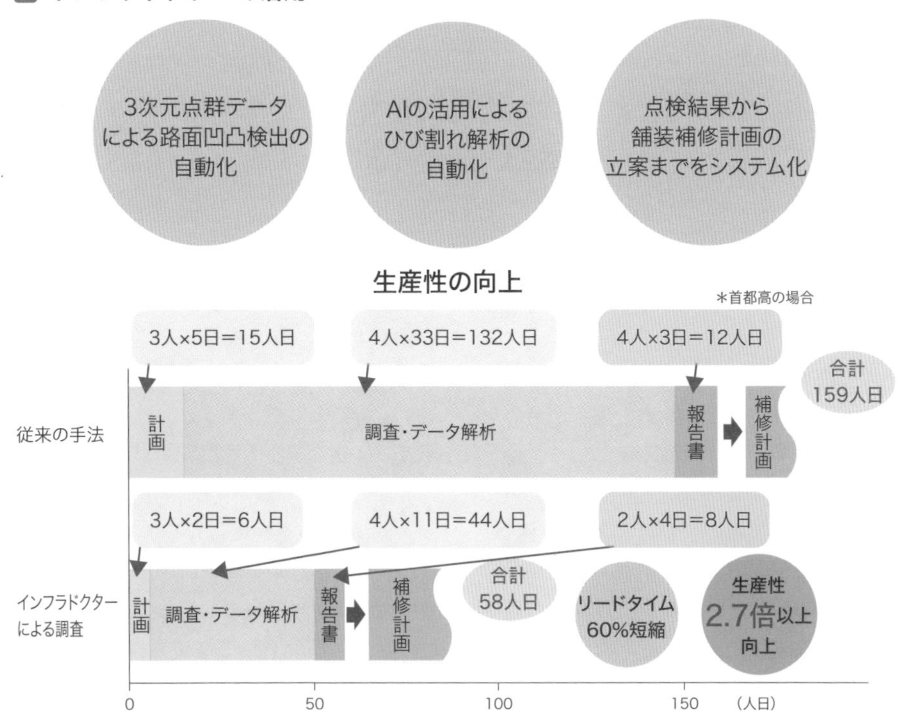

出所：首都高技術株式会社Webサイト（https://www.shutoko-eng.jp/technology/infradoctor.php）をもとに作成

MMSの活用イメージ

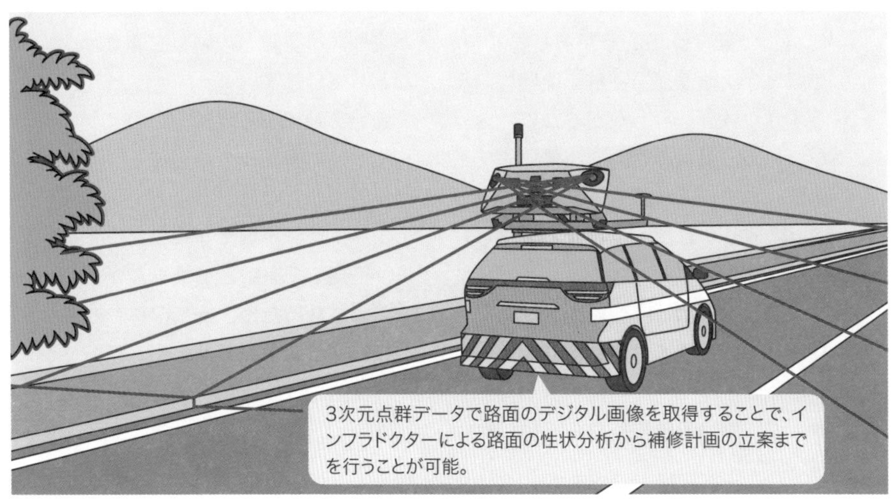

出所：首都高技術株式会社Webサイト（https://www.shutoko-eng.jp/technology/infradoctor.php）をもとに作成

COLUMN 5

道路と宅地の間に生じている不思議な段差について

街を歩いていると、道路と宅地との間に出入りの妨げになりそうな段差を見かけることがあります。このようになるのは、道路を施工する際に、設計図面と宅地の高さが合わなかったことが原因です。

道路の設計図面を作成する際は、ある程度の区間において、道路が一定の勾配を保つように設計されます。その際に宅地の高さも計測しますが、宅地ごとに高さが異なるとすべてに合わせるのは困難で、道路と宅地の間に段差が生じます。

このような場合に段差をなだらかにするため、道路側に「すりつけ」という作業を行うことがあります。このとき、段差がある狭い範囲にのみすりつけを行うとなだらかにできないため、対象の範囲を広めにして調整します。それでも、全体から見ると、すりつけ部分はほかと異なる勾配になります。

このようなケースは歩道でよく見られます。歩道は原則として車両が走ることはなく、勾配が少し変わっても、歩行の際に多少の支障になるだけで済みます。雨水がしっかりと流れるようになっていれば、ある程度はいびつな形をしていても許容できるのです。一方、車道でこのような施工をしてしまうと、路面が凸凹になって車の走行に支障が出る可能性があります。

なお、「ある程度はいびつな形でも許容できる」とはいえ、歩道にはバリアフリーの観点もあるので、いい加減な設計・施工はできません。このため、どうしても理想的なすりつけができない場合は、宅地側を調整して解決することもあります。このあたりは、設計段階で不都合があることが判明した場合など、発注者が宅地の所有者との調整を適宜行うなどしています。

道路を施工する際は、このような点について事前に合意を得られるかが重要です。これがうまくできないと、施工時に不自然な段差が生まれて、宅地の所有者とトラブルが生じる要因になるため、施工前にきちんと検討する必要があります。

第6章

土木業界の主要な企業

土木業界では複数の企業が共同で工事することがあります。それぞれの企業が培った技術を合わせることで、より高品質な土木構造物を造ることができます。

必要に応じて協業し合う土木業界

土木業界では重層下請構造のほかにも、複数の企業が共同で仕事をするJVという制度があります。リニア中央新幹線のような、非常に大規模の工事などで発注されることがあります。

受注者が複数存在するJV

土木業界では工事の規模などが毎回不規則のため、「重層下請構造」であるケースがよくあります。このほか、JV（共同企業体）という制度で他企業と共同で仕事をすることがあります。

JV（共同企業体）
ジョイントベンチャー（Joint Venture）の略。法人格のない、民法上の組合の一種。

通常のケースでは、建設業者が単独で受注と施工を行いますが、JVでは複数の建設業者が1つの建設工事を受注し、施工することを目的として形成されます。これにより、受注者はリスクを分散させて、それぞれの企業が培った得意な技術を合わせることができるため、より高品質な土木構造物を造れるようになります。第1章で触れたリニア中央新幹線の建設でも、このJVの制度が活用されています。

特定建設工事共同企業体（特定JV）

いくつかあるJVの方式のうち、一番イメージしやすいのは特定建設工事共同企業体（特定JV）でしょう。特定JVは、大規模で技術難度の高い工事を施工する際、技術力などを結集することで、工事の安定的な施工を確保するために結成されます。この企業体は、工事の規模や性格などに照らして、共同企業体による施工が必要と認められた場合に工事ごとに結成するもので、工事が完了すれば解散します。

また、近年は建設投資が大幅に減少し、地域のインフラ設備の維持管理に対応できる建設業者が減少しています。この維持管理を持続させるため、発注機関の入札参加資格審査の申請時または随時に地域維持型建設共同企業体（地域維持型JV）を結成し、一定期間、有資格業者として登録するケースもあります。そのほかにも、復旧・復興JVといったものもあります。

JVの種類について

方式	説明
特定建設工事共同企業体（特定JV）	大規模かつ技術難度の高い工事の施工に際して、技術力などを結集することにより工事の安定的施工を確保するなど、工事の規模・性格などに照らし、共同企業体による施工が必要と認められる場合に、工事ごとに結成する共同企業体。
経常建設共同企業体（経常JV）	中小・中堅建設企業が継続的な協業関係を確保することにより、その経営力・施工力を強化する目的で結成する共同企業体。単体企業と同様、発注機関の入札参加資格の審査申請時（原則年度当初）に経常JVとして結成し、一定期間、有資格業者として登録される。
地域維持型建設共同企業体（地域維持型JV）	地域のインフラの維持管理に不可欠な事業につき、継続的な協業関係を確保することにより、その実施体制の安定確保を図る目的で結成する共同企業体。発注機関の入札参加資格の審査申請時または随時に地域維持型JVとして結成し、一定期間、有資格業者として登録される。
復旧・復興建設工事共同企業体（復旧・復興JV）	大規模災害からの円滑かつ迅速な復旧・復興を図るため、技術者・技能者の不足や建設工事需要の急増などへの対応として、地域に精通している、被災地域の地元の建設企業の施工力を強化する目的で結成する共同企業体。発注機関の入札参加資格の審査申請時または随時に復旧・復興JVとして結成し、一定期間、有資格業者として登録される。

地域維持型JVの契約方式について

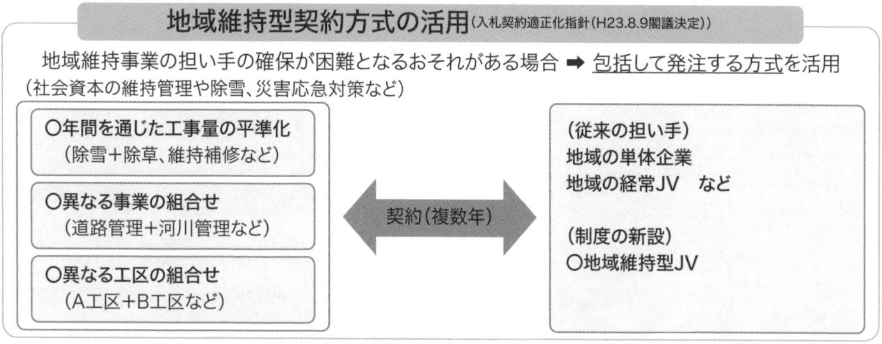

地域維持型契約方式の活用（入札契約適正化指針（H23.8.9閣議決定））

地域維持事業の担い手の確保が困難となるおそれがある場合 ➡ 包括して発注する方式を活用
（社会資本の維持管理や除雪、災害応急対策など）

- ○年間を通じた工事量の平準化
  （除雪＋除草、維持補修など）
- ○異なる事業の組合せ
  （道路管理＋河川管理など）
- ○異なる工区の組合せ
  （A工区＋B工区など）

⇔ 契約（複数年）⇔

（従来の担い手）
地域の単体企業
地域の経常JV　など

（制度の新設）
○地域維持型JV

地域維持型JV（共同企業体運用準則（H23.11.11））、地域維持型建設共同企業体の取扱いについて（H23.12.9）

①性格　地域のインフラの維持管理に不可欠な事業につき、地域の建設企業が継続的な協業関係を確保することにより、その実施体制を安定確保するために結成される共同企業体。

②工事の種類・規模　社会資本の維持管理のために必要な工事のうち、修繕、パトロール、災害応急対応、除雪など地域事情に精通した建設企業が当該地域において持続的に実施する必要がある工事（維持管理に該当しない新設・改築などの工事を含まない）。

③構成員（数、組合せ、資格）
・地域や対象となり得る工事の実情に応じ、円滑な共同施工が確保できる数（当面は10社を上限）。
・総合的な企画・調整・管理を行う者（土木工事業または建築工事業の許可を有する者）を少なくとも1社含む。
・地域の地形・地質などに精通し、迅速かつ確実に現場に到達できる。

④技術者要件　通常のJVよりも技術者要件（専任制）を緩和。

⑤登録　単体との同時登録および経常・特定JVとの同時結成・登録が可能。

出所：国土交通省「地域維持型契約方式について」をもとに作成

Chapter6
02

土木業界の主要な企業①

舗装土木事業を中心に幅広く事業を展開するNIPPO

ここでは舗装土木事業を中心に、アスファルト合材の製造販売事業、建築事業、海外事業、不動産開発事業を柱としている株式会社NIPPOについて解説します。

日本石油と浅野物産からの事業承継

株式会社NIPPO（以下、NIPPO）は東京都中央区に本社がある道路舗装会社の最大手です。1934年2月、日本石油株式会社（現ENEOS株式会社）道路部と浅野物産株式会社道路部の事業を継承し、設立されました。

1949年12月、株式を東京証券取引所に上場しました。そして、1985年以降は舗装土木事業だけではなく、営業種目の拡大を図り、現在は建築、不動産開発、環境事業など、多方面にわたる積極的な営業活動を展開しています。また、海外でも、中国、インド、タイ、ベトナム、タンザニアなどに拠点を設けています。

2022年3月、ENEOSHDとゴールドマン・サックスが共同出資するロードマップHDの傘下となり上場廃止となりました。

舗装土木分野でも幅広く工事を担当する

舗装土木分野では、高速道路、一般道路、空港滑走路などのインフラ整備をはじめ、製造・物流・商業施設の構内舗装や外構など、さまざまなフィールドで「道づくり」を行っています。「遮熱性舗装」をはじめとする環境に寄与する舗装技術など、新しい技術開発に注力しています。また、IoT・AR技術などの最先端技術も取り入れ、生産性や作業安全性を向上させるなど、i-Constructionも積極的に推進しています。

そのほか、特殊技術やICT技術を活用した大規模土工により、軟弱地盤対策、下水道工事、新たな街づくりのための宅地造成などを手がけています。さらに、老朽化したアスファルトやコンクリートの廃材を再生合材や再生路盤材として蘇らせるリサイクル事業も展開しており、国内で初めて常温合材を開発しています。

IoT（Internet of Things）
モノがネットワークを通じてサーバーなどに接続され、相互に情報交換ができるしくみ。IoTへの対応により、建設業界では生産性の向上が期待できる。

AR
Augmented Realityの略で、現実世界に仮想空間を重ねた「拡張現実」を意味する言葉。CGなどで作成し、デジタル情報で加工することが可能。

常温合材
常温で保存や舗設ができるアスファルト合材。通常の舗設で使うアスファルト合材の温度は、100℃を大きく超える。

会社情報

本社所在地	東京都中央区京橋1-19-11
設立年月日	1934年2月2日
資本金	153億24百万円
営業種目	・主として右記工事の請負、調査、設計、監理、コンサルタント業務（道路・テストコース・空港・流通施設・スポーツ施設・水道施設・一般土木・一般建築） ・アスファルト合材などの製造、販売／産業廃棄物の処理、再生製品の販売 ・不動産取引業務 ・土壌汚染調査、浄化工事ほか
従業員数	連結：6,389名、単体：2,031名［2023.3.31現在］

売上高（連結）

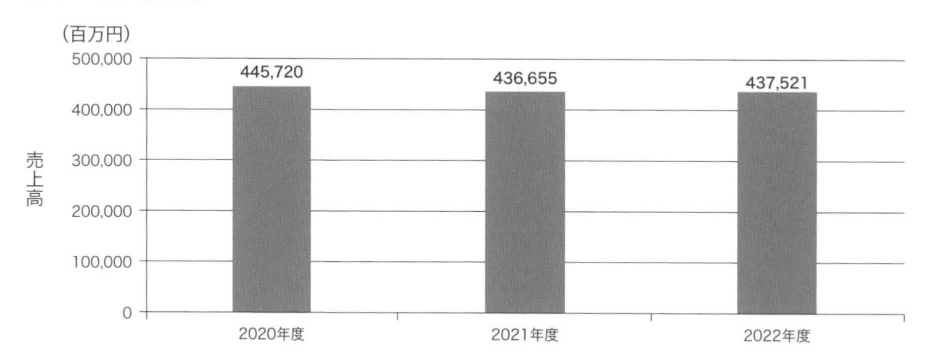

遮熱性舗装

皇居外苑（東京都）の街路

画像提供：株式会社NIPPO

Chapter6 03

土木業界の主要な企業②

自社の技術研究所により多くの新技術を開発する鹿島建設

鹿島建設株式会社は、創業して200年近い歴史がある建設業者です。スーパーゼネコンとして、いち早く自社の技術研究所を開設しています。

受注高世界第1位の実績を持つスーパーゼネコン

鹿島建設株式会社（以下、鹿島建設）は国内に5社あるスーパーゼネコンの1社で、東京都港区に本社があります。1840年に創業し、1930年に株式会社になりました。1963年には、年間受注高世界第1位（1,368億円）となっています。

土木事業としては、ダム、山岳トンネル、臨海・港湾、橋梁、鉄道など幅広い分野で施工実績があり、2023年1月には**JR渋谷駅第4回山手外回り線切換工事**を**JV**にて施工しました。ほかにも、東京国際空港（羽田空港）の滑走路工事、明石海峡大橋の主塔基礎工事、東京湾アクアラインのシールドトンネル工事など、大規模な土木構造物を多数築造しています。

JR渋谷駅第4回山手外回り線切換工事
2023年1月6日深夜から1月9日早朝にかけて行われた大工事。山手外回り線を土日の終日約54時間にわたって運休させ、外回り線の線路を横移動させることで、これまで分かれていた内回り線と外回り線のホームを1つにした。

JV
(6-01参照)

業界初の技術研究所を開設した鹿島建設の技術力

鹿島建設は建設業界で最初に技術研究所を開設した企業です。現在はシンガポールにも技術研究所を保有しています。

これまで、土木分野において多くの新技術を開発していますが、その1つが「A⁴CSEL」（クワッドアクセル）です。A⁴CSELとは、建設機械の自動化による次世代の建設生産システムのことです。複数の建設機械に対して、人間がタブレット端末で作業計画を指示することにより、無人で自動運転を行います。

また、同社は「ロックボルト打設専用機」という機械も開発しています。これにより、山岳トンネル工事におけるロックボルト工の**穿孔**(せんこう)からモルタル注入、ロックボルト挿入までの一連の作業を完全機械化します。

このように、鹿島建設では安全性や生産性の向上に向けた、多くの技術開発が行われています。

穿孔
孔(あな)をあけること。

会社情報

本社所在地	東京都港区元赤坂1-3-1
設立年	1930年3月8日
資本金	814億47百万円
営業種目	・土木建築および機器装置その他建設工事全般に関する請負、または受託 ・建設プロジェクトならびに地域開発、都市開発、海洋開発、宇宙開発、資源開発、環境整備、エネルギー供給などのプロジェクトに関する調査、研究、評価、診断、企画、測量、設計、監理、調達、運営管理、技術指導その他総合的エンジニアリング、マネジメント、コンサルティング ・土地の造成、住宅など建物の製造、建設および不動産の売買、賃貸借、仲介、保守、管理、鑑定、評価、コンサルティング、ならびに植林および緑化事業、ほか
従業員数	8,129名（2023年3月末現在）

売上高（連結）

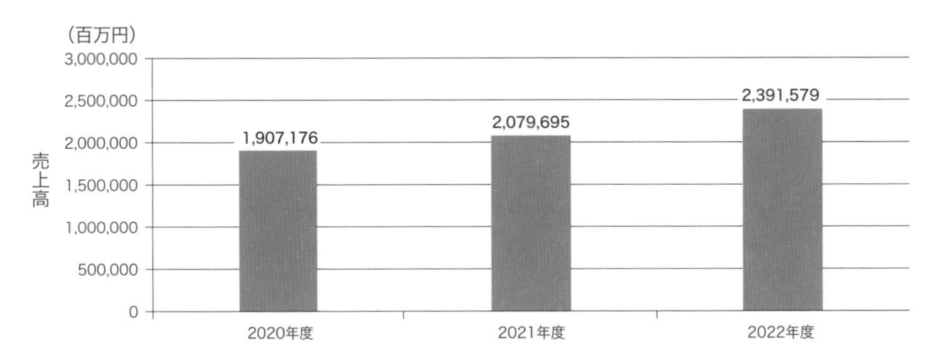

A⁴CSELの3つの技術

❶ 汎用の建設機械を自動化改造する技術。

❷ 熟練技能者の操作データをもとにAI手法をとり入れたことによる、自動運転技術。

❸ 多数の機械を連携させ、もっとも生産性の高い施工計画で稼働できる施工マネジメント技術。

↓

生産性の向上 / 高い汎用性 / 安全性の向上

土木業界の主要な企業③

多くの道路工事を手掛ける日本道路株式会社

日本道路株式会社は、舗装工事や舗装に関する研究・開発などを行っています。たとえば、道路を高耐久・長寿命化することでライフサイクルコストを低減し、社会に貢献する技術を提供しています。

舗装工事の専門家である日本道路

日本道路株式会社（以下、日本道路）は、東京都港区に本社があります。1929年に日本ビチュマルス舗装工業株式会社として設立し、1947年に現在の社名に改称されました。

1958年に技術研究所（現技術本部）を開設しました。これまでにも、粗骨材の最大粒径を大きくすることで耐久性を高めたアスファルト混合物による舗装、杉などの間伐材をチップ化した木質材料を樹脂で固めて有効活用することで、環境への負荷が少なく、景観にもなじむウッドチップ舗装、自動車の走行騒音を軽減し、防音施設などの建設費の削減に寄与できる、多孔質な構造で音を吸収する舗装など、さまざまな舗装の技術を開発しています。そのほか、路面に太陽光発電パネルを埋め込むことで、道路面で発電ができる**太陽光発電舗装**を共同開発しています。

太陽光発電舗装
舗装用として、人や車が直接乗っても破損せず、すべり抵抗など安全性を確保することが可能な構造になっている。

アスファルト舗装の施工技術に貢献する日本道路

道路分野をはじめとして、同社はさまざまな工事を手掛けています。代表的な例としては、東京国際空港B滑走路取付誘導路舗装工事、三陸自動車道釜石ジャンクション、横浜スタジアムのロングパイル人工芝の設置などがあります。

最近では、「アスファルトフィニッシャの自動操舵・自動伸縮システム」を共同開発しており、**ステアリング**と**スクリード**伸縮の自動制御を実現しています。これにより、オペレーターの作業負担が大幅に軽減され、経験の浅いオペレーターでも安全と品質を意識した高品質の施工が可能になります。また、一般的なICT施工のように設計データを入力する必要がないため、より手軽に扱うことができ、人手不足に対応できる技術といえます。

ステアリング
乗り物の進行方向を変えるための操舵装置のこと。

スクリード
アスファルトを均一に敷きならす機能を持つ。フィニッシャの構造物の1つ。

会社情報

本社所在地	東京都港区新橋1-6-5
設立年月日	1929年3月10日
資本金	122億9,026万円
営業種目	・道路建設および舗装工事 ・一般土木工事 ・一般建築工事 ・環境整備工事 ・スポーツ、レジャー施設工事 ・アスファルト合材、乳剤の製造販売ほか
従業員数	1,660名（2023.03.31現在）

売上高（連結）

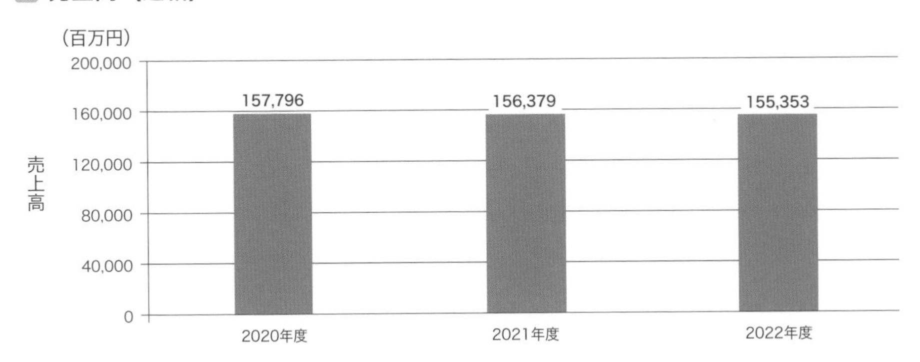

日本道路の技術力

アスファルトフィニッシャの
自動操舵・自動伸縮システム

共同開発：住友建機株式会社

太陽光発電舗装

共同開発：F-WAVE株式会社

土木業界の主要な企業④

Chapter6 05

大工工事から始まった戸田建設株式会社

戸田建設株式会社の創業時の主力業務は建築工事でしたが、1950年代には土木部門を立ち上げました。これまでに地下鉄や橋梁など、多数の大掛かりな土木工事を施工しています。

建築工事業者から総合建設業者へ

戸田建設株式会社（以下、戸田建設）は、東京都中央区に本社があります。創業は1881年1月5日で、1936年7月10日に株式会社戸田組になりました。

創業時の主力は建築工事でしたが、1956年には土木部門を新設し、名実共に総合建設業者としての組織を確立しています。1972年には、ブラジル・サンパウロ市にブラジル戸田建設、アメリカ・ニューヨーク市にアメリカ戸田建設を設立するなど、本格的な海外事業へ参入しており、海外でも橋梁工事や上水整備工事などで貢献しています。

土木分野でも活躍する戸田建設

同社は土木分野でも、山岳トンネル、地下工事、橋梁、道路、造成、鉄道施設、ダム、河川、港湾など、さまざまな工事の実績があります。代表的な工事としては、九州新幹線（西九州）諫早トンネル、越谷レイクタウン地区北調節池管理道路施設、史跡鳥取城跡擬宝珠橋復元工事などがあります。

橋梁の技術開発では、都市部の交差点や踏切部などで発生している慢性的な交通渋滞を解消するため、短期間で立体高架橋を造るすいすいMOP工法という技術を共同開発しています。また、ブルドーザーなどの重機にGNSS受信機とAndroid端末を搭載することで、重機オペレーターの視覚に頼らず、危険区域への接近を警報で知らせるシステムの開発が行われています。同システムは正面だけでなく見えにくい後方も探知して、のり肩などでの重機転落を防止します。さらに、盛土速度の見える化システムなども開発しています。

すいすいMOP工法
橋桁（上部工）をコンパクト化する「モジュール桁工法」と、上部工と下部工の並行作業を可能とする「橋脚柱先行建て込み工法」を組み合わせることで、立体高架橋を短期間で建造する工法。

のり肩
のり面最上部の端の部分のこと。

会社情報

本社所在地	東京都中央区八丁堀2-8-5
設立年月日	1936年7月10日
資本金	230億円
営業種目	・建築一式工事、土木一式工事などに関する調査、企画、設計、監理、施工、その総合的エンジニアリングおよびコンサルティング業務 ・地域開発、都市開発などに関する調査、企画、設計、監理、施工、その総合的エンジニアリングおよびコンサルティング業務 ・不動産の売買、賃貸、仲介、管理および鑑定 ・再生可能エネルギーなどによる発電事業など
従業員数	4,215人（2023年3月31日現在）

売上高（連結）

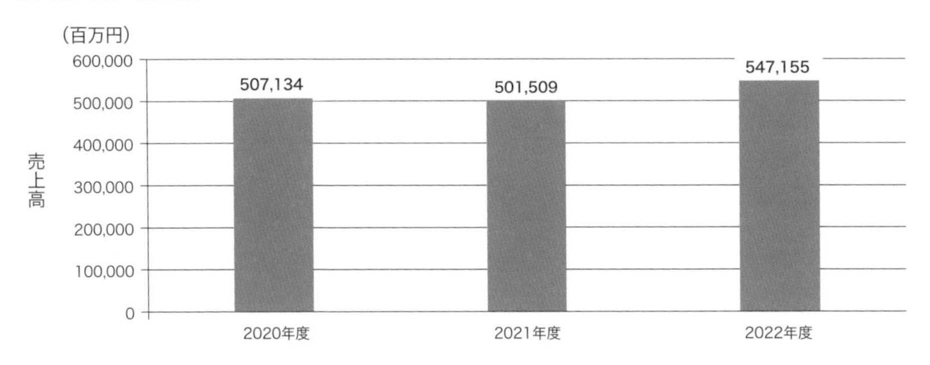

ONE POINT

重機危険区域接近警報システム

重機危険区域接近警報システムとは、稼働中の重機が指定された危険区域に接近した際、オペレーターに警報で知らせるシステムです。重機にはGNSS受信機とAndroid端末を搭載します。重機に応じた危険区域をリアルタイムで作成する機能を持ち、工事の進捗に応じた危険区域の設定変更は不要です。

本システムは株式会社山陽測器、戸田建設株式会社、ライカジオシステムズ株式会社により共同で開発されました。2023年2月にNETIS登録されました。

Chapter6
06

乳剤製造販売会社が前身である東亜道路工業

アスファルト乳剤や改質アスファルトのような製品販売事業と、これらを活かした道路工事を主力業務として扱っている東亜道路工業株式会社の歴史や技術について紹介します。

道路建設事業を支える東亜道路工業

東亜道路工業株式会社（以下、東亜道路工業）は、東京都港区に本社があります。1930年11月に日本ビチュマルス株式会社として設立された当初は、アスファルト乳剤「ビチュマルス」を製造販売する会社でした。その後、1951年に改称し、東亜道路工業株式会社となりました。

1950年、横浜に技術研究所を開設しました。1958年、住友機械工業株式会社と共同で、乳剤タンク搭載式のシーマン型スタビライザーを開発します。それまでスタビライザーは輸入頼みでしたが、本機は国産スタビライザーの第1号機となりました。

アスファルト乳剤製造販売会社の強みを活かした事業展開

東亜道路工業の基幹業務は道路建設事業と製品販売事業ですが、景観・スポーツ事業、環境事業なども展開しています。代表的な工事としては、令和3年度鳴門管内舗装補修工事、中国横断自動車道たつの舗装工事、東名高速道路三方原スマートインターチェンジ工事などがあります。

東亜道路工業の技術研究所は、道路舗装に関連する実験装置のみならず、アスファルト関係の試験や分析などの装置を多数揃えた、国内でも有数の研究機関です。製品販売事業としては、たとえばタックファインSQ工法があります。アスファルト舗装工事のタックコートで、アスファルト乳剤と分解剤を特殊ディストリビュータで散布し、従来のタックコートの分解時間を最短1/10に短縮する技術です。ほかにはペネトール-Sの開発もあります。これは、悪臭や引火の危険性のないプライムコート用高浸透性アスファルト乳剤で、浸透性・付着性に優れます。

スタビライザー
高い混合・攪拌性能を備えた、地盤改良でよく使用される重機。

中国横断自動車道たつの舗装工事
兵庫県たつの市で行われた道路の舗装工事。

スマートインターチェンジ
本線のほか、サービスエリア、パーキングエリア、高速バスのバス停など、高速道路の既存の施設から乗り降りできるように設置されたETC専用の簡易型インターチェンジのこと。設置する料金所は簡易なものでよく、料金徴収員が不要のため、低コストで導入できるメリットがある。

タックコート
(4-03参照)

会社情報

本社所在地	東京都港区六本木7-3-7
設立年月日	1930年11月28日
資本金	75億8,418万8,930円
営業種目	・道路建設事業　・土木事業　・製品販売事業　・景観／スポーツ事業　・環境事業など
従業員数	1,667名（2023年3月）（連結）

売上高（連結）

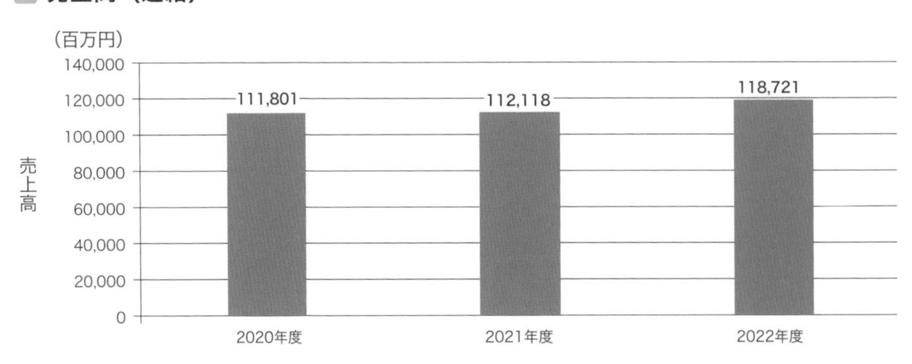

東亜道路の主な技術

名称	内容
ペネトール-S	浸透性・付着性に優れ、悪臭や引火の危険性がないプライムコート用高浸透性アスファルト乳剤。
ファスト・アス	段差や継目などの修正、荒れた路面のリフレッシュや見た目の改善など、さまざまな用途に使うことができる、使いやすさを追求した改質アスファルト乳剤系の小規模用常温硬化型路面補修材。
HSアスコン	ポリマー改質アスファルトの柔軟性と特殊熱可塑性樹脂の剛性により、重荷重に対し高い安定性を示す、特殊熱可塑性樹脂とポリマーによるハイブリッド改質アスファルト。
CHASPA	ひび割れ率、わだち掘れ量、平たん性など、舗装の維持管理に必要となる評価指標を計測する装置である、路面性状自動測定車。
タフシャット導水テープ	道路橋の舗装体を通過した雨水が防水層上に浸水することで、舗装の剥離現象を発生させ、ポットホールや破壊の原因にならないよう、排水を促進させるための道路橋床版防水層上の排水促進用導水テープ。

Chapter6 07

建設業界のスーパーゼネコンの１つ 大林組

株式会社大林組は知名度の高い建物の建築やインフラの設備など、数多くの有名な土木建築工事を施工している、日本の最先端を行くスーパーゼネコンの1つです。

国内外ともに多くの施工実績がある大林組

株式会社大林組（以下、大林組）はスーパーゼネコンの１つで、東京都港区に本社があります。1892年1月に大阪にて土木建築請負業「大林店」として創業しました。

1979年、日本の建設会社として初めて、米国本土での公共工事（下水道工事）を受注し、その後も、国内外を問わず、道路工事や橋梁工事など多くの土木工事における施工実績があります。

カーボンニュートラルの先駆けた取組み

大林組は土木建築の分野で多くの事業を展開するほか、グリーンエネルギー事業なども行っています。土木分野の代表的な工事には、瀬戸大橋下部工、青函トンネル（三岳工区）、明石海峡大橋、東京湾アクアライン、東京国際空港D滑走路などがあります。

同社は研究開発施設も保有しており、業界が脱炭素についてほとんど注目していなかった2010年に、低炭素型のコンクリート「クリーンクリート®」を開発しています。これは従来型のコンクリートに比べて、製造過程で排出されるCO_2量を最大で約80%削減できます。クリーンクリート®による多くの施工実績を残し、建設業界のカーボンニュートラルに先駆けて取り組んでいます。

ほかにも、2020年度に行われた内閣府主導の「官民研究開発投資拡大プログラム」の一環である国土交通省の事業、ローカル5G（第5世代通信規格）を利用して複数の建機を連携させる遠隔操縦の実証実験を行うなど、デジタル技術を活用した省人化による生産性向上への取組みなども行っています。

5G
5th Generationの頭文字で、「第5世代移動通信システム」を意味する。5Gには「高速大容量」「高信頼・低遅延」「多数同時接続」の3つの特徴がある。

会社情報

本社所在地	東京都港区港南2-15-2
設立年月日	1936年12月19日
資本金	577億52百万円
営業種目	・国内外建設工事、地域開発・都市開発・その他建設に関する事業、およびこれらに関するエンジニアリング・マネージメント・コンサルティング業務の受託、不動産事業ほか
従業員数	9,134人（2023年3月末現在）

売上高（連結）

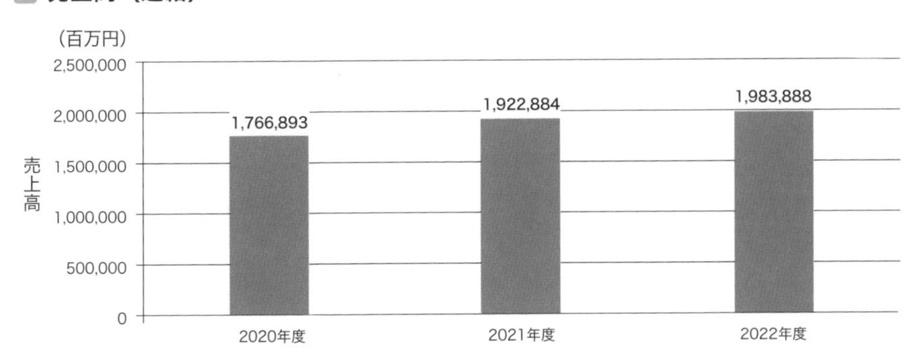

クリーンクリート®

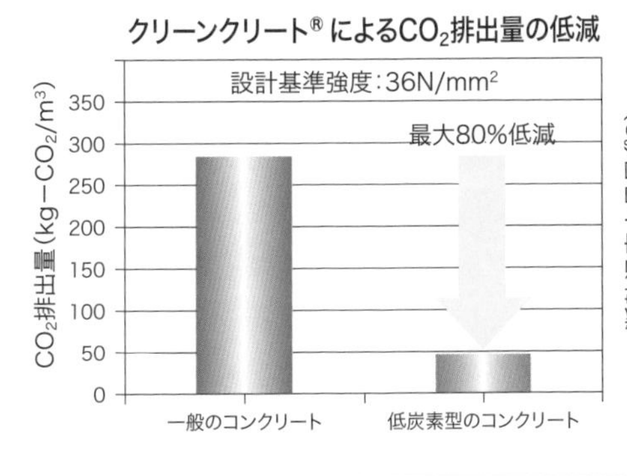

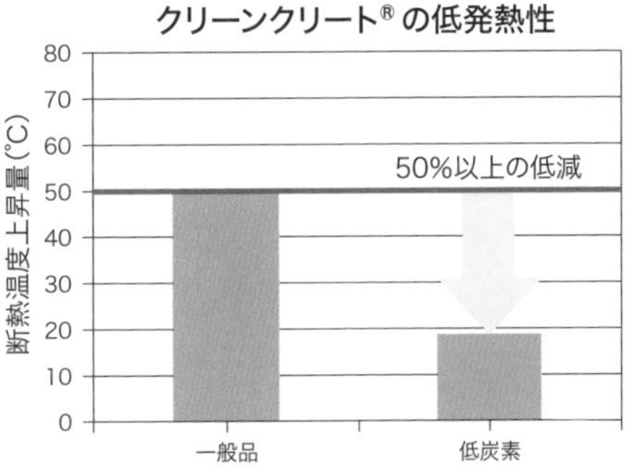

2022年には、クリーンクリート®の技術をもとに、CO_2排出量を実質ゼロ以下と排出物削減を実現するクリーンクリートNが開発されている。CO_2の排出量を最大約80%削減するクリーンクリート®に比べ、クリーンクリートNは最大約120%削減する。

土木業界の主要な企業⑦

海外でも多くの事業を行っているスーパーゼネコン 大成建設

大成建設株式会社は当時の最新技術を利用してトルコのボスポラス海峡横断鉄道トンネルを2013年に竣工させるなど、海外でも多くの事業を行っているスーパーゼネコンの1つです。

国内初の建設業株式会社

大成建設株式会社（以下、大成建設）はスーパーゼネコンの1つで、東京都新宿区に本社があります。1873年に大倉組商会として創業し、1917年12月、国内初の建設業株式会社として、株式会社大倉土木組が設立されました。その後、1946年に大成建設株式会社へと改称されています。

大成建設の技術開発

1997年、大成建設は石川島播磨重工業株式会社のシールド部門（現JIMテクノロジー株式会社）と共同でシールドマシンを開発しました。これは1台で立坑と横坑を連続して掘削する機械で、この土木技術を「球体シールド工法」といいます。球体シールド工法は土木技術としては初めて、恩賜（おんし）発明賞を受賞しました。

立坑を構築する際、通常は地上から掘削するため、地上での工事期間は長くなります。同社が開発した「上向きシールド工法」は、泥土圧シールド機を使用してトンネル内から上向きに立坑を築造するため、地上での工事期間を短縮できます。

ダム工事では「リフトアップ栈橋」があります。リフトアップ栈橋は、堤体の進捗に合わせて栈橋の標高や勾配を変化させることが可能な設備であり、運搬路の造成が困難な急峻（きゅうしゅん）地形で堤体へのコンクリート直送を可能にし、施工を効率化できます。

このように、大成建設では立坑用地の確保が難しい場合の対策や、周辺環境に与える影響を軽減できる技術などを開発しています。

恩賜発明賞
公益社団法人発明協会が主催する、全国発明表彰の賞。その年の最も優れた発明などに贈られる。

堤体
コンクリートなどで造られたダム本体のこと。

会社情報

本社所在地	東京都新宿区新宿1-25-1 新宿センタービル
設立年月日	1917年12月28日
資本金	1,227億4,215万8,842円
営業種目	・建築工事、土木工事、機器装置の設置工事、その他建設工事全般に関する企画、測量、設計、監理、施工、エンジニアリング、マネジメントおよびコンサルティング ・道路、鉄道、港湾、空港、河川施設、上下水道、庁舎、廃棄物処理施設、駐車場その他の公共施設および、これらに準ずる施設などの企画、設計、監理、施工、保有、賃貸、譲渡、維持管理および運営など
従業員数	8,613名（2023年3月31日現在）

売上高（連結）

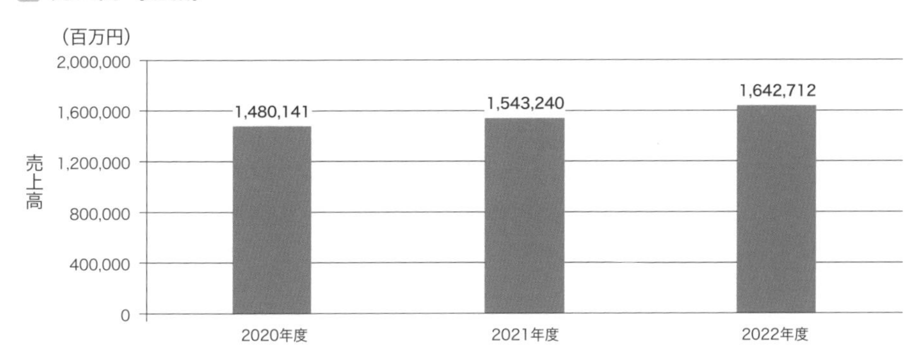

上向きシールド工法

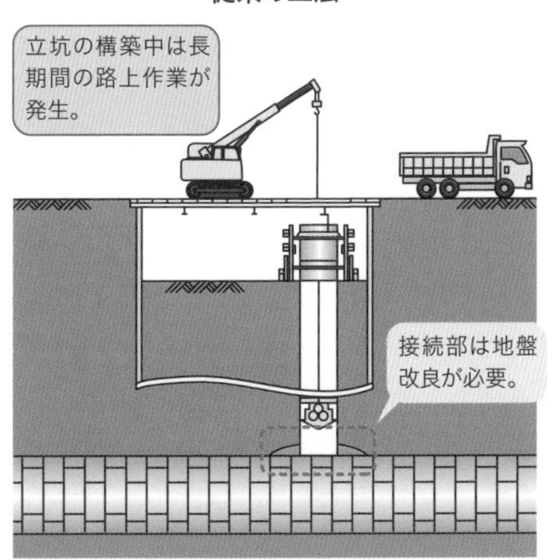

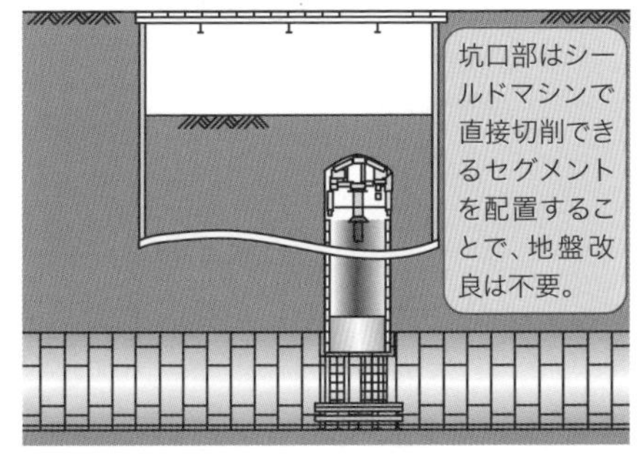

Chapter6
09

国内・海外で多くの施工実績があるスーパーゼネコン 清水建設

国内だけではなく、海外の橋梁や鉄道などさまざまな土木工事まで手掛けている、多くの施工実績を持つスーパーゼネコン・清水建設株式会社について紹介します。

創業200年を超える老舗の建設業者

清水建設株式会社（以下、清水建設）はスーパーゼネコンの1つで、東京都中央区京橋に本社があります。創業は1804年、越中富山に生まれた初代清水喜助が江戸・神田鍛冶町で大工店を開業したことに始まります。社是は「論語と算盤」。1887年に相談役として迎えた渋沢栄一翁からの教えをもとにしています。

東京都江東区越中島にある技術研究所では、建設に関わる最新鋭の研究が行なわれています。近年は人財育成にも力を入れており、同区潮見に新たなイノベーション拠点「温故創新の森 NOVARE(ノヴァーレ)」を建設するなどしています。

清水建設の事業分野

同社は建築事業を筆頭に、土木事業、不動産開発事業、エンジニアリング事業などを手がけています。土木事業の代表的な例は、八ッ場ダムや青函トンネル、本四連絡橋、東京湾アクアライン、LNG地下式貯槽（タンク）などの工事があるほか、海外の橋梁や地下鉄工事などで多数の実績があります。工事の施工にあたっては、生産性向上を目的に、ICTを活用した多くの取り組みが実施されています。

LNG地下式貯槽
LNGとは液化天然ガスのことで、LNG地下式貯槽とは超低温に圧縮液化した天然ガスを地下に貯槽する施設をいう。

たとえば、シールドトンネルの構築では、AIを活用した施工の計画と掘進操作の自動化を推進していることや、地下駅の構築では、非常に複雑な構造物の施工を、3次元モデルとクラウド管理システム、VRやARなどを組み合わせることで効率向上を図っていることなどが挙げられます。同社はこうしたICTを活用した施工管理のさらなる発展を目指しています。

会社情報

本社所在地	東京都中央区京橋2-16-1
設立年月日	1937年8月24日
資本金	743億65百万円
営業種目	建築事業、土木事業、不動産開発事業、エンジニアリング事業、LCV事業、フロンティア事業など
従業員数	10,845人（2023年3月31日現在） ※連結従業員数は、19,869人

売上高（連結）

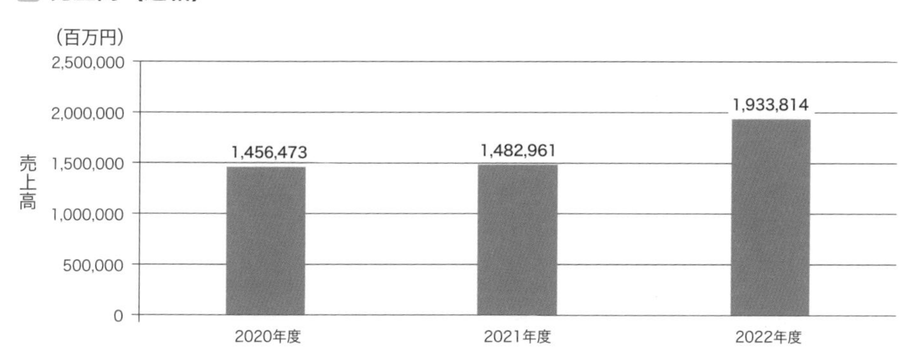

当期純利益

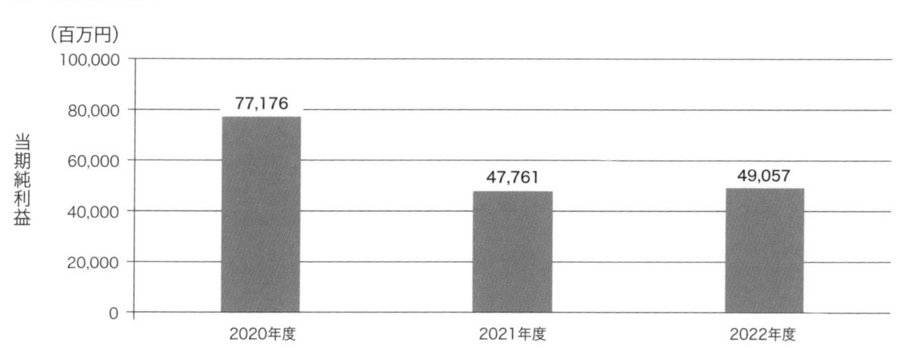

土木業界の主要な企業⑨

Chapter6 10

総合インフラサービス企業の先駆け 前田建設工業

土木工事の請負から始まった前田建設工業ですが、それ以外にもインフラ運営事業など、現代の日本が抱える、自治体の財政悪化に対する解決策などを提示しています。

福井県から始まった土木工事の建設業者

前田建設工業株式会社（以下、前田建設工業）は、東京都千代田区に本社があります。1919年1月8日に福井県で「前田事務所」を創業し、山岳土木工事の施工から始まりました。その後、1946年11月6日に前田建設工業株式会社を設立しています。

そして、2021年9月、株式を東京証券取引所市場第一部より上場廃止し、10月に**共同持株会社**である**インフロニア・ホールディングス株式会社**を設立しています。

共同持株会社
複数の会社が経営統合のために、共同で株式移転を行い、設立した会社のこと。

インフロニア・ホールディングス株式会社
(6-14参照)

コンセッション事業
利用料金の徴収を行う公共施設について、施設の所有権を公共主体が有したまま、施設の運営権を民間事業者に設定する方式。民間の技術・事業ノウハウを活かすことができる。

インフラ運営事業にも力を入れる前田建設工業

主力の「土木事業」・「建築事業」に加え、「インフラ運営事業」を3本目の柱として力を入れています。インフラ運営事業では、**コンセッション事業**や包括的民間委託事業のほか、再生可能エネルギー事業の事業開発から建設、運営・維持管理、事業売却まで手掛けています。

土木事業の工事としては、従来の山岳・都市土木に加えて「大槌町浪板地区、吉里吉里地区、赤浜地区、安渡地区及び小枕・伸松地区他第1期工事」などの街づくりを始め、震災復興事業にも携わるなど、前田建設工業の技術力・総合提案力で多岐にわたる施工実績があります。

同社の会社創立100周年の節目である2019年に、イノベーションの拠点として茨城県取手市に「ICI総合センター」をオープンしました。オープンイノベーションプラットフォームとして、民間企業や大学、自治体などさまざまな共創パートナーとともに建設技術と最先端の技術やサービスを活用し、社会的な課題の解決に資するインフラサービスや事業の開発を推進しています。

会社情報

本社所在地	東京都千代田区富士見2-10-2
設立年月日	1946年11月6日
資本金	284億6334万9309円（2023年4月末現在）
営業種目	・土木建築工事その他建設工事全般の請負、企画、測量、設計、施工、監理およびコンサルティング ・建設および運搬用機械器具各種鋼材製品の設計、製造、修理、販売ならびにこれに関連する工事の請負ほか
従業員数	3,277名（2023年3月末現在）

売上高（個別）

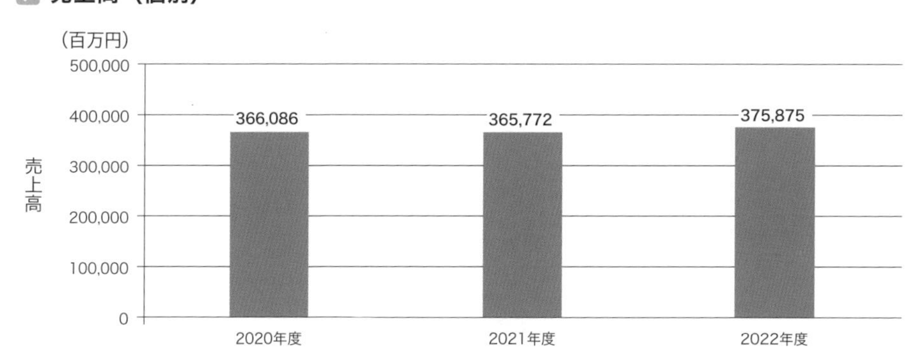

コンセッション事業

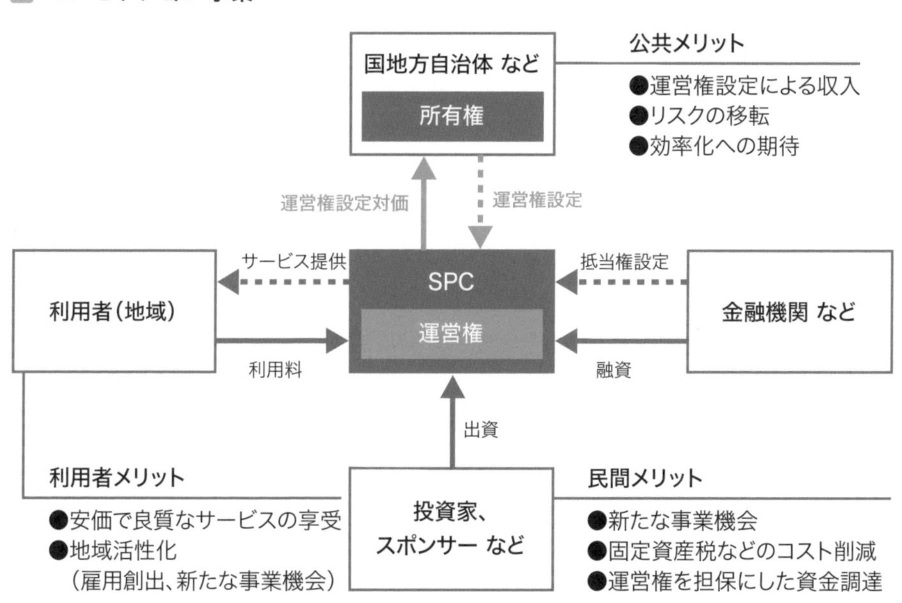

土木業界の主要な企業⑩

海洋土木の最大手 五洋建設

港湾、埋立、浚渫、海上空港などに代表される海洋土木を得意とし、海外でも数多くの実績をもった「真のグローバル・ゼネラルコントラクター」を目指しています。土木・建築・海外の実績のバランスがよいのも特徴です。

創業125年を超える歴史を持つ

五洋建設株式会社（以下、五洋建設）は、1896年広島県呉市で水野組として創業し、海の土木から始まり、陸の土木、建築へと業容を拡大してきました。海外においても、1961年のスエズ運河改修工事を嚆矢（こうし）として、1964年に進出したシンガポールを拠点に、数多くの記憶に残るプロジェクトを手掛けてきました。

現在は、「社会との共感」「豊かな環境の創造」「進取の精神の実践」という現在の ESG（環境、社会、企業統治）に通じる経営理念の下、事業活動のあらゆる面でサステナビリティに取り組んでいます。

日本国内のみならず海外でも豊富な実績を重ねる

五洋建設は、これまでに数々の大型プロジェクトを手掛けており、国内では東京国際空港D滑走路、東京国際クルーズターミナル、多摩川スカイブリッジを代表に、港、橋梁、トンネル、空港、道路など幅広い分野で高い技術力を発揮しています。東京港海の森トンネルは、同社特許技術の活用により、迅速で高精度の沈埋函沈設を実現し、2022年度「土木賞」（日建連表彰）を受賞しました。

海外では、シンガポールと香港を中心に、東南アジアやアフリカなどさまざまなフィールドで大型プロジェクトに参画しています。

現在は、カーボンニュートラル実現のため、洋上風力発電の建設や建物のZEB化など、グリーン分野にも挑戦しています。洋上風力発電の建設には不可欠な大型クレーンを搭載したSEP船も日本で初めて建造し所有しています。

ZEB
Net Zero Energy Buildingの略称。

SEP船
Self Elevating Platformの略。自己昇降式作業台船のこと。

会社情報

本店所在地	東京都文京区後楽2-2-8
創業年月日	1896年4月10日
資本金	304億49百万円
営業種目	・建設工事の設計および請負 ・コンサルタントおよび測量業 ・地域・都市開発および海洋開発業 ・不動産業 ・環境整備・公害防止業 ・鋼橋および鋼構造物製作・架設業 ・砂利・土砂採取業 ・前各号に付帯または関連する一切の事業
従業員数	連結 3,767名（※5,724名）、単体 3,222名（※4,965名）（2023年3月31日現在） ※海外の現地採用の従業員、臨時従業員を含む

売上高（連結）

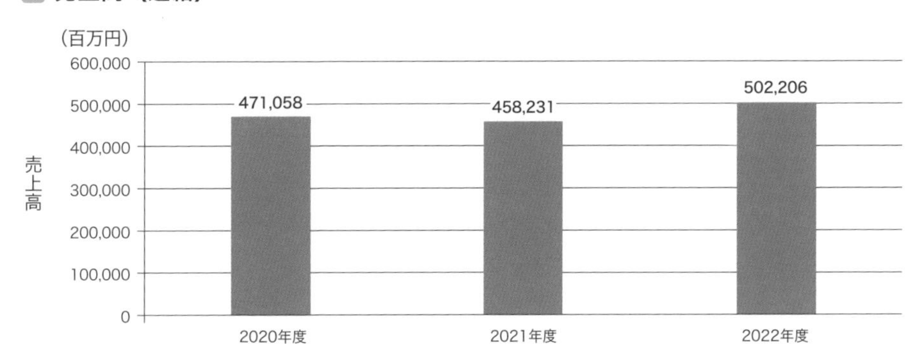

代表的な保有作業船

国内初の大型クレーンを搭載したSEP型多目的起重機船「CP-8001」

世界最新鋭の自航式ポンプ浚渫船「CASSIOPEIA V」

Chapter6 12

土木業界の主要な企業⑪

鉄道工事のスペシャリスト 東鉄工業

土木工事を行っている建設会社の中には、ある特定の分野に「専門特化」している会社があります。ここでは「鉄道工事」を主力業務とする東鉄工業株式会社について紹介します。

鉄道省の要請により設立された建設業者

東鉄工業株式会社（以下、東鉄工業）は、東京都新宿区に本社があります。1943年7月7日、鉄道の保持・強化を目的として、当時の鉄道省の要請により関東地方の建設業者が企業合同し、国策会社「東京鐵道工業株式会社」として設立されました。そして1952年7月、社名を東鉄工業株式会社に変更しました。

鉄道分野のリーディングカンパニー

東鉄工業の主力業務は鉄道分野であり、事業内容は線路工事や鉄道関連の土木工事が大半を占めています。

鉄道分野では、日本一の保有台数を誇る高性能な大型保線機械「マルチプルタイタンパ」や「バラストレギュレータ」などさまざまな技術を活用して、線路の修繕、レール・まくらぎの交換などの線路メンテナンス工事、新幹線・在来線の道床つき固めやレール削正工事などを行っています。とくに東北新幹線の工事では、レールの運搬・積卸・溶接・交換を一貫作業で実施するため、世界初となる「新幹線レール交換システム（REXS)」を導入しています。このほか、北陸新幹線金沢～敦賀間延伸などの軌道新設工事、東日本大震災で不通になったJR常磐線の震災復旧工事、降雪地域での除雪作業なども行っています。さらに、人の転落や列車との接触を防止する、駅のホームドア設置工事も行っています。このように、鉄道ネットワークを日々支え続ける、鉄道工事のリーディングカンパニーだといえます。

鉄道以外には、建築事業や環境事業の部門もあります。土木事業としては、首都直下地震に備えた高架橋の耐震補強工事などの震災対策や、台風による災害復旧工事を行っています。

まくらぎ
(3-10参照)

道床
(3-10参照)

レール削正工事
列車が繰り返し走行することで起こるレール表面の損傷を取り除く研磨作業のこと。

会社情報

本社所在地	東京都新宿区信濃町34　JR信濃町ビル4階
設立年月日	1943年7月7日
資本金	28億10百万円
営業種目	・土木、建築、線路および電気工事の施工 ・砕石の製造、販売 ・土木、建築工事用資材の販売 ・鉄道関連製品の製造および販売など
従業員数	1,883名（連結）（2023年3月31日現在） 1,685名（単体）（2023年3月31日現在）

売上高（連結）

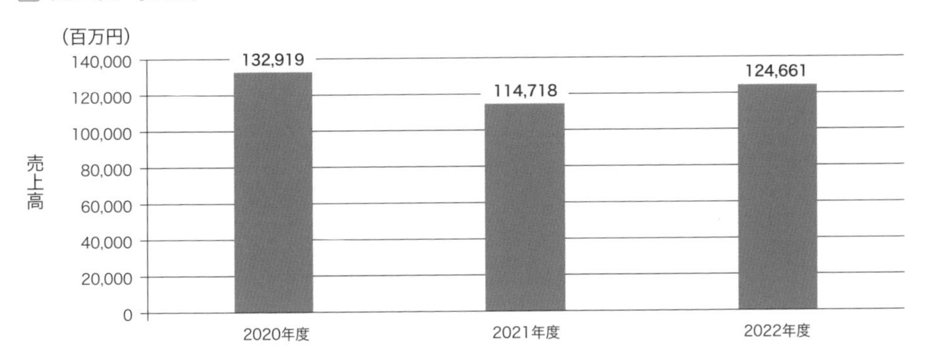

マルチプルタイタンパ

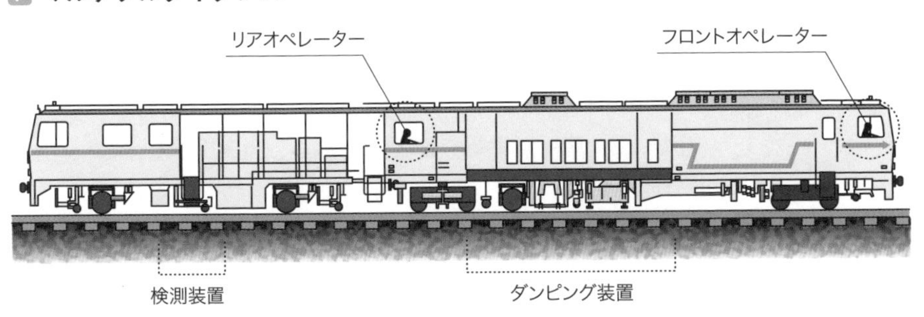

列車の走行により、線路は少しずつ歪んでいく。この歪んだ線路を正しい位置に戻すために、マルチプルタイタンパを使ってまくらぎ下のバラストをつき固める作業などを行う。

Chapter6
13

土木業界の主要な企業⑫

PC技術を主力とするピーエス三菱

日本で初めてプレストレストコンクリートによる工事を事業化するために設立された、株式会社ピーエス三菱が行っている事業について、具体的に解説します。

プレストレストコンクリートの事業化

株式会社ピーエス三菱（以下、ピーエス三菱）は、1952年3月1日、日本で初めてプレストレストコンクリート（PC）による工事を事業化するために、東日本重工業株式会社七尾造船所の諸施設および従業員を引き継ぎ、ピー・エス・コンクリート株式会社として設立されました。

2002年には、株式会社ピー・エスと三菱建設株式会社が合併し、三菱グループ唯一のゼネコンとして株式会社ピーエス三菱が発足しました。

プレストレストコンクリート
「PC」という略称で呼ばれることも多い。あらかじめ（プレ）圧縮力（ストレス）を与えることで、コンクリートに大きな引張力が作用してもひび割れを自由自在に制御できる高性能なコンクリート。

プレストレストコンクリートを軸とした事業展開

事業分野としては、PC技術を主力とした土木、建築分野などがあります。技術研究所では、主にコンクリート材料やICT施工に関係した開発が行われています。

土木分野ではとくに橋梁に多くの実績があります。近年では高速道路リニューアル事業で橋梁更新が盛んに行われており、劣化したRC床版をプレキャスト・プレストレストコンクリート（PCaPC）床版に更新する床版取替は、その耐久性の高さや、交通規制期間の短縮のため日本全国で採用されています。

建築分野におけるPC技術としても、プレキャスト・PCaPC工法があります。これは、建物の梁や柱にプレキャストコンクリートとプレストレストコンクリートという2つの技術を適用した工法です。最大の特長は、工場という安定した環境で生産される部材のため、高品質・高精度・高耐久性を有していることです。鉄骨造と比較して、塩害に強く、維持・保全のための修繕コストが安く、長期的に資産価値を保つことができます。

プレキャストコンクリート
あらかじめ工場で制作したコンクリート部材のこと。安定した品質確保のほか、現場施工の省力化や工程短縮につながる。

会社情報

本社所在地	港区東新橋1-9-1　東京都汐留ビルディング18階
設立年月日	1952年3月1日
資本金	42億1,850万円
営業種目	・プレストレストコンクリート工事の請負ならびに企画、設計、施工監理 ・土木一式工事、建築一式工事の請負ならびに企画、設計、施工監理 ・土木建築構造物の維持、補修に関する事業 ・前各号に関する調査、測量、技術指導の請負、受託およびコンサルティング業務 ・プレストレストコンクリート製品およびプレキャスト・コンクリート製品の製造、販売ならびにそれらの製造用具および附属資材部品の製作、販売 ・プレストレストコンクリート工事用機械器具／そのほか建設用機械器具の設計、製作、販売および賃貸など
従業員数	単体：1,110名　連結：1,653名（2023年3月31日現在）

売上高（連結）

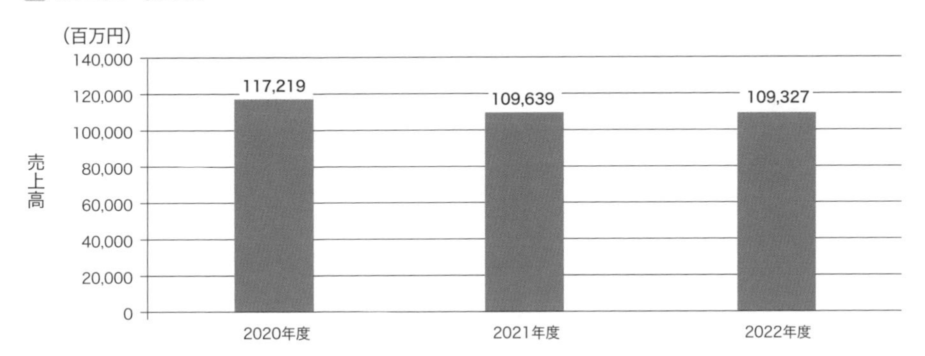

プレストレスの導入（プレテンション方式）

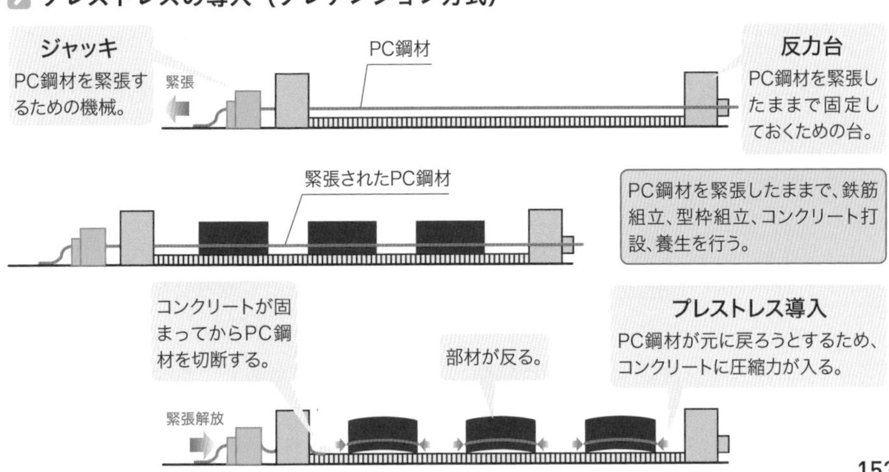

Chapter6
14

共同持株会社として設立されたインフロニア・ホールディングス

人口の減少や経済の低成長などによる地域財政難が進む中、自治体だけで公共インフラを維持・更新するのは困難です。その解決策として、官民連携などの新たな事業を展開する持株会社の一例を紹介します。

前田建設工業などを子会社に持つ共同持株会社

インフロニア・ホールディングス株式会社（以下、インフロニアHD）は、東京都千代田区に本社があります。前田建設工業株式会社（以下、前田建設工業）、前田道路株式会社（以下、前田道路）、株式会社前田製作所（以下、前田製作所）の3社の共同持株会社として、2021年10月1日に設立されました。従来の建設などだけでなく、コンセッションや包括管理業務などによる官民連携やカーボンニュートラル社会の実現に向けた再生可能エネルギー事業への投資などをインフロニアグループ全体で行い、社会的な課題の解決に貢献することを目的に設立されました。土木や建築などの各事業は、事業会社ごとに行われています。

官民連携
公共施設などの建設、維持管理、運営などを行政と民間が連携して行うことにより、民間の創意工夫などを活用し、財政資金の効率的な運用や行政の効率化などを図るもの。

事業開発から維持管理運営・売却までの事業投資

インフロニアHDの各グループ会社では、土木事業、建築事業、舗装事業、インフラ運営事業、機械事業とリテールなどの主要関連事業の6事業を展開しています。「前田建設工業」は、土木、建築、インフラ運営、主要関連事業を手掛けています（6-10参照）。「前田道路」の主力業務は舗装工事業のため、多くの舗装に関する技術開発、「前田製作所」では建設機械の開発などが行われています。

インフロニアHDはグループ各社の強みを活かして、企画提案、施工、運営・維持管理など、インフラの全ライフサイクルを一気通貫で手掛けるとともに、さまざまなインフラ分野に事業領域を拡大しています。そして、「総合インフラサービス企業」だから実現できる付加価値の創造とサービスの継続的な社会への提供を通じて、企業価値の向上を図っています。

会社情報

本社所在地	東京都千代田区富士見2-10-2
設立年月日	2021年10月1日
資本金	200億円
営業種目	インフラの企画提案、設計、建設、運営・維持管理までのあらゆる建設サービスの提供および建設(土木、建築)、舗装および建設機械の製造・販売などを営む傘下子会社およびグループの経営管理ならびにこれに付帯または関連する一切の事業。
従業員数	69人

売上高(連結)

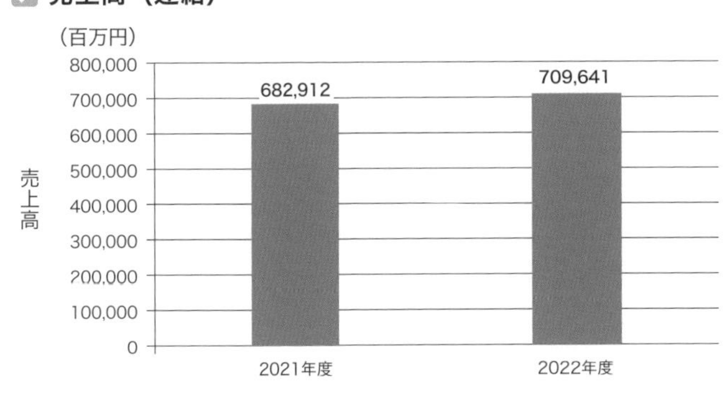

インフロニアHDの事業領域

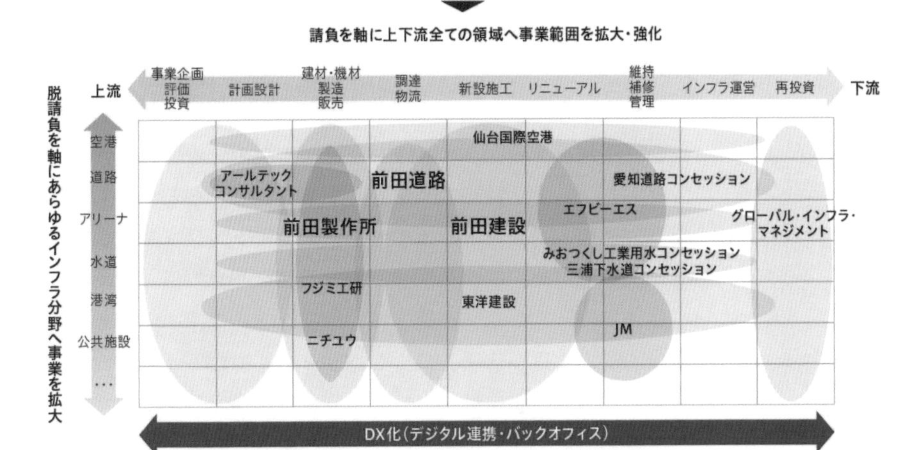

土木、建築、インフラ運営(前田建設)、舗装(前田道路)、機械(前田製作所)の5事業に加え関連事業を行っています。

Chapter6
15

土木業界の主要な企業⑭

土木建築用接着剤から始まった ショーボンドホールディングス

ショーボンドホールディングスは創業以来、一貫してインフラ構造物の補修・補強に特化した事業を行っています。現在、深刻になっているインフラ設備の老朽化に取り組んでいる会社です。

土木建築用接着剤が社名の由来

ショーボンドホールディングス株式会社（以下、ショーボンドHD）は、東京都中央区に本社があります。会社の設立は2008年1月4日です。社名の由来は、土木建築用接着剤「ショーボンド」を開発したことです。

ショーボンドHDの歴史としては、同社は1958年、東京都世田谷区で昭和工業株式会社として設立されました。1964年、新潟地震により落橋した**昭和大橋**の復旧工事で、床版ひび割れの樹脂注入を担当しました。この実績により、土木工事における構造物補修の企業としての地位を固めています。

昭和大橋
新潟市中央区の信濃川に架かる、新潟県道164号線の橋梁。1964年5月、新潟国体の開催に合わせた道路整備によって掛け替えられたが、翌月の新潟地震で落橋した。

1977年に技術研究所を設立し、補修・補強に関する各種技術の研究開発を行っています。そして2008年、株式移転方式により完全親会社であるショーボンドホールディングス株式会社を設立し、ショーボンド建設株式会社、ショーボンド化学株式会社、ショーボンドカップリング株式会社を完全子会社としました。

造らない建設会社

ショーボンドHDの事業の主力業務は土木分野で、ほかに建築分野もあります。特徴は「造らない建設会社」として、社会インフラの補修・補強を専門とする総合メンテナンス企業であることです。そのため、補修・補強に関する研究開発が盛んです。

受注工事としては、高速道路や国道などの橋梁の耐震補強工事、塗装工事、大規模修繕工事、**リニューアルプロジェクト**などがあります。そのほかにも、トンネルや鉄道関連、港湾、農業用水路、下水道の補修や改修工事といった分野でも、数多くの実績があります。

リニューアルプロジェクト
高速道路の深刻な老朽化に対応するため、NEXCOが行っている高速道路の大規模更新・修繕事業プロジェクト。

会社情報

本社所在地	東京都中央区日本橋箱崎町7-8
設立年月日	2008年1月4日
資本金	50億円
営業種目	土木建築工事業などを営む子会社の経営戦略・管理ならびに、それらに付随する業務
従業員数	985名（2023年6月末現在：連結）

売上高（連結）

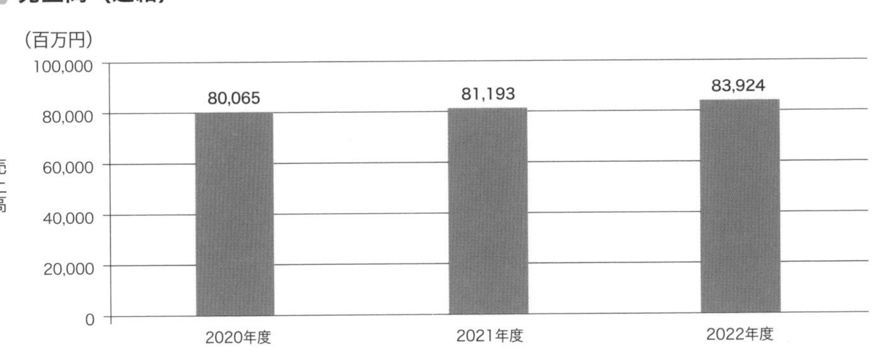

ONE POINT

東北自動車道 十和田管内高速道路リニューアル工事

2019年～2022年に行われたリニューアル工事で、工区は東北自動車道安代IC（岩手県）～碇ヶ関IC（青森県）間（66.1km）でした。この工事では、5橋の橋梁床版取替工と21チューブのトンネル補修工が行われています。

本工事では、新工法の採用や、改善を加えながら工事を完了したことなどが評価され、一般社団法人日本建設業連合会が選定する「日建連表彰土木賞」を受賞しました。

施設管理者：東日本高速道路株式会社
設　計　者：八千代エンジニヤリング株式会社、株式会社熊谷組
施　工　者：株式会社熊谷組、ショーボンド建設株式会社

COLUMN 6

土木業界に近い？造園業の仕事

本章では触れませんでしたが、「造園業」も建設業の業種の1つです。

造園業者が行う造園工事を大きく分けると、広場工事、園路工事、公園設備工事、屋上等緑化工事、緑地育成工事、植栽工事、地被工事、景石工事、地ごしらえ工事、水景工事などがあります。このうち、「広場工事」は修景広場、芝生広場、運動広場、その他の広場を築造します。「園路工事」は公園内の遊歩道や緑道などを建設します。「公園設備工事」には花壇、噴水などの修景施設、休憩所などの休養施設、遊戯施設、便益施設などの建設工事が含まれます。「屋上等緑化工事」とは、建築物の屋上や壁面などを緑化する建設工事です。「緑地育成工事」は樹木、芝生、草花などの植物を育成する建設工事で、土壌改良や支柱の設置などを伴います。

このように、造園工事では地面を触る機会が多く、本章で解説した土木分野と関連性がある業種です。実際、造園業に携わる建設業者の中には、土木工事業も施工している企業があります。

一方、造園業には造園施工管理技士（8-04参照）という、土木施工管理技士（8-02参照）などとは別の資格制度があり、実際の業務内容は土木分野と異なることがわかります。また、造園業では植栽工事や屋上等緑化工事のように植物を扱う工事が多く、植物に関する専門的な知識が必要です。土木工事でも植物に関する知識は必要ですが、求められる専門性のレベルが違うのです。

日本の造園は、貴族や大名などの日本庭園を主として発達してきた歴史があります。そのため、もともとは民間造園の考え方が強かったのですが、明治時代以降は公共造園の存在が少しずつ浸透してきました。現代社会において、都市部に造られる緑はヒートアイランド対策などの効果もあります。

このような背景により、造園業は今後も私たちの生活に必要不可欠な存在だといえます。

第7章

土木業界で働く人

土木業界の職業には、土木作業員をはじめ、とびや鉄筋工、造園工などがあります。近年は建設現場を事務面から支える存在として事務員の業務にも注目が集まっています。

Chapter7 01

土木業界で求められる人材

施工管理技士や20～30歳代が重宝される土木業界

近年の少子高齢化の影響により、多くの業界で人手不足が深刻です。そんな状況でも、会社を維持していくために後継者の育成は必須です。ここでは、土木業界に求められている人材について解説します。

土木業界で重宝される人材

建設業界では人手不足が深刻です。大きな原因は入職者数の減少ですが、そのほかにも、就業した若い世代の定着率が低いことや、これまで業界を長年にわたって支えてきた世代の引退などの原因もあります。

このような人手不足の状況において、会社の事業を継続するためには、若い世代の人材確保が必須です。近年、人手不足に対応するためにさまざまな技術が開発されていますが、この業界は力仕事も多いため、20～30歳代の力がある若い世代が人材としてとくに求められています。

また、一般の作業員だけでなく、**土木技術者**の不足も深刻化しています。たとえば、土木施工管理技士（8-02参照）のような施工管理ができる人材は、多くの会社で不足しています。建設現場をマネジメントできる技術者もまた、土木業界で求められている人材なのです。

土木技術者
現場監督や主任技術者など、現場を管理する立場にある人のこと。

土木業界で求められる能力

土木業界では、工事現場全体に目を配らせることができる、視野の広い人が向いています。このような人材は、適切に**危険予知活動**を実施して事前に予防ができるので、非常に適正が高いといえます。また、建設現場は重機や資材など、扱いに注意を要するものがいろいろあります。取扱いを一歩間違えると大事故につながりかねないので、これらを慎重かつ丁寧に扱える人も向いているといえるでしょう。ほかにも、力仕事が得意な人は現場で重宝されます。

危険予知活動（KY活動）
現場で作業をする際に、どのような危険が生じるのか、どのようなことに注意するべきか、どのような対策を実施するのかについて、作業前に検討などをすること。

建設業就業者の高齢化の進行

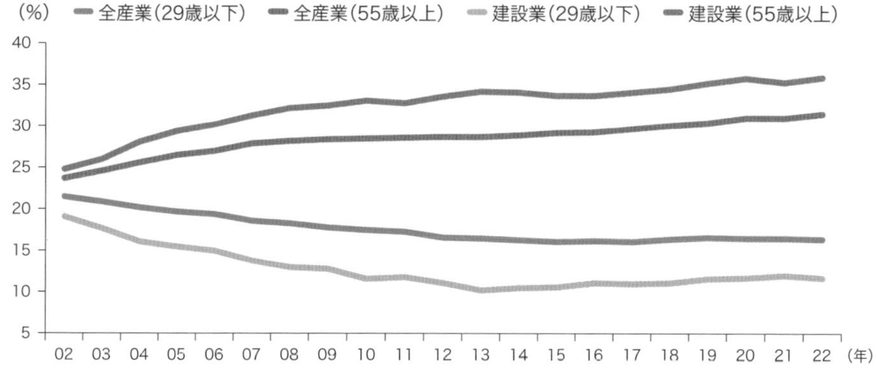

出所：一般社団法人日本建設業連合会「建設業デジタルハンドブック」をもとに作成

建設業入職・離職者数の推移

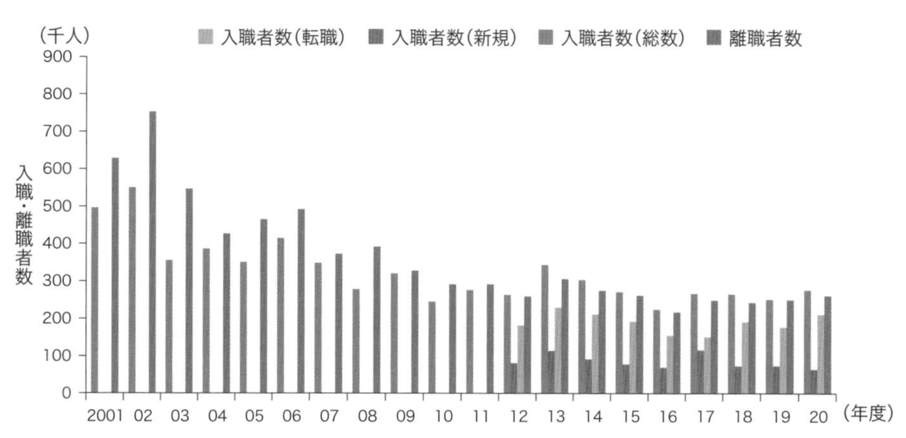

出所：一般社団法人日本建設業連合会「建設業デジタルハンドブック」をもとに作成

新規学卒者の入職状況

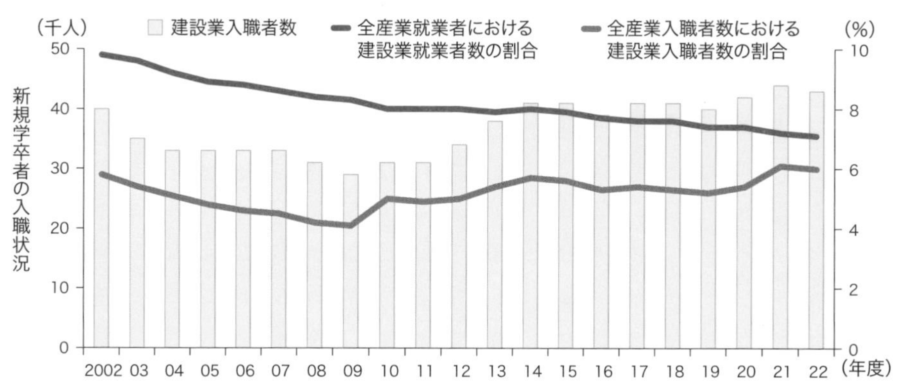

出所：一般社団法人日本建設業連合会「建設業デジタルハンドブック」をもとに作成

Chapter7 02

土木作業を幅広く行うオールラウンダー

土木工事に必要不可欠な存在である土木作業員

土木工事をする際、土木作業員は必須の存在です。土木作業員とは、工事現場で実際に作業をする人のことで、土砂の掘削や運搬、資材の積込みなど、土木工事の主要作業を行います。

さまざまな肉体労働を行う土木作業員

街中で、道路工事をはじめとする土木工事の現場を見ることがあると思います。そこには、現場を指揮する現場監督のほか、現場で実際の作業を行っている「土木作業員」がいます。

一般的には、土木作業員は人力による土砂などの掘削、積込み、運搬、敷均しなどを行うほか、資材などの積込み、運搬、片付けなどを行ったりします。それ以外にも、標識などの設置、除草作業、ダム工事での骨材の製造、貯蔵、運搬、人力による木根や不良鉱物などの除去も行います。

このように、土木工事における主要な作業は、土木作業員がいて成り立っていることがわかります。

重機の運転も行う土木作業員

上記以外にも、土木作業員の仕事は存在します。公共工事においては「特殊作業員」という位置付けにはなりますが、たとえば、機械質量3ｔ未満のブルドーザ、トラクタ、バックホウ、レーキドーザなどを運転・操作して行う土砂などの掘削、積込み、運搬作業があります。それ以外にも、つり上げ荷重1ｔ未満のクローラクレーンなどを運転・操作して行う、資材などの運搬も特殊作業員の仕事です。さらには、コンクリートカッターの運転・操作や、可搬式ミキサ、**コンクリートバイブレータ**などを運転・操作して行うコンクリートの練上げおよび打設なども含まれています。これらを踏まえると、土木作業員が土木工事における非常に広範囲の作業を担っていることがわかるでしょう。

コンクリートバイブレータ
固まる前の液状のコンクリート（生コン）に差し込んで振動を与えることで、余分な気泡を取り除き、コンクリートの耐久性を高める機械。

土木作業員の仕事

手元作業員

人力による土砂などの掘削、積込みなどを行う。

運転作業員

重機を使用して土砂などの掘削、積込み、運搬などを行う。

コンクリートカッターとコンクリートバイブレータ

Chapter7
03

高所の作業の専門家

大規模構造物などでも活躍する「とび職人」

「とび」といえば、高所で働く作業員のイメージが強く、とくに建築工事で足場作業を行っている印象があるかと思います。とびは土木業界においても不可欠な存在です。

土木業界における「とび工」

とび職人
橋梁とびや重量とびのほか、送電線の仮設工事や点検などを行う「送電とび」、マンションなど大型物件の建設現場で鉄骨部材を組み上げる「鉄骨とび」などの職種が存在する。

とび工とはいわゆる**とび職人**のことで、主に住宅やビル、橋梁、高速道路、トンネル、ダムなどの工事に伴う足場など仮設構造物の組立・解体、鉄骨の組立などを行います。土木業界における足場工事では、主にダム、トンネルなどで組み立てられており、土木構造物の大きさによっては大規模な足場が組まれることもあります。

とび工の土木工事の中には、経験や知識が要求される専門性の高いものも存在します。たとえば、橋梁や高速道路における鉄骨工事などを行うとび工は「橋梁とび」と呼ばれます。橋梁とびの現場では海や河川、道路などが広がっているため、平地で鉄骨を組み立てる場合と異なり、波などの海象条件などにも左右されることから複雑になる工事が多く存在します。

高所作業以外にも存在するとび工「重量とび」

とび工には、重量物を運搬する職種も存在します。一般的には「重量とび」と呼ばれ、大型の機械や重量物を図面に従って据付けするのが仕事です。重量とびは、工場の中や橋梁工事の現場でクレーンなどを使用し、機械や橋桁などの重量物の架設などを行います。建設機械を使用しながら、誤差のないように取り付けをするのは、非常に繊細な作業です。そのため、重量とびには高度な技術と知識が要求されます。

クレーンの運転資格
(8-14参照)

とび工はそれぞれの職域に応じて、**クレーンの運転などの資格**を取得する必要があることも、特徴といえるでしょう。

土木作業におけるさまざまなとび工

橋梁とび

橋梁や高速道路において鉄骨工事などを行う。

足場とび

住宅、ビル、トンネルなどの工事で必要な足場の組み立てなどを行う。

重量とび

大型の機械や重量物の据付けを行う。

重量とびの仕事

架設時の桁重量が重くなるときは、つり上げ荷重の大きなクレーンが必要。

鋼桁架設の様子

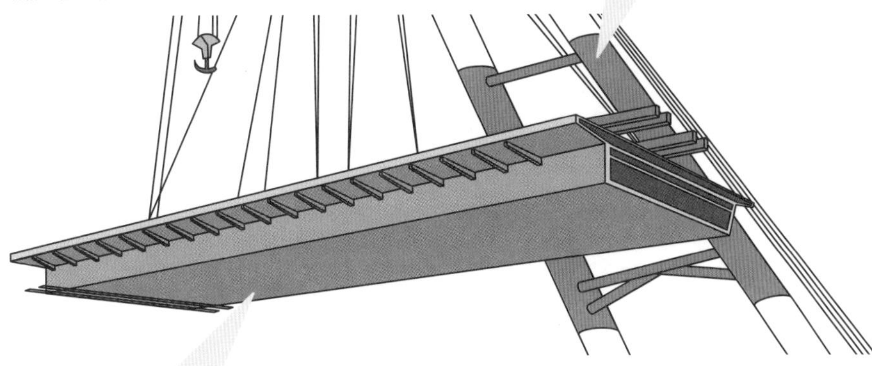

鋼桁を工場で製作し、建設現場で連結させる。

Chapter7
04

鉄筋コンクリートや鉄骨を組み立てる

現場打ちの土木構造物や橋梁などで活躍する鉄筋工・鉄骨工

ここでは、鉄筋コンクリートを現場で打設する際に活躍する鉄筋工や、橋梁を施工するにあたって必要不可欠な存在である鉄骨工について紹介します。

鉄筋コンクリートの活用で活躍する鉄筋工

鉄筋コンクリートの工事では、たとえばプレキャスト擁壁工（4-09）の節で解説したように、現場の状況や経済性に応じて、現場打ちのコンクリートで擁壁を施工することもあります。その際に、無筋のコンクリートだけでは引っ張りの力に耐えられないため、コンクリートを打設する前に鉄筋の組立などを行います。ここで活躍するのが「鉄筋工」です。

鉄筋工は、鉄筋コンクリート工事における鉄筋の切断、屈曲、成型、組立、結束などを行います。土木構造物として、擁壁以外でもさまざまな場所で鉄筋は使用されています。橋梁、コンクリート舗装、**水叩き**などにも鉄筋は使用されています。

施工する際は、鉄筋のかぶりを確保したり、鉄筋同士を接合し、鉄筋として性能を発揮するための継手を行ったりします。これらを与えられた設計図どおりに、しっかりと施工する必要があるため、鉄筋工の仕事には正確性が求められるといえます。

水叩き
河川における堰(せき)を保護するために、河床に設けるコンクリート床板のこと。

橋梁工事などで活躍する鉄骨工（橋梁特殊工）

橋梁とびと呼ばれるとび職人は、鉄骨工事などを行う人の中でも「橋梁特殊工」として扱われます。鉄骨工も鉄骨を扱いますが、主に建築工事で活躍することが多い職種です。

橋梁特殊工の主な仕事は、**PC橋**のケーブルなどの組立、緊張などです。ほかにも、コンクリート橋や鋼橋の桁架設および桁架設用仮設備の組立、解体、移動などを行ったりします。明石海峡大橋、瀬戸大橋、レインボーブリッジなどの日本を代表する土木構造物においても、この橋梁特殊工の技術を活かして建設されています。

橋梁とび
（7-03参照）

PC橋
プレストレストコンクリートで制作された橋梁のこと。コンクリートの橋に比べ、耐久性、安全性などに優れている。

鉄筋工の作業手順

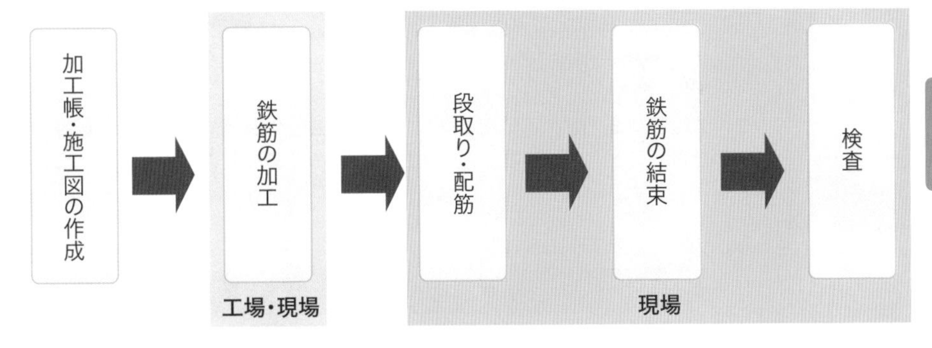

鉄筋のかぶり

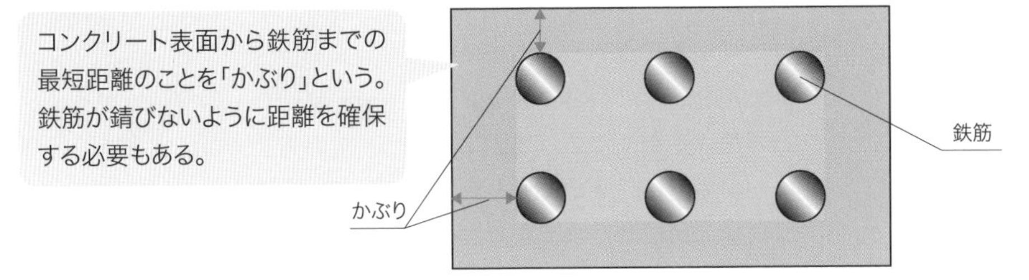

継手の種類

重ね継手

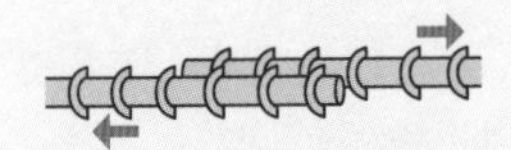

鉄筋の端部同士を所定の長さに重ね合わせる方法。

ガス圧接継手

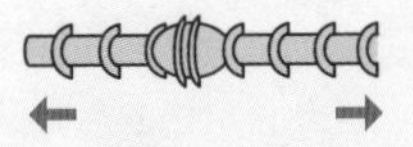

酸素・アセチレン炎で加熱し、加圧することで一体化させる方法。

溶接継手

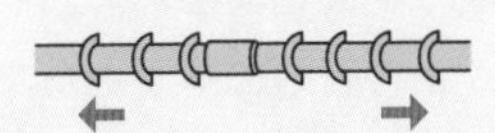

鉄筋同士を溶接してつなぎ合わせる方法。ガス圧接のように膨らみをつくる必要がないのが特徴。

機械式継手

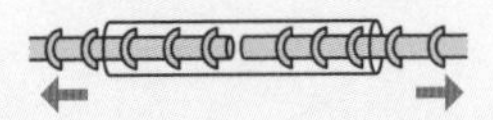

カプラーやスリーブに鉄筋を挿入し、かみ合いを利用して鉄筋を接合する方法。

Chapter7 05

公園や道路の植栽工事などを行う

公園工事や道路工事で活躍する造園工

造園工は各家庭の庭の植栽などを扱うほか、公園の植栽や道路にある街路樹などを扱うこともあります。ここでは、景観の要素などを担う造園工について紹介します。

公園や道路で活躍する造園工

公園には、子供が遊べる遊具や水遊び場、球技ができるグラウンドなどがありますが、それ以外に多くの樹木が植えられています。また、道路においても、歩道や幹線道路の脇などに**植栽**がされているのを見ることができます。

植栽
草木を植えること。

そして、これらグラウンドの築造や植栽などの役割を担っているのが造園工です。造園工は庭園以外の場所でもさまざまな役割があるため、土木業界との関連性が深い身近な存在です。

樹木の植栽には、景観以外にもさまざまな意図があります。たとえば、幹線道路のような道路植栽には、ドライバーの視線を誘導する役割があります。幹線道路に沿って植栽があることで、道路の線形がわかりやすくなり、道路の線形が複雑な場合や、降雪などで道路が見えづらくなった場合に、ドライバーの補助となります。また、歩道と車道の間に植樹帯があることで、車両と歩行者の接触を防止できます。このほか、樹木があることで、車両のライトによる民家への影響を緩和することもできます。

これらの樹木の定期的な維持管理も造園工の仕事です。このため、造園工の果たす役割は大きいといえます。

公園を彩る流れ石組工

公園内にある人工の川などでは、さまざまな形の景石を使い、景観をよくすることを目的として流れ**石組**工事がされています。この景石を設置するのも、造園工の重要な役割です。石の見え方に配慮して、陽の当たる角度や影の出来具合を調整したり、実際に水を流して意図した景観になっているかチェックすることが重要です。

石組
石で景観をつくる技術のこと。

視線誘導植栽

流れ石組工

ONE POINT

植栽の役割

環境面で見ると、植栽はヒートアイランド現象の緩和に貢献するほか、大気中の二酸化炭素や二酸化窒素、粉塵などを吸収する機能もあります。このように、都市部における植栽の必要性は多岐にわたります。

Chapter7 06

鉄道工事で活躍する軌道工 橋梁工事で不可欠の塗装工

鉄道などの土木構造物では、定期的なメンテナンスが不可欠です。ここでは、そのメンテナンスを含めた仕事を主に行っている軌道工と塗装工について解説します。

鉄道工事で活躍する軌道工

軌道工とは、軌道工事や軌道の保守をする人のことです。レールの軌間、高低、平面性などを、ランマやタイタンパなどを使用して修正します。

線路の修正・保守の際は、勤務時間は深夜〜朝方に限定されることがほとんどです。これは、電車などが運航していない時間帯（終電から始発までの間）に作業をするためです。この限られた時間の中で、さまざまな機械を駆使して点検・補修作業を終了させる必要があります。このため、軌道工には素早い行動力や、重量物を取り扱うための体力が要求されます。

線路
鉄道のレールで、内側の幅を軌間という。JRを例にすると、多くの在来線は軌間1,067mmの狭軌で、各新幹線は軌間1,435mmの標準軌を採用している。

また、施工に不備がある場合は、列車が運行不能になったり、最悪の場合は脱線事故につながる可能性もあります。このため、作業は正確に行う必要があります。

さまざまな構造物に必要な塗装工

土木における塗装工は、「橋梁」の建設や保守において重要な存在です。もともと、橋梁は景観に合うものが造られているため、塗装することには外観を整える意味合いがありますが、それ以上に機能面で大変重要なのです。

金属性の橋梁に塗装をしないと腐食が発生します。橋梁自体を長持ちさせるためにも、防食効果のある塗装を行う必要があります。また、塗装自体も水、空気、日射などの影響により表面から消耗していきます。そして、塗装面の消耗により塗膜の機能が低下し、塗装の剥がれ・割れ、光沢の低下などが生じてしまいます。この状態を放置すると橋梁が腐食するため、定期的な塗装の塗替えが必要になります。

腐食
金属が化学反応によって変質・消耗すること。水が関与せず化学反応によって進行する「乾食」と、水が関与して電気化学反応で進行する「湿食」に大別される。

軌道工の保守作業

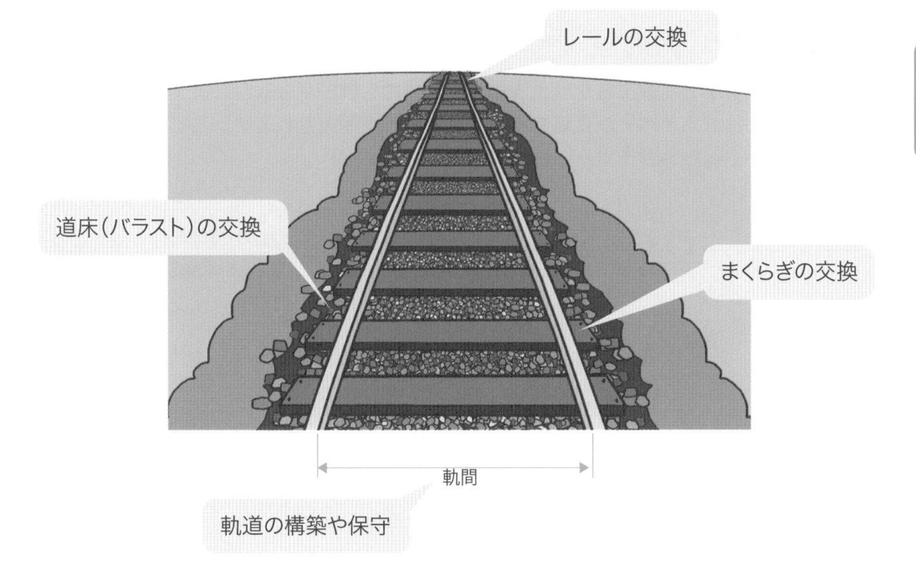

軌道工で用いる機械

タイタンパ

画像提供：RAILMAN® 株式会社石田製作所

砂利を突き固め、まくらぎの下に採石を押し込んで土を押し固めるための機械。

資材や重機を運搬する

工期に大きな影響を及ぼすドライバーの仕事

現場で建設工事を行う際は、人以外にも機械や材料が必須です。機械や材料はドライバーが運転する自動車によって運搬されます。ここでは、建設工事に関わるドライバーについて解説します。

機材などを運搬するドライバー

土木工事において、運搬を担う車両の1つにダンプトラックがあります。ダンプトラックは現場に必要な土、砕石、アスファルト合材などの材料を**プラント**から運搬するほか、逆に、現場で排出された不要な土や産業廃棄物を運搬することもあります。運搬に関しては、自社で搬出入作業を行う場合と、**外部に委託**する場合があります。施工計画の内容を検証して、自社で運搬するのは非効率だと判断した場合は外部に委託します。

建設現場では、日々の工程に合わせて、必要とする資材や搬出するべき産業廃棄物が変化します。そのため、施工計画をしっかりと把握し、日々の進捗に合わせて必要なドライバーの人数を算出して、手配の段取りをすることは非常に重要です。また、ドライバー側としても渋滞に巻き込まれるなどすることで、工期に影響を及ぼす可能性があるため、効率よく搬出入できるように経路の確認などの段取りをすることも重要です。

なお、ダンプトラック以外に**ユニック車**などの車両でも、建設資材などを運搬します。

プラント
工事現場で使用する製品などを製造する工場のこと。生コンを製造するコンクリートプラントや、アスファルト合材を製造するアスファルトプラントなどがある。

外部に委託
運搬作業を外部に委託する場合、建設資材や残土などの運搬を専門にしている会社に依頼するのが一般的。

ユニック車
建築資材を積載でき、クレーンを備えた自動車。

重機を運搬するドライバー

アスファルトの舗装には、ダンプトラックでアスファルト合材を運ぶほか、アスファルトフィニッシャが必要です。そのため、このような大型重機をトラックで運ぶドライバーも存在します。また大型重機の種類によっては、運搬する車両が「特殊車両」に該当することもあり、その場合には**特殊車両通行許可**を取得し、道路などを通行する必要が出てきます。

特殊車両通行許可
長さ、幅、高さ、重量などが制限値を超える車両が道路を通行するために必要な許可。

プラント

アスファルトフィニッシャ

画像提供：住友建機株式会社

アスファルト舗装に用いられる重機。アスファルトを敷き詰めるときに使用する。

Chapter7
08

建設現場を事務面で支える事務員

建設業は現場で何かを造ることがメインの業界ではありますが、それ以外にも、建設業界で従事している人はたくさんいます。ここでは、あまり知られていない、現場を支える事務員の業務について触れていきます。

土木業界の事務員

土木会社の事務員の仕事は、ほかの産業の事務員と基本的に同じです。ただし、現場の規模によっては、本社や各支店ではなく現場事務所の中に事務員を配置することもあります。

事務所などでは、納品書の整理、請求書などの処理、保険の申請、備品の管理、メールの返信、電話当番、**官公庁への手続書類**の作成など、現場の従業員を裏方で支えるさまざまな事務的な業務を行います。

官公庁への手続書類
主な官公庁への手続き書類としては、道路使用許可や道路占用許可の申請などが挙げられる。

事務員による建設現場のサポート

近年では、人手不足の解消に向けて、生産性の向上や業務の効率化が進んでいます。その一環で、事務員が現場のサポートを行うケースもあります。

たとえば、技術者の仕事の1つに「工事の書類作成」があります。現場で撮影した写真をまとめる、工事の発注者に提出する書類を整理するなどの作業ですが、これを事務員が日中に処理しておきます。これによって、現場と同時並行で作業が進み、現場の技術者の負担を軽減することができます。

また、**ドローン測量**では測量技術がほとんど必要ないため、現場の技術者の代わりに事務員が実施することも可能です。このように、現場の技術者が施工管理など本来の業務に注力しやすい環境ができつつあります。

ドローン測量
(5-03参照)

建設業界に従事する事務員が担う役割は、ドローンの導入をはじめとするIT化によって、今後も増えていく可能性があります。

現場事務所のイメージ

現場をサポートする事務員と現場の役割分担

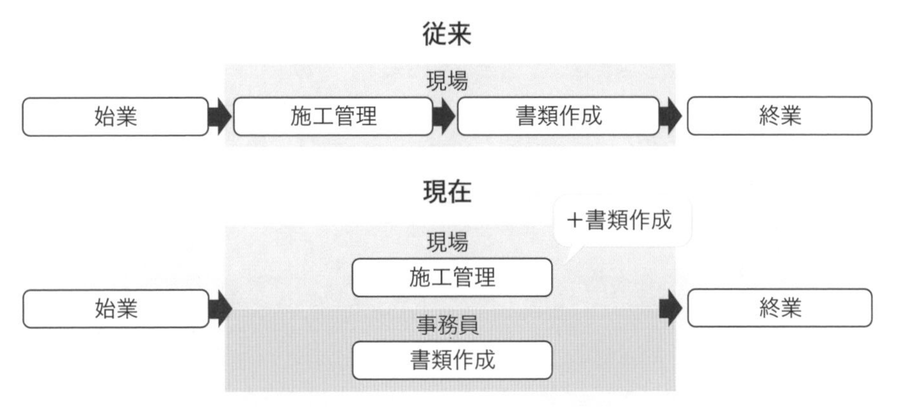

土木業界で形成できるキャリア

土木業界では、現場に従事する作業員もいれば、現場で指揮監督をする現場監督もいます。土木業界に就職した場合、一般的にはどのようなキャリアを形成していくのかを説明します。

入社後に歩むキャリア

どの業界においても、人数の少ない中小企業では役職があまり設けられていないことがあります。そのような企業では、秀でた実力や資格があれば、若くして責任のあるポジションに就けることがあります。

環境によって昇進の速さは違いますが、土木業界の社員が入社後に積む経験はほかの業界とほとんど変わりません。まず、新入社員のうちは土木業界に慣れることからはじまります。工事の段取りなどの着工前から、竣工までの流れを身につけるとともに、各工事の施工方法や現場の雰囲気、コミュニケーションの取り方などさまざまなことを学びます。その後は、現場での作業を経験しつつ、徐々に現場監督の補助者として業務をこなしていきます。

そして実務経験が一定の年数に達すると、施工管理技士試験の受験資格を得られます。この試験に合格すると、現場監督に就けるようになります。

土木業界で学ぶべきこと
土木業界で入社してから学ぶべきことは、職人とのコミュニケーション能力、危険予知能力、専門用語の知識など、多岐にわたる。

施工管理技士試験
8-02などを参照。

現場監督から先のキャリア

現場監督になると、現場の施工管理は自身で行うことになります。責任が大きくなるとともに、部下を持つ立場でもあるため、チームを引っぱっていくための能力や人間性も要求されます。

また、会社の規模にもよりますが、現場監督は支店長や取締役のような上級職、役員クラスとも距離が近くなります。そのため、実績を重ねて現場監督としての評価が高くなれば、経営者側である役員などに抜擢されることもあります。

キャリアに沿った主な資格

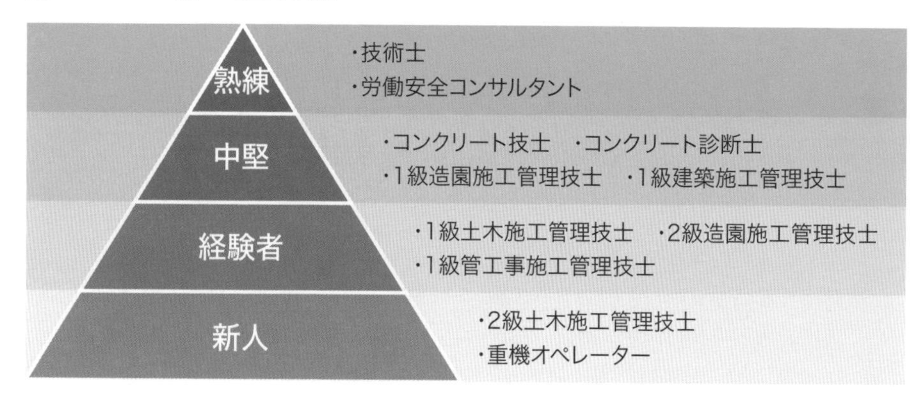

キャリアアップの目安

1年目〜5年目

・現場に慣れ、仕事を覚える。
・用語や機械の使い方を覚える。
・危険予知について、経験と知識を身につける。
・施工管理の補助者として、徐々に施工管理についての能力を身につける。

6年目〜10年

・施工管理技士になり、現場の施工管理についての能力を上げる。
・後輩の見本となれるように、人間性やリーダーシップ能力などを向上させる。

11年目〜20年目

・現場監督として、会社の顔になる。
・工事現場でさまざまな経験をしつつ、部下をしっかりと育成する。

21年目〜

・会社のさまざまな役職に就く。
・支店長や役員として活躍する可能性もある。

COLUMN 7

跳ね上がったり、回転したりする さまざまな可動橋

これまで本書では、明石海峡大橋のような吊り橋や、橋桁をトラス構造（三角形の集合体）で補強したトラス橋など、さまざまな橋について解説してきました。橋の中には、一時的に形を変える「可動橋」と呼ばれるタイプが存在します。

有名なのは、京都府宮津市の天橋立にある「廻旋橋」です。この橋は、天橋立と文殊堂のある陸地をつなぐ橋で、名前のとおり、船を通すために90度回転します。1923年に完成し、当時は橋の中央の穴にハンドルを差し込み、2人がかりで回すことで歯車を回転させ、橋を動かしていました。しかし、橋の下を通る大型船舶が多くなったため、1960年5月からは電動式となっており、ボタン操作で開閉作業を行っています。多いときは、1日に50回ほど廻っています。

東京都の隅田川にかかる「勝鬨橋」は、船が通行する際に橋桁の中央部が左右に割れて、ハの字に跳ね上がる跳開橋です。1940年の完成当時は跳開橋として東洋一の規模を誇り、1947年から1968年までは都電も通行していました。戦後は隅田川を航行する大型船が減少し、橋上の晴海通りの交通量が増加したため、1970年11月29日を最後に橋の開閉は停止されています。

愛媛県大洲市にある「長浜大橋（赤橋）」は、現在でも稼働している跳開橋です。この橋のしくみは、可動部の一方についているカウンターウェイト（おもり）が下がることで、「てこの原理」によって反対側が持ち上がるというものです。

このほか、高知県香南市にある「手結港可動橋」もよく知られています。この橋は油圧の力で橋が持ち上がり、スイッチで開閉作業を行っています。可動橋は長さ約32mで、開閉時間は約6分かかります。警報機がなり始めると遮断機が下り、橋はゆっくり上がり始めます。この橋を渡ることができるのは1日のうち7時間だけで、ほとんど橋が跳ね上がっている状態です。

ここで紹介した以外にも、国内にはさまざまな可動橋が存在します。

第8章

土木業界で役立つ資格

土木業界での仕事は多岐にわたり、中には資格を取得しなければできない作業もあります。資格の種類もさまざまですので、それぞれの役割に応じた資格を取得していくことが重要です。

Chapter8
01

土木業界で資格を取るメリット

さまざまな資格を活かせる土木業界

土木業界で仕事をしている人の多くは、それぞれの役割に応じた資格を取得しています。資格を取得することで、その資格が必要な業務ができるようになります。また、経験者は転職に有利になります。

技術者に関する資格

土木業界の建設現場で働く人は、「技術者」と「作業員」に大別できます。ここでいう技術者とは、施工管理を行う現場監督などのことです。作業員とは、現場で資材の運搬や土の掘削をしたり、バックホウなどの重機を運転したりする人のことです。

現場監督のような技術者は、現場の経験や高度な知識が必要になるため、国は技術者として適正かどうかを判断するための資格試験を実施しています。

業界全体が人手不足ということもあり、近年では施工管理技士試験の受験がしやすくなるよう、**要件が大幅に変更**されました。また、施工管理技士が不足している会社が多いため、この資格を取得していると就職や転職に有利になり、昇給や手当などの待遇面の向上も期待できます。

要件が大幅に変更
令和3年4月からは「技士補」制度がはじまり、令和6年度以降は1級の第1次検定において実務経験が不要になったりする。

施工管理技士のほかにも、土木業界で活かせるさまざまな資格があります。たとえば、ゼネコンの研究開発に携わる人などが保有している「技術士」という資格もあります（8-07参照）。このように、土木業界ではその役割に応じてさまざまな資格が存在します。

作業員に関する資格

作業員の資格で代表的なのは、重機の資格です。重機にはバックホウやクレーンなどがありますが、これらを運転するためには、特別な講習や実技教育を受ける必要があります。また、**アーク溶接**などの技術についても、特別な講習や実技教育を受ける必要があります。

アーク溶接
気体中の放電現象を利用して、金属同士をつなぎ合わせる溶接方法。

このように、資格を必要とする現場の作業はいろいろあります。

土木業界に関わる主な技術者系の資格

- 土木施工管理技士
- 建築施工管理技士
- 造園施工管理技士
- 管工事施工管理技士
- 建設機械施工管理技士
- 技術士（建設部門等）

施工管理技術検定制度の改正

1級の受検資格

改正前

学歴	第1次検定	第2次検定
大学（指定学科）	卒業後3年実務	
短大、高専（指定学科）	卒業後5年実務	
高等学校（指定学科）	卒業後10年実務	
大学	卒業後4.5年実務	
短大、高専	卒業後7.5年実務	
高等学校	卒業後11.5年実務	
2級合格者	条件なし	2級合格後5年実務
上記以外	15年実務	

改正後

第1次検定	・19歳以上（当該年度末時点）
第2次検定※1	・1次検定合格後の特定実務経験※2（1年）を含む ・実務経験3年　など

2級の受検資格

改正前

学歴	第1次検定	第2次検定
大学（指定学科）	17歳以上（当該年度末時点）	卒業後1年実務
短大、高専（指定学科）		卒業後2年実務
高等学校（指定学科）		卒業後3年実務
大学		卒業後1.5年実務
短大、高専		卒業後3年実務
高等学校		卒業後4.5年実務
上記以外		8年実務

改正後

第1次検定	・17歳以上（当該年度末時点）
第2次検定※3	・1次検定合格後、実務経験3年 ・1級1次検定合格後、実務経験1年

※1：実務経験について、1次検定合格後、
　・特定実務経験（1年）を含む実務経験の場合は3年
　・監理技術者補佐としての実務経験の場合は1年
　・そのほかの実務経験の場合は5年
　令和10年度までの間は改正前の受検資格にて受検可能
※2：特定実務経験とは、請負金額4,500万円（建築一式工事は7,000万円）以上の建設工事において、監理技術者・主任技術者（監理技術者資格者証を有する者に限る）の指導の下、または自ら監理技術者・主任技術者として行った経験
※3：1次検定合格後の実務経験について、機械種目の場合は2年
　令和10年度までの間は改正前の受検資格にて受検可能

資格が存在する業務の例

- 油圧ショベルなど
- クレーン
- 高所作業車
- ゴンドラの操作
- アーク溶接
- ボイラーの取扱い
- フォークリフト
- 玉掛け

Chapter8
02

役立つ資格①

土木業界で最も必要な資格 土木施工管理技士

土木施工管理技士は、土木業界で技術者として働くにあたって必須の資格です。この資格を取得すると、土木工事において施工管理をすることが認められます。

土木業界で必須の国家資格

土木施工管理技士とは、さまざまな土木工事において施工管理をすることを認められた国家資格です。土木業界で技術者として働くためには、この資格の取得が必須といえます。

土木施工管理技士とは、建設業法に基づき、建設工事における施工技術の確保・向上を図ることにより、資質を向上し、建設工事の適正な施工の確保に資する資格です。**国土交通大臣指定試験機関**が実施する国家試験の一次検定と二次検定に合格すると、土木施工管理技士として名乗ることができます。令和3年度より、一次検定のみ合格した人は**技士補**を名乗ることが認められました。

土木施工管理技士は、1級と2級の試験があります。2級は受験する種別が「土木」、「鋼構造物塗装」、「薬液注入」に分けられています。

試験はマークシート方式の学科試験や経験記述などです。日頃の経験などを、出題者の意図する形で解答する能力が試されます。

国土交通大臣指定試験機関
一般財団法人全国建設研修センターのこと。

技士補
1級施工管理技士補は監理技術者補佐になることができ、監理技術者が工事現場を兼務できるようになるというメリットがある。

土木施工管理技士を取得するメリット

土木施工管理技術検定に合格すると、1級土木施工管理技士の場合は、特定建設業における営業所専任の技術者や、現場に配置される「監理技術者」になるための資格を得ます。2級土木施工管理技士の場合は、一般建設業における営業所専任の技術者や、現場に配置される「主任技術者」になることができます。

建設業者が工事をする際は、技術者を配置する必要があるため、有資格者は会社にとって貴重な人材となります。その結果、年収アップが望めるようになり、就職や転職でも有利になります。

土木施工管理技士が管理する主な工事内容について

河川工事

- 築堤工事
- 護岸工事
- 水門工事
- 河道掘削　など

道路工事

- 道路土工工事
- 路床/路盤工事
- 舗装工事

など

海岸工事

- 海岸堤防工事
- 突堤工事
- 消波工工事

など

砂防工事

- 山腹工工事
- 堰堤工事
- 地すべり防止工事

など

ダム工事

- 転流工工事
- コンクリートダム築造工事

など

鉄道工事

- 軌道盛土工事
- 軌道敷設工事
- 軌道路盤工事

など

港湾工事

- 航路浚渫（しゅんせつ）工事
- 防波堤工事
- 護岸工事

など

空港工事

- 滑走路整地工事
- 滑走路舗装工事

など

橋梁工事

- 橋梁上部工事
- 橋梁下部工事
- 耐震補強工事

など

上水道工事

- 公道下における配水本管敷設工事

など

下水道工事

- 公道下における本管路敷設工事

など

公園工事

- 広場造成工事
- 園路整備工事
- 野球場新設工事

など

このほかにも、土地造成工事やトンネル工事など、さまざまな工事を管理します。

Chapter8 03

役立つ資格②

建築分野の施工管理を行う建築施工管理技士

建設業界の分野を大別すると「土木」と「建築」に分かれます。大きな建築物を建築する際は土木工事が絡むことも多いため、ゼネコンでは建築施工管理技士の資格を持つ人も一定数います。

建築の施工管理のプロ

建築施工管理技士は、建築工事に従事する施工管理技術者の技術の向上を図ることを目的とした国家資格です。一次検定と二次検定に分かれており、一次検定に合格すると「技士補」、二次検定まで合格すると建築施工管理技士を名乗ることができます。

建築施工管理技士は1級・2級に分かれています。1級の試験では、**建築一式工事**の実施にあたり、その施工計画および施工図の作成と当該工事の工程管理、品質管理、安全管理など、工事の施工の管理を適確に行うために必要な技術を習得しているかが試されます。2級の試験では、建築一式工事のほかに「躯体」「仕上げ」の受験種別があり、大工工事、鋼構造物工事、防水工事、内装仕上げ工事など、各専門工事に対する施工管理技士としての資格を取得できます。合格するには、施工管理の経験や多くの知識が必要であり、合格者は「施工管理のプロ」と呼ぶにふさわしい資格といえるでしょう。

建築一式工事
建設業法にある29業種の1つである「建築工事業」の工事の種類。総合的な企画、指導、調整のもとに建築物を建設する工事が、建築一式工事に該当する。

土木業界でも有益な資格

1級建築施工管理技士になると、特定建設業における営業所専任の技術者や、現場に配置される**監理技術者**としての資格を得ます。また、2級建築施工管理技士の場合は、一般建設業における営業所専任の技術者や、現場に配置される「主任技術者」になることができます。ある程度大きな工事を施工している建設業者は、土木工事と建築工事を同時に受注する可能性があるため、建築施工管理技士は非常に有用な資格といえます。

監理技術者
発注者から直接建設工事を請負った特定建設業者が、一定の金額以上となる下請契約を結ぶ場合に、工事現場に配置する技術者のこと。

2級建築施工管理技士における受験種別

①建築一式工事（ゼネコンなど）の実務経験

工事種別	主な工事内容	受験種別
●建築一式工事	●事務所ビル建築工事 ●共同住宅建築工事 ●一般住宅建築工事 ●建築物解体工事　など	建築

②建築工事のうち主要構造部分（躯体系サブコンなど）に関する工事の実務経験

工事種別	主な工事内容	受験種別
●大工工事（躯体） ●型枠工事 ●とび・土工・コンクリート工事 ●鋼構造物工事 ●鉄筋工事 ●ブロック工事 ●解体工事	●大工工事（躯体） ●型枠工事 ●足場仮設工事 ●囲障工事 ●地盤改良工事 ●鉄骨工事 ●とび工事 ●建築物解体工事 ●杭工事 ●コンクリート工事 ●屋外広告工事 ●鉄筋加工組立工事 ●ガス圧接工事 ●コンクリートブロック積み工事　など	躯体（くたい）

③建築工事のうち内外装（仕上げ系サブコンなど）に関する工事の実務経験

工事種別	主な工事内容	受験種別
●造作工事 ●左官工事 ●石工事 ●屋根工事 ●タイル・レンガ工事 ●板金工事 ●ガラス工事 ●塗装工事 ●防水工事 ●内装仕上げ工事 ●建具工事 ●熱絶縁工事	●造作工事 ●レンガ積み工事 ●ALCパネル工事 ●サイディング工事 ●左官工事 ●モルタル工事 ●吹付け工事 ●とぎ出し工事 ●洗出し工事 ●石積み(張り)工事 ●エクステリア工事 ●屋根葺き工事 ●建築板金工事 ●サッシ取付け工事 ●塗装工事 ●シーリング工事 ●塗膜防止工事 ●シート防水工事 ●注入防水工事 ●インテリア工事 ●天井仕上げ工事 ●壁張り工事 ●内部間仕切り壁工事 ●床仕上げ工事 ●畳工事 ●ふすま工事 ●家具工事 ●防音工事 ●金属製建具取付け工事 ●ガラス加工取付け工事 ●アスファルト防水工事 ●モルタル防水工事 ●シャッター取付け工事 ●建築断熱工事 ●木製建具取付け工事 ●金属製カーテンウォール取付け工事 など	仕上げ

Chapter8
04

役立つ資格③

造園工事の施工に欠かせない造園施工管理技士

造園施工管理技士は、庭園工事や遊園地造園工事だけではなく、公園工事、緑地工事、道路緑化工事などを担当します。このため、土木工事と非常に密接した資格です。

土木業界における造園施工管理技士

造園施工管理技士とは、造園の分野における工程管理、資材調達、品質管理、安全管理などに携わるための国家資格です。

造園工事には、民間工事である庭園工事や、公共工事である道路の緑化工事などがあります。土木業界と密接に関連しているため、土木工事を専門とする会社にも造園施工管理技士が在籍する場合があります。

資格試験の出題では、植栽施工や遊具・運動施設工事のほか、コンクリート工、舗装工などの知識が問われるため、土木施工管理技士の試験と重複する分野も相当数あります。土木工事を施工する会社であっても、工事の内容によっては植物に関する知識が必要になるため、受験する人もいます。なお、造園施工管理技士は1級と2級がありますが、土木・建築施工管理技士のように2級の試験の中での区分はありません。

造園工事
(7-05参照)

造園施工管理技士の試験内容
過去の造園施工管理技士の試験では、テニスコートやサッカー場のような運動施設に関連する問題が過去に出題されている。

造園施工管理技士と土木業界の関係

1級造園施工管理技士になると、特定建設業における営業所専任の技術者や、現場に配置される「監理技術者」としての資格を得ます。2級造園施工管理技士の場合は、一般建設業における営業所専任の技術者や、現場に配置される「主任技術者」になることができます。そのため、土木工事業と造園工事業を一緒に行う会社にとっては、必須の資格といえます。人手不足の土木業界では、造園施工管理技士は非常に重宝されるため、年収アップも望めるでしょう。

造園施工管理技士が担当する工事

公園工事

- 植栽工
- 移植工
- 樹木整姿工
- 地被工
- 花壇工
- 水景工
- 園路広場工
- 景石工
- 休養施設工　など

緑地工事

- 植栽工
- 移植工
- 樹木整姿工
- 地被工
- 園路広場工
- サービス施設工
- 休養施設工　など

墓苑園地造園工事

- 植栽工
- 移植工
- 樹木整姿工
- 地被工
- 花壇工
- 園路広場工
- サービス施設工　など

住宅団地造園工事

- 植栽工
- 移植工
- 樹木整姿工
- 地被工
- 花壇工
- 園路広場工
- 休養施設工　など

道路緑化工事

- 植栽工
- 移植工
- 樹木整姿工
- 地被工
- 植栽基盤整備工　など

遊園地造園工事

- 植栽工
- 移植工
- 樹木整姿工
- 地被工
- 花壇工
- 園路広場工
- 休養施設工　など

庭園工事

- 植栽工
- 移植工
- 樹木整姿工
- 地被工
- 花壇工
- 水景工
- 園地造成工
- 景石工
- 植栽基盤整備工

建築物付属園地造園工事

- 植栽工
- 移植工
- 樹木整姿工
- 地被工
- 園路広場工
- 花壇工
- 植栽基盤整備工

など

屋上緑化工事

- 植栽工
- 移植工
- 樹木整姿工
- 地被工
- 花壇工
- 植栽基盤整備工

植栽工とは、設計図書に従って植物を植栽地に植える作業のことです。

Chapter8
05

役立つ資格④

上下水道設備などを施工管理する資格 管工事施工管理技士

管工事施工管理技士は、上下水道設備、浄化槽、冷暖房設備など宅地の中の設備に関することを施工管理する資格であるため、上下水道関連の設備業者の従業員が取得しています。

管の工事を行う2つの資格

管工事施工管理技士は、宅地内にある給排水配管工事などを行うほか、浄化槽の設置工事や付随する掘削工事なども行うため、土木分野に関係が深い国家資格といえます。

宅地内の給排水管工事は管工事施工管理技士が担当しますが、道路下の上下水道管工事については土木工事の範疇であるため、土木施工管理技士が担当します。

道路下の配水管工事では、給水管を一緒に工事することも多いため、管工事に関する知識も要求されます。そこで、上下水道関連の設備業者については、土木施工管理技士と管工事施工管理技士の両方を取得している技術者も少なくありません。

1級管工事施工管理技士になると、特定建設業における営業所専任の技術者や、現場に配置される「監理技術者」としての資格を得ます。2級管工事施工管理技士の場合は、一般建設業における営業所専任の技術者や、現場に配置される「主任技術者」になることができます。

浄化槽
公共下水道が接続されていない地域で用いられている、トイレの排水や生活排水をきれいな水に処理する装置のこと。

土木施工管理技士
(8-02参照)

管工事施工管理技士と関連性の高い資格

管工事施工管理技士は給水配管工事を行うことから、学習範囲が重なる「給水装置工事主任技術者」の資格試験の一部を免除されます。給水装置工事主任技術者は、給水装置工事事業者が水道事業者から水道法に基づく指定を受けるために必須の国家資格です。このため、「給水装置の概要」および「給水装置施工管理法」の試験が免除されることは大きなメリットといえます。

水道事業者
厚生大臣の認可を受けて水道事業を経営する者で、原則として市町村が経営している。

土木施工管理技士と管工事施工管理技士の棲み分け

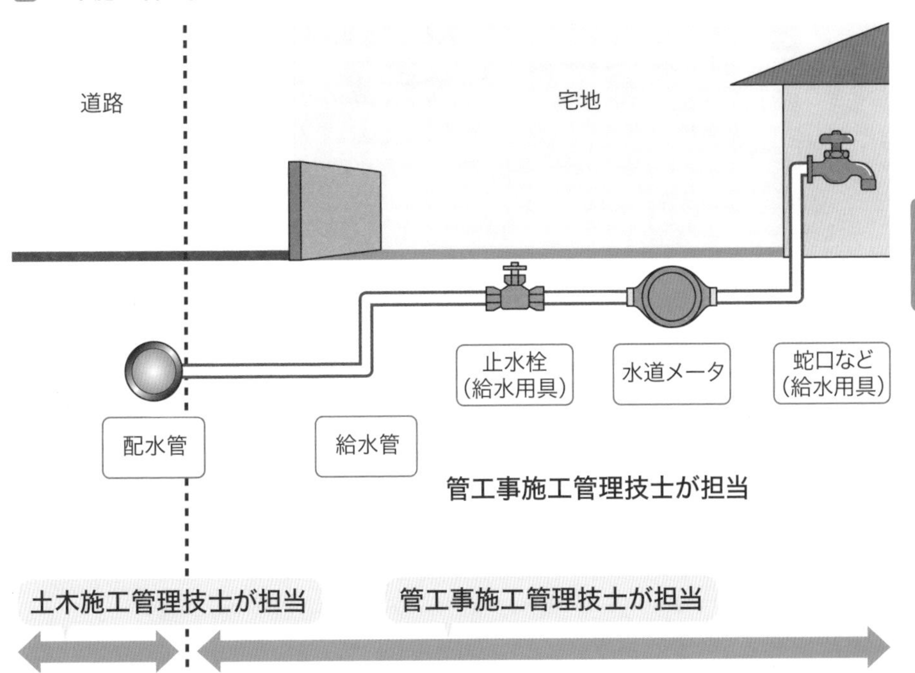

管工事施工管理技士と関連性の高い資格

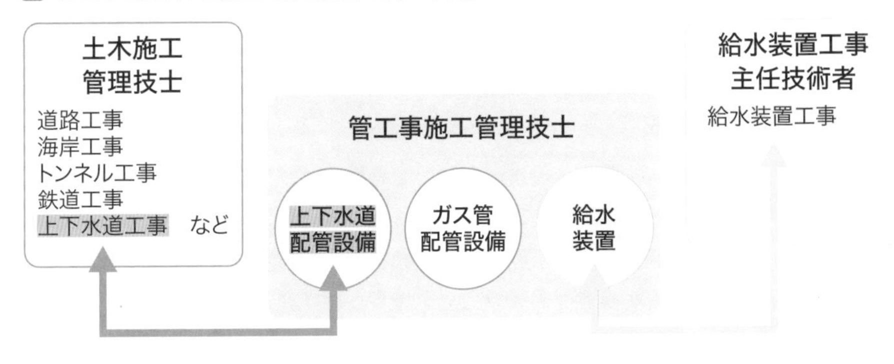

Chapter8 06

役立つ資格⑤

舗装工事に携わる技術者 舗装施工管理技術者

舗装施工管理技術者資格試験は、一般社団法人日本道路建設業協会が実施している民間資格です。国家資格ではありませんが、土木業界ではよく知られている資格の1つです。

舗装分野に特化した民間資格

舗装施工管理技術者は、日本道路建設業協会が試験を実施する民間資格です。この資格の目的は、舗装工事に携わる技術者の水準や能力を適切に評価することによって、より高品質で安定した舗装工事の施工を行うことです。

試験の出題範囲は舗装に関する分野に絞られていますが、かなり深い知識が要求されるため、合格率も1級では約20%、2級でも約30%～40%という非常に難しい試験です。なお、受験するには舗装工事の施工管理業務に関する**実務経験**が必要です。

試験の出題範囲は、舗装工事の施工に必要となる知識についてです。たとえば「土木技術」や「設計図書についての知識」、「舗装の設計」、「施工管理（工程管理、品質管理、出来形管理、安全管理など）に関する知識」などに関する問題が出題されます。

実務経験
施工計画に基づき、工事現場において工程管理、品質管理、出来形管理、安全管理などの施工管理業務を行った実務経験のこと。

舗装工事では資格取得が必須の場合もある

舗装施工管理技術者は民間資格ですが、公共工事の舗装工事における適正な施工を確保するため、舗装工事の際に**舗装施工管理技術者の配置**が義務付けられることがあります。そのため、自治体によっては、舗装工事を行うために舗装施工管理技術者の資格取得が必須になります。

試験問題が非常に高度であるため、合格者は舗装の材料、機械、施工方法について熟知し、舗装工事について論理的に考えることができるようになります。また、技術者としてレベルが高いことが客観的に証明されるため、会社での資格手当などでの待遇が向上されることが期待できます。

舗装施工管理技術者の配置
これまで解説した営業所専任の技術者や主任技術者、監理技術者などの法令上必須な技術者とは異なり、各自治体独自のルールに基づいて、舗装工事で配置が義務付けられることがある。

舗装施工管理技術者資格試験の出題範囲

土木工学・舗装工学

項目	例
土工	●切土、盛土　など
コンクリート構造物	●側溝、擁壁　など
安全施設	●道路標識・道路標示　●防護柵　●道路照明　など
建設機械	●土工用機械　など
造園	●道路緑化　など
共通	●契約約款　●測量・調査　●契約図書　●試験　など
設計	●路床の支持力評価　●アスファルト舗装　●セメント・コンクリート舗装 ●各種の舗装　など
材料	●骨材　●アスファルト、セメント　●路盤材 ●加熱アスファルト混合物　●試験　など
施工	●路床・路盤　●舗装用材料の製造・運搬　●アスファルト混合物の舗設 ●セメント・コンクリートの舗設　●各種の舗装　●舗装用機械　など
補修	●在来舗装の評価　●補修の設計　●補修工法　など

施工管理

項目	例
施工計画	●施工計画　●建設副産物の活用　など
施工管理	●工程管理　●品質管理　●原価管理　●出来形管理　●安全管理　●検査 ●試験　など

舗装工事関連法規

項目	例
労働関係	●労働基準法　●労働安全衛生法　など
建設業関係	●建設業法　など
道路交通関係	●道路法　●道路交通法　など
環境保全対策関係	●環境基本法　●大気汚染防止法　●騒音規制法　●振動規制法　など
建設副産物関係	●資源の有効な利用の促進に関する法律 ●廃棄物の処理および清掃に関する法律　など

Chapter8
07

役立つ資格⑥

建設・上下水道に関する資格の最高峰 技術士

技術士は難関試験に合格した人のみに与えられる資格であるため、大きな社会的役割があります。技術士には21の部門があり、その中で一番多くの割合を占めているのが「建設部門」です。

技術士には高い専門的応用能力が求められる

技術士は産業経済、社会生活の科学技術に関するほぼすべての分野（21の技術部門）をカバーし、先進的な活動から身近な生活にまで関わる資格です。また、21の技術部門のうち、建設分野と上下水道分野で過半数を占めています。

技術士試験には一次試験と二次試験があり、両方に合格することで資格が得られます。**技術士補**は原則として、一次試験に合格すると資格を得られます。

技術士の業務は、科学技術に関する高い専門的応用能力を必要とします。このため、建設会社の技術開発や研究などの部門、民間コンサルタント企業、官公庁に勤務する技術士が多くいます。また、独立して活躍する技術士もいます。

このように、技術士の業務は、習得した知識や経験などを活かして、さまざまな未知なる問題への対応策を見つける、やりがいのある仕事といえます。

難関資格である技術士を取得するメリット

技術士は建設分野で最高峰に位置する資格です。このため、これまで解説してきた土木施工管理技士や**労働安全コンサルタント**などの資格試験で筆記試験が免除されたり、建設コンサルタントや地質調査業者として国土交通省に登録できたりします。

ほかにも、建設業法が定める、一般建設業・特定建設業における営業所専任の技術者として認められるなど、資格に見合うさまざまな優遇措置が受けられます。なお、技術士でないと実施できない業務はありませんが、会社から実力者として評価されるため、給与アップや資格手当などの恩恵が期待できます。

技術士制度
「科学技術に関する技術的専門知識と高等の応用能力および豊富な実務経験を有し、公益を確保するため、高い技術者倫理を備えた優れた技術者」の育成を図るための、国による資格認定制度。

技術士補
技術士を補助する位置づけとされる国家資格。

技術士の業務内容
科学技術に関する高等の専門的応用能力を必要とする事項についての計画、研究、設計、分析、試験、評価またはこれらに関する指導の業務のこと。

労働安全コンサルタント
(8-13参照)

技術士試験のしくみ

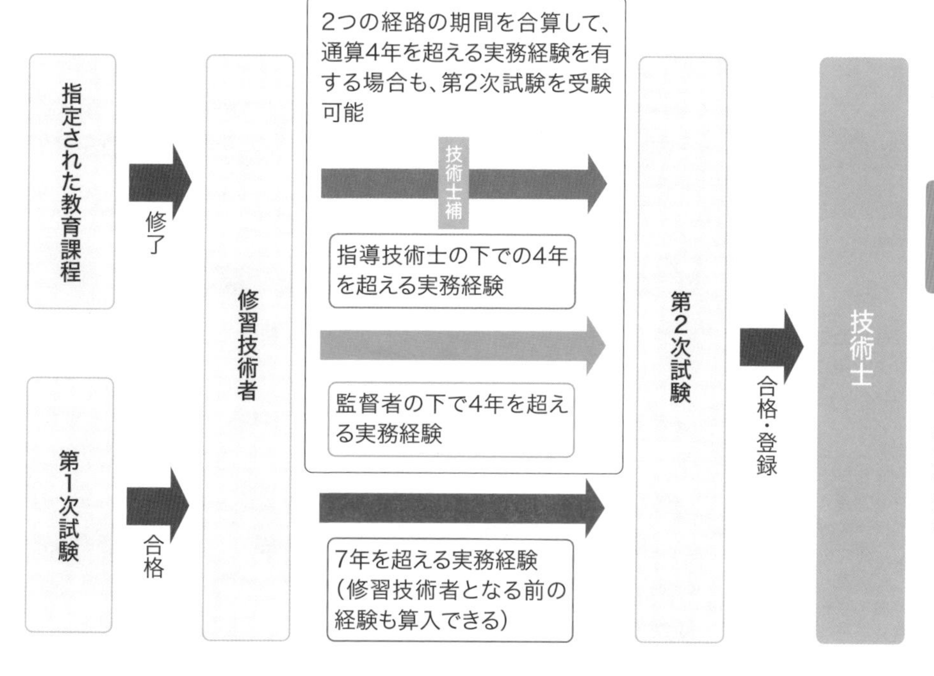

技術士の部門別の割合

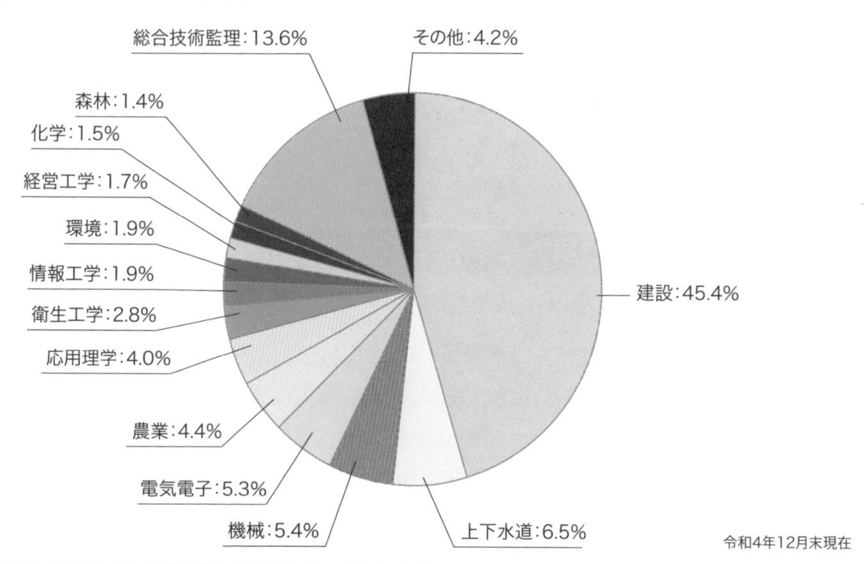

出所：日本技術士会「技術士試験　受験のすすめ」をもとに作成

Chapter8
08

役立つ資格⑦

コンクリートの維持管理を担う資格 コンクリート診断士

コンクリートは年月とともに劣化するものですが、具体的にどう劣化しているのか判断が難しいこともあります。このような場面で役に立つのがコンクリート診断士の資格です。

コンクリートの劣化を判断するプロ

公益社団法人日本コンクリート工学会
コンクリート、鉄筋コンクリート、その他各種のコンクリートならびにコンクリート関連の諸材料、および機械などの調査・研究を行い、さらに調査・研究の連絡およびその成果の普及を行うことにより、コンクリートに関する研究の振興および技術の向上を図ることを目的とした法人。

使用性
想定した作用に対して、構造物の機能を適切に確保すること。

コンクリート診断士は、**公益社団法人日本コンクリート工学会**が実施するコンクリート関連資格の試験の中では、最高峰に位置します。コンクリート構造物の診断における計画、調査・測定、予測、評価、判定および補修・補強対策、ならびにそれらの管理、指導などに関する業務に携わる技術者の資格を定めて、コンクリート構造物の安全性、**使用性**および耐久性などに関する診断技術の向上を図り、コンクリート構造物に対する信頼性を高め、社会基盤の整備に寄与することを目的として、創設されています。

最近では、築造されている橋梁、トンネルを始めとした膨大な土木構造物を適切に維持・保全管理していくことの重要性が高まっています（1-05参照)。その中で、「中性化」や「アルカリシリカ反応」など、コンクリートのさまざまな劣化機構を的確に把握し、対応することはたいへん重要です。これらの判断には専門知識が必要になるため、今後、コンクリート診断士が果たすべき役割は非常に大きくなるといえます。

コンクリート診断士は将来性のある資格

コンクリート診断士は民間資格であるため、取得による直接的なメリットはありません。しかし、合格率は10〜20%ほどの非常に難しい試験であり、資格を取得している人の大半は建設会社や建設コンサルタント会社の社員です。土木業界に就職した人にとっては、今後の土木構造物の維持・保全に関連する業務が増えることに伴い、年収アップが期待できる有望な資格といえます。また、この資格の取得者は、会社ではコンクリート関連の知識を備えた貴重な人材として重宝されるでしょう。

コンクリートの中性化

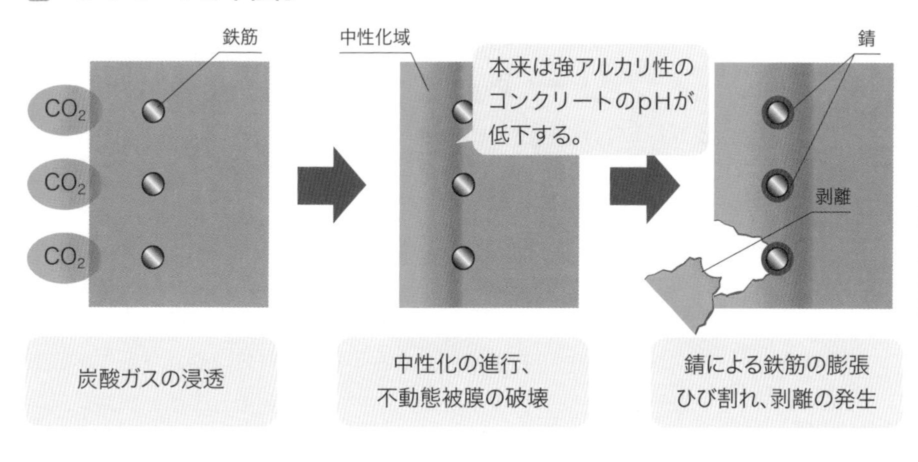

コンクリートのアルカリシリカ反応

①骨材とアルカリの反応

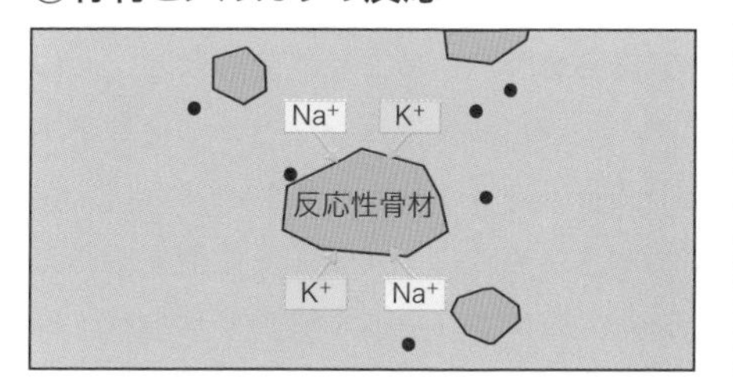

②アルカリシリカゲルの生成

①→② 反応性骨材(安山岩など)に含まれるシリカ粒子が、化学反応によりアルカリシリカゲルを生成する。

③アルカリシリカゲルの吸水・膨張

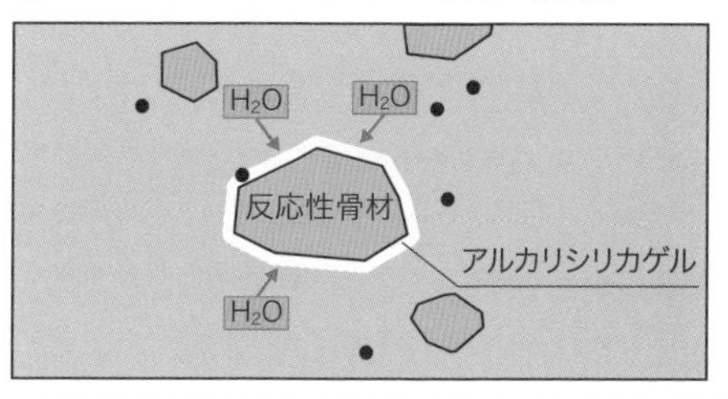

④ひび割れの発生

③→④ 生成されたアルカリシリカゲルが、骨材周辺のセメントペーストから水分を吸収し、反応性骨材が膨張し、膨張圧力によりひび割れが発生する。そして、周囲のセメントペーストが破壊され、最終的に表面にひび割れとして現れる。

Chapter8
09

役立つ資格⑧

コンクリートの製造などで活躍するコンクリート技士

コンクリートは打設を行うまでの過程で、品質を保持することが極めて重要です（2-02参照）。そして、コンクリートの品質の保持に大きく関わる資格がコンクリート技士です。

コンクリートの品質を守るコンクリート技士

コンクリート技士は、公益社団法人日本コンクリート工学会が認定する民間資格です。コンクリートの製造、工事、試験研究などに関する業務に携わる技術者の資格を定めて、その技術の向上を図るとともに、コンクリートに対する信頼性を高め、建設産業の進歩・発展に寄与することを目的として創設されました。

コンクリート技士の資格を取得するのは、生コンクリートを製造する会社、コンクリート製品を製造する会社、建設会社などに勤務する人がほとんどです。たとえば、生コンクリートを製造する過程で、**建設業者からの依頼に沿ったもの**を供給するには、材料を的確に配合する必要があるため、コンクリートに関する知識や経験が求められます。また、コンクリートを打設する際は、現場に到着したコンクリートの品質に問題がないかを試験で確認することや、施工をする際に注意点を確認するなど、さまざまな知識や経験が要求されます。コンクリート製品を造る際にも、品質が保証されることは非常に大切です。

建設業者からの依頼に沿ったもの
構造物の目的に必要な強度などを確保できるようにすること。

上記のような事例に対応するためにも、コンクリートについて熟知したコンクリート技士が必要とされています。

コンクリート技士は広く認められた資格

国土交通省の「土木工事共通仕様書」や土木学会の「コンクリート標準示方書」などでは、コンクリート技士・**コンクリート主任技士**が必要とされる場面が規定されていています。コンクリート技士は民間資格ですが、このようにコンクリート技士が業務に携わることが前提として考えられているため、生コンクリートを製造している会社などでは必須の資格といえます。

コンクリート主任技士
コンクリート技士の上位資格。コンクリート技士のスキルに加えて、研究や指導を行うことを目的とした資格。

土木工事共通仕様書（国土交通省）

各種仕様書類におけるコンクリート技士・コンクリート主任技士に関係する記述の一部
国土交通省：土木工事共通仕様書　令和２年３月
第１編　共通編
第３章　無筋・鉄筋コンクリート
第３節　レディーミクストコンクリート

1-3-3-2　工場の選定
1. 一般事項
　受注者は、レディーミクストコンクリートを用いる場合の工場選定は以下による。
(1) JISマーク表示認証製品を製造している工場（産業標準化法の一部を改正する法律（平成30年5月30日公布　法律第33号）に基づき国に登録された民間の第三者機関（登録認証機関）により製品にJISマーク表示する認証を受けた製品を製造している工場）で、かつ、コンクリートの製造、施工、試験、検査及び管理などの技術的業務を実施する能力のある技術者（コンクリート主任技士等）が常駐しており、配合設計及び品質管理等を適切に実施できる工場（全国生コンクリート品質管理監査会議の策定した統一監査基準に基づく監査に合格した工場等）から選定しなければならない。

出所：国土交通省「土木工事共通仕様書」（令和２年３月）をもとに作成

コンクリート技士の業種別割合（令和５年４月１日現在）

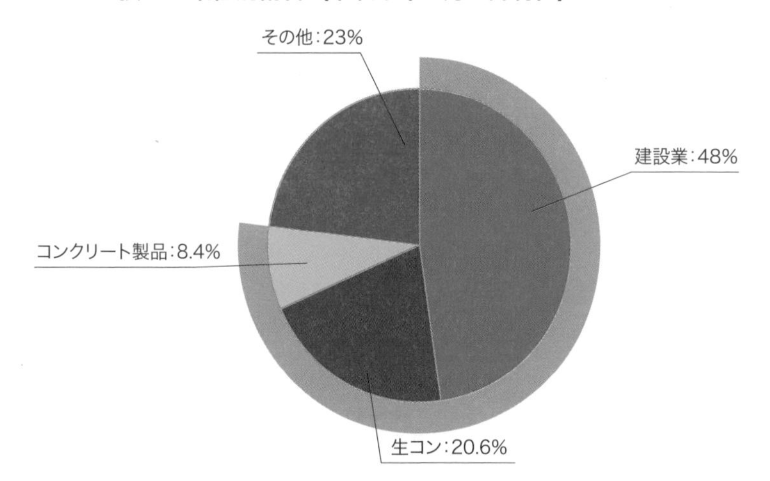

コンクリート技士の業種の8割は、製造や現場の施工に携わるものが占めています。

Chapter8
10

役立つ資格⑨

測量のスペシャリスト 測量士

測量士や測量士補という資格は、普段あまり耳にすることがないかもしれません。国、国土地理院、地方公共団体が行う基本測量や公共測量などを担っている重要な国家資格です。

測量に関する国家資格

測量士と測量士補は、「基本測量」や「公共測量」を実施することを国から認められている国家資格です。基本測量とは、すべての測量の基礎となる、国土地理院の行う測量を指します。公共測量とは、基本測量以外で、費用の全部または一部を国や公共団体が負担、もしくは補助して実施する測量のことです。工事を実施する上でも測量業務は必須であるため、建設会社でも測量ができる人は重宝されます。

試験は筆記試験になりますが、現場の実務に沿った問題が多く出題されます。近年は、レーザースキャナによる測量やドローンを活用した測量に関する問題も出題されています。

受験にあたって、測量士試験・測量士補試験ともに実務経験は不問であり、年齢などによる制限もありません。ただし、実務に沿った問題が出題されるため、未経験者が合格するのは難しいといえます。また、大学などで測量に関する科目を学習して実務経験を経ることで、試験によらず測量士になることも可能です。

国土地理院
国唯一の「国家地図作成機関」であり、国土交通省の特別の機関である。

試験によらず測量士になる
文部科学大臣の認定大学で測量に関する科目を履修し、卒業後に1年以上の実務経験を積むことなどで、試験を受けずに測量士の資格を取得できる。

測量士補は受験者に人気がある

測量士が立案した計画に従って測量業務を実施する際、測量士補は補佐の役割を担います。試験は誰でも受験が可能です。測量士補の資格を取得すると、「土地家屋調査士」という国家資格の試験で、午前の試験が免除されます。このメリットが目的で、測量士補を受験する人は少なくありません。

土地家屋調査士は土地などに関係する登記の業務を行うため、建設会社や建設コンサルタント会社に勤務する人もいます。測量士や測量士補と同様、土木業界と関係が深い資格といえます。

登記
対象とするものの権利に関する事項をまとめて、国が管理する登記簿に記載すること。土地や建物に関する不動産登記、会社や商号に関する商業登記などの種類がある。

測量士／測量士補の仕事

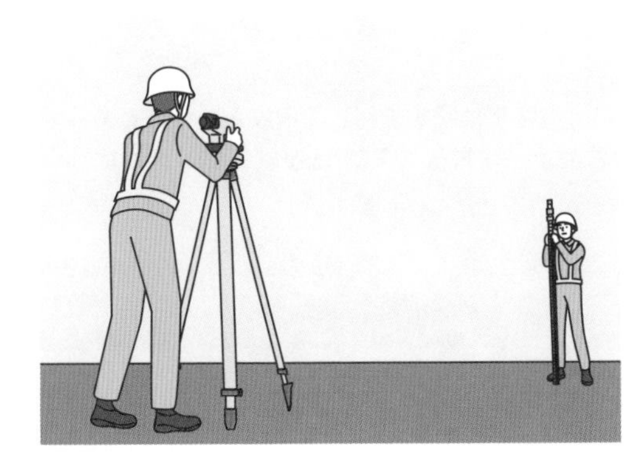

光で測量するトータルステーションなどの機器を使う方法と、ドローンなどを使う方法がある。

測量士の仕事には現場作業だけでなく、予算管理や製図などのデスクワークもあります。現場作業とデスクワークのバランスを調整できることも重要なスキルです。

測量の種類

精度 経費・実施の主体		すべての測量の基礎となる測量	基本・公共測量の成果に基づく測量	局地的・一定精度以下の測量
全部または一部を公費で行う測量	国土地理院が行う	基本測量	国土地理院が行う公共測量	—
	国または公共団体が行う	—	公共測量	その他の測量
公費以外で行う測量や公費の助成を受けて行う事業のための測量		—	国土交通大臣が指定する公共測量 基本・公共測量以外の測量	その他の測量

Chapter8
11

役立つ資格⑩

国や地方公共団体からニーズのあるRCCM

RCCMは民間資格ですが、その重要度は国家資格と同程度といっても過言ではありません。ここでは、どのような場面でRCCMが役に立つのかについて解説します。

設計業務で活躍するRCCM

RCCMは優秀な技術者が積極的に活用されることによって、建設コンサルタントの技術力の向上を図ることを目的とした民間資格で、試験は一般社団法人建設コンサルタンツ協会が実施しています。受験にあたって、建設コンサルタントなどの実務経験が必要です。RCCMは筆記試験に合格し、登録することにより、「シビルコンサルティングマネージャ」の称号を付与されます。試験の解答ではマウスとキーボードのみを使用します。RCCMの資格取得者は、主に公共土木設計業務などにおける「管理技術者」「照査技術者」として位置づけられています。

管理技術者とは、契約の履行について業務の管理や統括などを行う人です。照査技術者とは、成果物の内容について技術上の照査を行う人です。原則として、管理技術者と照査技術者は技術士などの限られた資格を取得している人しか就くことができないため、RCCMも相当の技術力が保証された資格といえます。

RCCMは設計業務の特質を理解し、業務を円滑・適正に進めるための技術管理能力と、各専門分野における技術力が求められます。このため、RCCM資格を維持するにはCPD単位を取得することが義務付けられています。

RCCM
Registered Civil Engineering Consulting Managerのこと。

一般社団法人建設コンサルタンツ協会
建設コンサルタントの資質と技術力の向上に関する調査・研究などを行う法人。

技術士
(8-07参照)

CPD単位
技術者継続学習制度における単位のこと。土木分野については、最新の知識や技術を習得し、自らの能力を維持向上させるなどが必要なことから、講習会などを受講することで単位が与えられる制度を設けている。

設計業務だけではないRCCM

RCCMの資格を取得すると、設計業務だけに留まらず、海岸堤防や地すべり防止施設などの「点検」や「診断」における管理技術者としても活動できます。ただし、RCCMには道路、鉄道、下水道などの専門の部門が存在するため、それに応じた業務のみを扱うことができる点に注意する必要があります。

国に登録されているRCCMの専門技術部門の一覧（抜粋）

登録番号	登録されたRCCMの専門技術部門	対象とする施設分野	対象とする業務	知識・技術を求める者
品確技資第1号	河川、砂防および海岸・海洋	砂防設備	点検および診断	管理技術者
品確技資第2号	河川、砂防および海岸・海洋	地すべり防止施設	点検および診断	管理技術者
品確技資第4号	河川、砂防および海岸・海洋	急傾斜地崩壊防止施設	点検および診断	管理技術者
品確技資第6号	河川、砂防および海岸・海洋	海岸堤防等	点検および診断	管理技術者
品確技資第10号	鋼構造およびコンクリート	橋梁（鋼橋）	点検	担当技術者
品確技資第20号	鋼構造およびコンクリート	橋梁（鋼橋）	診断	担当技術者
品確技資第26号	鋼構造およびコンクリート	橋梁（コンクリート橋）	点検	担当技術者
品確技資第37号	鋼構造およびコンクリート	橋梁（コンクリート橋）	診断	担当技術者
品確技資第42号	トンネル	トンネル	点検	担当技術者
品確技資第46号	トンネル	トンネル	診断	担当技術者
品確技資第51号	機械	土木機械設備	診断	管理技術者
品確技資第105号	地質	地質・土質	調査	管理技術者または主任技術者
品確技資第106号	土質および基礎	地質・土質	調査	管理技術者または主任技術者
品確技資第109号	建設環境	建設環境	調査	管理技術者
品確技資第111号	電気電子	電気施設・通信施設・制御処理システム	計画・調査・設計	管理技術者・照査技術者
品確技資第112号	機械	建設機械	計画・調査・設計	管理技術者・照査技術者
品確技資第113号	機械	土木機械設備	計画・調査・設計	管理技術者・照査技術者
品確技資第114号	都市計画および地方計画	都市計画および地方計画	計画・調査・設計	管理技術者・照査技術者
品確技資第116号	造園	都市公園等	計画・調査・設計	管理技術者・照査技術者
品確技資第117号	河川、砂防および海岸・海洋	河川・ダム	計画・調査・設計	管理技術者・照査技術者
品確技資第119号	下水道	下水道	計画・調査・設計	管理技術者
品確技資第120号	河川、砂防および海岸・海洋	砂防	計画・調査・設計	管理技術者・照査技術者
品確技資第122号	河川、砂防および海岸・海洋	地すべり対策	計画・調査・設計	管理技術者・照査技術者
品確技資第124号	河川、砂防および海岸・海洋	急傾斜地崩壊等対策	計画・調査・設計	管理技術者・照査技術者
品確技資第127号	河川、砂防および海岸・海洋	海岸	調査	管理技術者・照査技術者
品確技資第131号	河川、砂防および海岸・海洋	海岸	計画・調査・設計	管理技術者・照査技術者
品確技資第139号	道路	道路	計画・調査・設計	管理技術者・照査技術者
品確技資第142号	鋼構造およびコンクリート	橋梁	計画・調査・設計	管理技術者・照査技術者
品確技資第143号	土質および基礎	橋梁	計画・調査・設計	管理技術者・照査技術者
品確技資第145号	トンネル	トンネル	計画・調査・設計	管理技術者・照査技術者
品確技資第147号	港湾および空港	港湾	計画・調査（全般）	管理技術者・照査技術者
品確技資第159号	港湾および空港	港湾	設計	管理技術者・照査技術者
品確技資第161号	港湾および空港	空港	計画・調査・設計	管理技術者・照査技術者
品確技資第213号	河川、砂防および海岸・海洋	堤防・河道	点検・診断	管理技術者
品確技資第215号	河川、砂防および海岸・海洋	堤防・河道	点検・診断	担当技術者
品確技資第233号	道路	舗装	点検	担当技術者
品確技資第237号	道路	舗装	診断	担当技術者
品確技資第241号	施工計画、施工設備および積算	小規模附属物	点検	担当技術者
品確技資第244号	施工計画、施工設備および積算	小規模附属物	診断	担当技術者
品確技資第245号	港湾および空港	港湾施設	点検・診断	管理技術者
品確技資第246号	港湾および空港	港湾施設	計画策定（維持管理）	管理技術者
品確技資第247号	港湾および空港	港湾施設	設計（維持管理）	管理技術者
品確技資第268号	道路	道路土工構造物（土工）	点検	担当技術者
品確技資第269号	地質	道路土工構造物（土工）	点検	担当技術者

Chapter8 12

役立つ資格⑪

地盤調査の技術的な資格 地質調査技士

橋梁やトンネルなどの土木構造物を造る際は、そもそも、その建設場所の地盤が土木構造物を築造するのに適しているかの調査が必須です。その際に役立つのが地質調査技士の資格です。

地質調査技士が活躍する場面

地質調査技士とは、**ボーリング**などの地質調査の現場作業を行う技術者を対象に創設された民間資格です。資格試験は一般社団法人全国地質調査業協会連合会によって実施されています。

地質調査では、現場でボーリングなどを行って地盤情報を取得します。この地盤情報は、その後の地盤に関する解析判定業務の基礎となります。このため、調査段階で技術的に信頼できる人が関わることは、地質調査業務における重要なポイントといっても過言ではありません。

地質調査技士試験では、調査計画、ボーリングマシン運転の基本動作、土質判定、柱状図・断面図の作成、業務責任者としての役割など、幅広い能力が問われます。合格率は30～40%であり、難易度は高いといえるでしょう。

地質調査技士が活躍する場としては、建設を目的とした「調査業務」、地震・地すべり・火山など自然災害を対象とした「防災業務」、急傾斜地などの崩壊防止施設や道路・トンネル設備など施設・設備の点検・診断を行う「維持管理業務」など、多岐にわたります。当然ながら、土木業界とも深い関係があります。

ボーリング調査
地盤に細い孔を深くあけていき、採取した土や岩盤の試料を直接観察することで、地質の状況を把握する調査。建設工事における設計・施工のための地盤調査として、最も一般的に行われている。

国のお墨付きがある資格

地質調査技士は民間資格でありながら、**国土交通省登録資格**となっています。資格の取得者は、地質・土質の調査において管理技術者・主任技術者となることが認められています。

そのため、資格を取得することで現場技術者の技術の維持・向上の役割を担うだけではなく、関わることのできる業務の幅が広がる資格といえます。

国土交通省登録資格
「公共工事の品質確保の促進に関する法律（品確法）」において、公共工事に関する調査および設計の品質確保の観点から、資格の評価のあり方などについて検討を加え、その結果に基づいて必要な措置を講ずることが規定されている。これに基づき、平成26年度から導入された制度。

ボーリング調査で使用するボーリングマシン

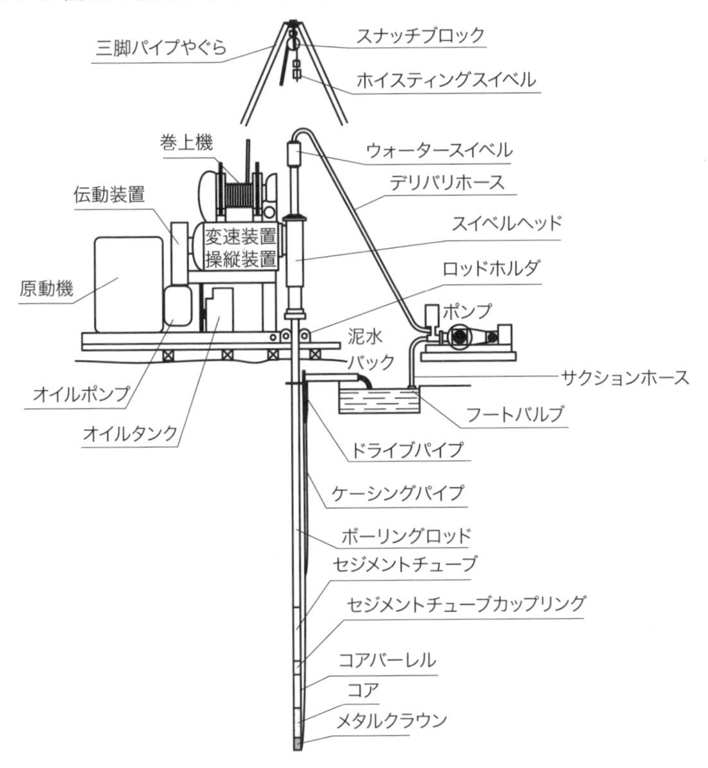

主な地盤調査の方法

ボーリング試験
地盤の状況や地層境界の深度などを調べる際に用いる。

平板載荷試験
地盤の固さを直接求める場合に使用する。

現場透水試験
地盤の透水係数を把握する。

スウェーデン式サウンディング試験
地盤の硬軟や締まり具合を調査する。

表面波探査法
地面をゆらすことにより、地盤の固さを判断する方法。

Chapter8
13

役立つ資格⑫

工事現場などの安全を守る労働安全コンサルタント

労働安全コンサルタントは、現場で労働災害が発生した際に調査をしたり、労働災害が発生しないように予防方法を教えてくれたりする、労働安全のスペシャリストです。

労働安全のスペシャリスト

労働安全コンサルタントは、厚生労働大臣が認めた「労働安全」のスペシャリストとして、労働者の安全水準を向上させるため、事業場の診断・指導を行う国家資格です。たとえば、現在の建設現場の安全状況を把握し、改善策をアドバイスしてくれたりします。なお、並行する資格として、労働衛生のスペシャリストである「労働衛生コンサルタント」という国家資格もあります。

労働安全コンサルタントとして活動するには、厚生労働大臣が指定したコンサルタント試験機関である公益財団法人安全衛生技術試験協会が実施する労働安全コンサルタント試験に合格し、厚生労働大臣が指定した登録機関である同協会に登録する必要があります。試験の内容としては、労働安全衛生法や建設機械の使用などに関する問題のほか、土木、電気、建築などの専門分野から出題があります。たとえば、土木安全分野からは、計算によって土圧などを求める設計業務のような問題もあります。また、筆記試験に合格すると口述試験があり、総合的に難易度は非常に高いといえます。

労働安全衛生法
労働基準法と相まって、労働災害の防止のための危害防止基準の確立、責任体制の明確化および自主的活動の促進の措置を講ずるなど、その防止に関する総合的・計画的な対策を推進することにより、職場における労働者の安全と健康を確保するとともに、快適な職場環境の形成を促進することを目的とする法律。「健康診断」などもこの法律に規定されている。

労働安全コンサルタントが活躍する場面

労働安全コンサルタントが活躍する場面として、たとえば、中小企業では日々の業務が忙しく、自ら安全に関する問題点を抽出して的確に対応することが困難なケースがあります。このような場合、労働安全コンサルタントが外部の専門家として事業場を診断し、その結果に基づき、事業場の安全水準を向上させるための指導を行います。これによって快適な職場環境を構築できる、といった場面が想定できます。

労働安全コンサルタントが活躍する場面

労働災害が発生したとき

優先すべき事項、対応方法や必要な手続きなどについて指導などを行う。

計画の届出をするとき

計画が法令に則っているかなどの確認をする。

建設現場の安全管理を行うとき

社内では気づけない問題点を明らかにし、有効かつ効果的な方法を提案する。

安全衛生教育の講師の選定に困っているとき

労働安全衛生法などの法律に則した安全衛生教育を行う。

労働安全コンサルタントと労働衛生コンサルタントの違い

労働安全コンサルタント

機械、電気、化学、土木、建築といった各分野の「安全」に関する労働環境の改善などのコンサルティングを行う。

労働衛生コンサルタント

健康管理、労働環境の改善など「衛生」に関するコンサルティングを行う。また、労働安全衛生法の「衛生管理者」になることもできる。

2つの資格試験は「公益財団法人安全衛生技術試験協会」が実施しています。

Chapter8 14

さまざまな重機に乗るためには、それぞれの資格が必要?!

重機といえば、まず「油圧ショベル」をイメージする人が多いと思いますが、現場ではそれ以外にも多くの重機が活躍しています。これらの重機は、どうすれば運転できるようになるのか解説します。

一番最初に受ける特別教育

重機を運転できるようになるためには、技能講習や特別教育などを受けるという手段があります。特別教育には、たとえば**小型車両系建設機械（整地・運搬・積込み用および掘削用）**の運転などがありますが、ここにミニショベルやミニホイールローダーが含まれます。

この特別教育では、走行に関する装置の構造や取扱い方法、運転に必要な一般的事項などを勉強することになっており、授業を受け、実際にミニショベルなどの運転をします。これらの過程を経た人が建設現場で正式に重機を運転できる、ということになります。このほかにも、特別教育で運転することが可能なものには、**つり上げ荷重**が1トン未満の移動式クレーンや、つり上げ荷重が5トン未満のデリックの運転などの業務があります。

もっと大きな重機を運転するためには？

特別教育で運転できる荷重以上の重機などを運転するには、「技能講習」の受講や「免許」の取得などが必要です。

たとえば、つり上げ荷重が1トン以上5トン未満の移動式クレーンの運転には技能講習の受講が必要であり、5トン以上になると免許が必要になります。また、**機体質量**が3トン以上の車両系建設機械（整地・運搬・積込み用および掘削用）を運転する場合も、技能講習の受講が必要になります。

この技能講習や免許については、特別教育よりもレベルアップされた授業や実技指導を受けることになります。このような過程を経ることで、それぞれの重機を運転できるオペレーターになることができます。

小型車両系建設機械
機体質量が3トン未満の車両系建設機械のうち、「整地・運搬・積込み用」および「掘削用」の機械で、動力を用い、かつ、不特定の場所に自走できる機械のこと（道路上を走行させる運転を除く）。

つり上げ荷重
クレーンがつり上げることができる最大の荷重のこと。クレーンフックなどの質量も含まれる。

機体質量
「機体質量」は作業機装置（バケットなど）、冷却水、燃料、油脂類、オペレーターなどを含まない、機械（重機）の単体の質量のこと。運転できる状態に整備・補給した機械の質量を「機械質量」、機械質量にオペレーターの質量75kgを加えた質量を「運転質量」、運転質量に最大積載質量を加えた質量を「機械総質量」という。

さまざまな重機

油圧ショベル

ホイールローダー

モーターグレーダー

ダンプトラック

画像提供：コマツ

車両系建設機械（整地・運搬・積込み用および掘削用）運転「技能講習」の所要時間

コース区分	現在保有している資格および業務経験
6時間	・車両系建設機械（解体用）運転技能講習修了者。
10時間	・建設機械施工管理技士1級（トラクター系またはショベル系以外）合格者または、2級の第4種から第6種合格者。
14時間	・大型特殊免許所有者または、不整地運搬車運転技能講習修了者。 ・普通、準中型、中型、大型免許を有し、小型車両系建設機械（整地等）特別教育修了後、機体質量が3t未満の車両系建設機械の業務経験が3ヶ月以上ある者。
18時間	・小型車両系建設機械（整地等）特別教育修了後、機体質量が3t未満の車両系建設機械の業務経験が6ヶ月以上ある者。
34時間	・車両系建設機械（基礎工事用）運転技能講習修了者。
38時間	・上記のいずれにも該当しない者。

COLUMN 8

資格重視の時代になった建設業界

近年はコンプライアンス（法令遵守）が重視される時代になりつつあります。この流れを受けて、建設業界でも各種の資格の取得が必須になる機会が増えています。

たとえば、重機の運転にはさまざまな資格が必要です。また、「建設業許可」を取得している建設業者にとって、施工管理技士を始めとする技術者系の資格は多くの場面で必要とされます。

この建設業許可を取得するにあたって、「営業所の専任技術者」を配置することが義務づけられています。建設機械施工技士や土木施工管理技士など特定の国家資格を取得している人であれば、専任技術者の要件を満たします。これらの国家資格がない場合でも、大学や高校の土木科などを卒業して一定期間の実務（大卒3年、高卒5年）を経験すれば要件を満たします。これらの学校を卒業していない場合は、10年間の実務経験が必要です。

専任技術者を配置できない法人や個人事業主は、建設業許可を取得できません。その場合、請負金額が税込500万円以上になる工事を受注できなくなります。この規定は元請業者だけではなく、下請業者にも適用されます。税込500万円以上にならないように、契約を分割して工事を発注したとしても、請負金額の合計が税込500万円以上になればアウトです。

土木工事の請負金額は税込500万円を上回るケースが多く、建設業許可を取得していない建設業者はそのような工事を受注できないため、会社として大きなマイナスになります。実際に、建設業許可がない建設業者が税込500万円以上の工事を受注して、営業停止処分になった例もあります。

コンプライアンスが重視される時代だからこそ、建設工事を適切に受注できる体制づくりが求められています。その意味でも、国家資格を取得した技術者を確保することは、建設業者にとって必須になっています。

第9章

土木業界の課題と展望

これまで「3K」のイメージがあった土木業界ですが、DXの推進や働き方改革によって、働きやすい環境に変化しつつあります。この章では、土木業界の抱える課題と今後の展望をみていきましょう。

Chapter9
01

人材不足の解消

徐々に減っている建設業界の就業者数

現代の日本は総人口の減少が続いているうえ、少子高齢化という問題を抱えています。これは建設業界にとっても深刻な問題です。深刻な人手不足を解消するため、建設業界ではICTの導入などが進められています。

減少する建設業界の就業者数

建設業界の就業者数は年々減少しています。平成9年には就業者数が685万人とピークを記録しましたが、令和3年には485万人と約29%減少となりました。しかし、就業者数とは逆に建設投資額は増加傾向にあります。平成4年度に約84兆円であった建設投資額は、平成22年度に半分の約42兆円まで落ち込んだものの、その後徐々に増加し、近年では60兆円を超えるようになりました。つまり、就業者数は大幅に減少したのに、仕事自体は増えているのです。

建設業界では、60歳以上の建設技能労働者が建設業界全体の約25%を占めています。このため、今後は高齢を理由とした大量離職による人手不足の深刻化がほぼ確実視されており、担い手の確保が緊急の課題となっています。

人手不足を補う技術の進歩など

人手不足を解消する手段として、近年よく取り上げられている代表的なものが「i-Construction」です。

i-Constructionでは、建設現場における生産性を向上させ、魅力ある建設現場を目指しています。たとえば、ICTの導入などにより、中長期的に予測される労働者の減少分を補完、現場作業の高度化・効率化、工事日数の短縮、休日の拡大などを図ります。このように労働者のワーク・ライフ・バランスに配慮する取組みを行うことで、建設業に新しい風を巻き起こそうとしています。また、公共工事における設計労務単価は上昇を続けており、賃金上昇率も建設業界全体で向上してます。

ICT
(5-04参照)

ワーク・ライフ・バランス
仕事と生活の調和のとれた働き方ができること。

建設投資、建設業許可業者数及び就業者数の推移

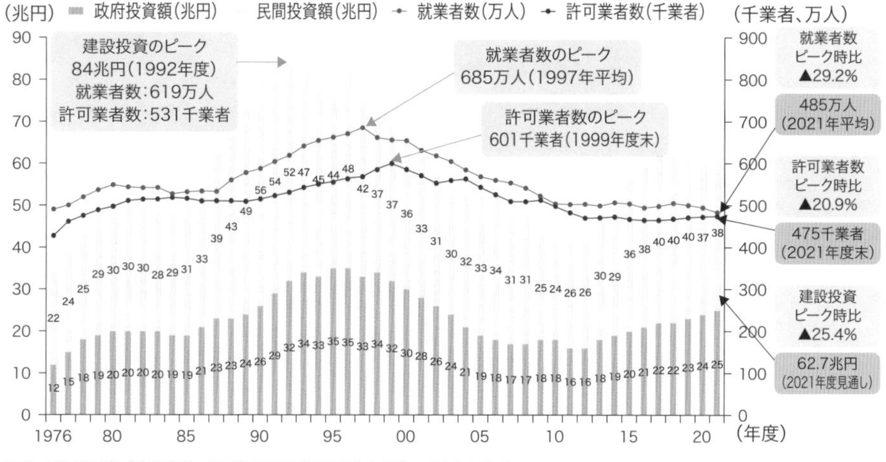

出所：国土交通省「建設投資、許可業者数及び就業者数の推移」をもとに作成

新3Kを実現するための直轄工事における取組み

給与
■「労務費見積尊重宣言」促進モデル工事 ・日建連による「労務費見積り尊重宣言」を踏まえ、下請企業からの労務費見積を尊重する企業を、総合評価や成績評定において優位に評価。 ・2020年1月より大規模工事を対象に、関東地整で先行的にモデル工事を発注。 ・2020年度は全国でモデル工事を発注。 ■CCUS義務化モデル工事等 ・新たに、一般土木（WTO対象工事）において、CCUS活用の目標の達成状況に応じて成績評定を加減点するモデル工事を発注。
休暇
■週休2日対象工事 ・週休2日の確保状況に応じて、労務費等を補正するとともに、成績評定を加減点する「週休2日対象工事」を発注。 ・2020年度は原則すべての工事を「週休2日対象工事」として公告。 ■適正な工期設定指針 ・適正な工期を設定するための具体的・定量的な指針を2020年3月に策定・公表。
希望
■i-Constructionの推進 ・建設現場の生産性を向上するため、必要経費の計上とともに総合評価や成績評定を加減点する「ICT施工」を発注。 ・その他、BIM/CIM活用、規格の標準化、施工時期の平準化、新技術の活用などを推進。 ■中長期的な発注見通しの公表 ・改正品確法を踏まえ、2020年度より中長期的な工事発注見通しを作成・公表。 ■誇り・魅力・やりがいの醸成 ・建設業のリブランディングに向けた提言を2020年1月にとりまとめ。

出所：国土交通省「新3Kを実現するための直轄工事における取組」をもとに作成

Chapter9 02

労働災害のリスクが高まる労働者の高年齢化

土木業界では高年齢労働者の割合が高く、労働災害防止の観点から、高年齢労働者を建設現場に入場させない企業も増えています。とはいえ、建設現場で培った知恵や技術は土木業界にとって必要不可欠です。

高齢化した労働者に対する就業制限

土木業界において、高年齢労働者に対する就業制限をする建設現場が増えています。その理由の1つが、労働災害による休業4日以上の死傷者数のうち、60歳以上の労働者が占める割合が増加傾向にあることです。これは、高齢になることで**身体機能の低下**が進み、転倒、墜落・転落などが起こりやすくなるためです。対策として、労働災害のリスクを避けるために、高年齢労働者の現場入場を制限している企業もあります。

身体機能面での低下がみられる高年齢労働者ですが、これまで建設現場で培った知恵や技術を身に付けているため、担い手不足の土木業界にとっては貴重な人材です。とくに、建設現場における若手社員への指導では、知識だけではなく肌で感じた経験などが重要になる場面も多く存在します。高年齢労働者のノウハウをうまく伝えるためにも、社内で技術指導や後進の教育に力を注げる環境づくりを整備することが大切です。

身体機能の低下
高齢者は加齢により体力、筋力、視力、聴力などが低下するほか、判断力や平衡感覚が鈍ることで事故のリスクが高まる。一般に、50代での身体機能の低下が著しいとされる。

高年齢労働者を支えるパワーアシストスーツ

高年齢労働者などの現場での作業をサポートするアイテムが存在します。それが**パワーアシストスーツ**です。近年、建設現場でも少しずつ活用されるようになってきました。

パワーアシストスーツは、体の周りに機械を着けることにより、重い物を持ち上げやすくしたり、上を向いて作業しやすくしたりなどのサポートを行います。これにより、腰痛のような体の不調が起こりにくくなる効果が期待でき、労働災害の発生を抑えることができると考えられるため、パワーアシストスーツは今後さらに広く活用されていくでしょう。

パワーアシストスーツ
ゴムや空気圧などの力を利用して、作業による筋肉疲労などを軽減したり、作業速度を向上させることを目的として作られた補助具のこと。

建設業における労働災害発生状況（事故の型別）

（単位：人）

年度		2017	2018	2019	2020	2021
死亡災害		323	309	269	258	288
業種別	土木工事業	123	111	90	102	102
	建築工事業	137	139	125	102	139
	その他の建設業	63	59	54	54	47
事故の型別	墜落・転落	135	136	110	95	110
	崩壊・倒壊	28	23	34	27	31
	交通事故（道路）	50	31	27	37	25
	はさまれ・巻き込まれ	28	30	16	27	27
	激突され	23	18	26	13	19
	飛来・落下	19	24	18	13	10
死傷災害		15,129	15,374	15,183	14,977	16,079
業種別	土木工事業	4,015	3,889	3,808	3,963	4,277
	建築工事業	8,306	8,554	8,417	8,194	8,403
	その他の建設業	2,808	2,931	2,958	2,820	3,399
事故の型別	墜落・転落	5,163	5,154	5,171	4,756	4,869
	はさまれ・巻き込まれ	1,663	1,731	1,693	1,669	1,676
	転倒	1,573	1,616	1,589	1,672	1,666
	飛来・落下	1,478	1,432	1,431	1,370	1,363
	切れ・こすれ	1,312	1,267	1,240	1,257	1,339
	動作の反動・無理な動作	880	875	885	947	981
	激突され	734	832	842	791	825
	高温・低温物との接触	210	340	238	289	210

出所：国土交通省「令和３年労働災害発生状況の分析等」をもとに作成

パワーアシストスーツ

高重量を長時間支える作業現場や上向き姿勢が続く動作の負担を軽減する。

腕を持ち上げたまま保持できる。

脇が48度開くことでアシストが発生。脇を締めることで解除できる。

Chapter9 03

目的と実態が乖離している外国人技能実習制度

外国人技能実習制度は、本来は日本が発展途上国の人材育成をすることで国際貢献を果たしていく制度です。しかし、実態は労働力不足を補う手段になっているとして、現在も制度の見直しが図られています。

技能実習制度とは

外国人技能実習制度は、日本が先進国としての役割を果たしつつ国際社会との調和ある発展を図っていくため、技能、技術または知識の開発途上国などへの移転を図り、開発途上国などの経済発展を担う「人づくり」に協力することを目的とした制度です。しかしながら、外国人技能実習生のうち、建設分野は失踪者数が分野別で最多です。その理由として、低賃金であること、労働時間が長いこと、就労場所が頻繁に変わるため就労管理が難しいことなどが挙げられます。

その対策として国土交通省では、企業が外国人技能実習生を受け入れるための基準として、「技能実習を行う体制・待遇が整っている」という条件を追加しました。2023年6月時点では、建設業許可を受けていること、技能実習生を**建設キャリアアップシステム**に登録すること、技能実習生に対して安定的に報酬を支払うこと、などの具体的な要件が求められています。

建設キャリアアップシステム
(9-11参照)

廃止される?!技能実習制度

前述のように、技能実習制度の目的は、発展途上国の人材育成を通じた国際貢献をすることです。しかし、実際には労働環境が厳しい業種を中心に人手を確保する手段になっており、低賃金・長時間労働を余儀なくされる、技能実習生に対する暴力が行われているなどの問題があり、目的と実態が乖離しているという指摘が少なくありませんでした。その改善策として、外国人の在留資格の1つである**特定技能制度**と合わせて、人材の育成だけではなく、「働く人材の確保」を主目的とする新制度への移行について検討が行われています。

特定技能制度
一定の専門性・技能を有する外国人の在留を認めて、人手不足の産業分野で受け入れることで、労働力を確保するための制度。

過去に実施された技能実習制度の基準の追加

	特定技能 （新設する基準）	技能実習 （下線部：追加する基準案）
受入企業に関する基準	・外国人受入れに関する計画の認定を受けること。 ・建設業法第３条の許可を受けていること。 ・建設業者団体が共同して設立した団体（国土交通大臣の登録が必要）に所属していること。　など	・技能実習計画の認定を受けること。 ・<u>建設業法第３条の許可を受けていること。</u> ・<u>建設キャリアアップシステムに登録していること。</u>　など
処遇に関する基準	・１号特定技能外国人に対し、日本人と同等以上の報酬を安定的に支払い、技能習熟に応じて昇給を行うこと。 ・１号特定技能外国人に対し、雇用契約締結前に、重要事項を書面にて母国語で説明していること。 ・１号特定技能外国人を建設キャリアアップシステムに登録すること。　など	・技能実習生に対し、日本人と同等以上の報<u>酬を安定的に支払うこと。</u> ・雇用条件書等について、技能実習生が十分に理解できる言語も併記の上、署名を求めること。 ・<u>技能実習生を建設キャリアアップシステムに登録すること。</u>　など
その他	１号特定技能外国人（と外国人建設就労者との合計）の数が、常勤職員の数を超えないこと。	・<u>技能実習生の数が常勤職員の総数を超えないこと。</u>

出所：OTIT外国人技能実習機構「技能実習制度の現状」（平成31年2月18日）をもとに作成

外国人技能実習生の失踪が多い建設業界

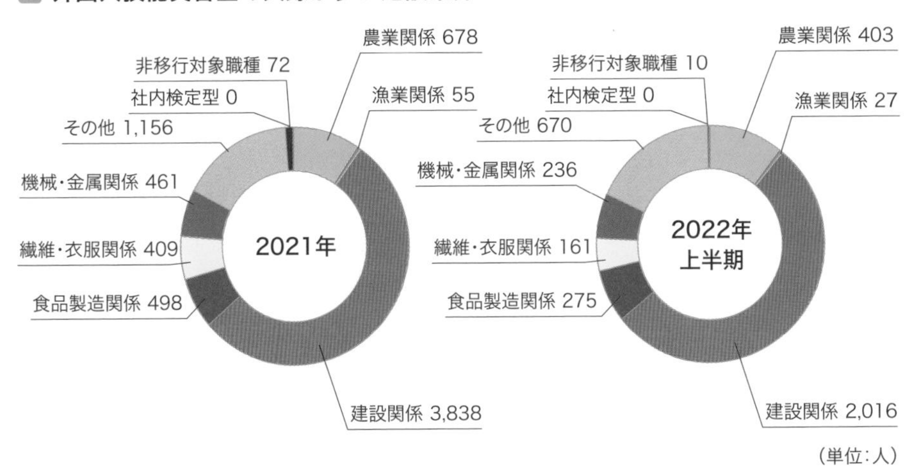

出所：法務省「職種別・技能実習生失踪者数をもとに作成

第9章 土木業界の課題と展望

法律で禁止されている不正行為
入札談合

「入札談合」をはじめとする談合は、法律で許されない行為とされています。もし談合を行った場合は、さまざまな罰則が科されるだけでなく、企業としてのイメージダウンも避けられません。

入札談合は公正な価格を害する

入札談合とは、独占禁止法第3条に規定する「不当な取引制限」に該当する行為の1つです。国や地方公共団体などの公共工事や物品の**公共調達**に関する入札に際し、事前に、受注事業者や受注金額などを決めてしまう行為です。

公共調達
国や地方公共団体が発注する、税金を使って行われる契約全般。公共工事のほか、公用車や事務用品の購入なども対象になる。

入札談合が行われた場合、自由に競争入札がされていれば形成されたはずの「公正な価格」が害されます。発注者が国や地方公共団体の場合は、予算の適正な執行を阻害するため、納税者である国民の利益を損ねることになるのです。

入札談合は厳しく処分される

たとえば、予算30億円の工事の入札にA、B、Cの3社が参加するとします。3社は事前の密談で、今回の工事はA社が29億円で受注することを決めます。入札ではA社が29億円を提示し、B社・C社が29億円以上の価格を提示することで、工事はA社が落札します。そして、落札する会社を入札ごとに交替することで、3社はそれぞれ高額の収入を得ます。

このケースで適正な競争入札が行われていれば、工事は29億円よりずっと安い価格で落札された可能性があります。このような入札談合などの疑いがある場合、「公共工事入札・契約適正化法」の規定により、工事の発注機関は**公正取引委員会**に通知する義務があります。そして、談合を行った業者には罰金などが科せられるほか、入札の指名停止、発注機関からの損害賠償・違約金の請求などの対象となります。

公正取引委員会
独占禁止法を運用するために設置された機関で，独占禁止法の補完法である下請法の運用も行っている国の行政委員会。

近年の例では、リニア中央新幹線の工事で談合が行われていたことが知られています。

入札談合に対する処理の流れ

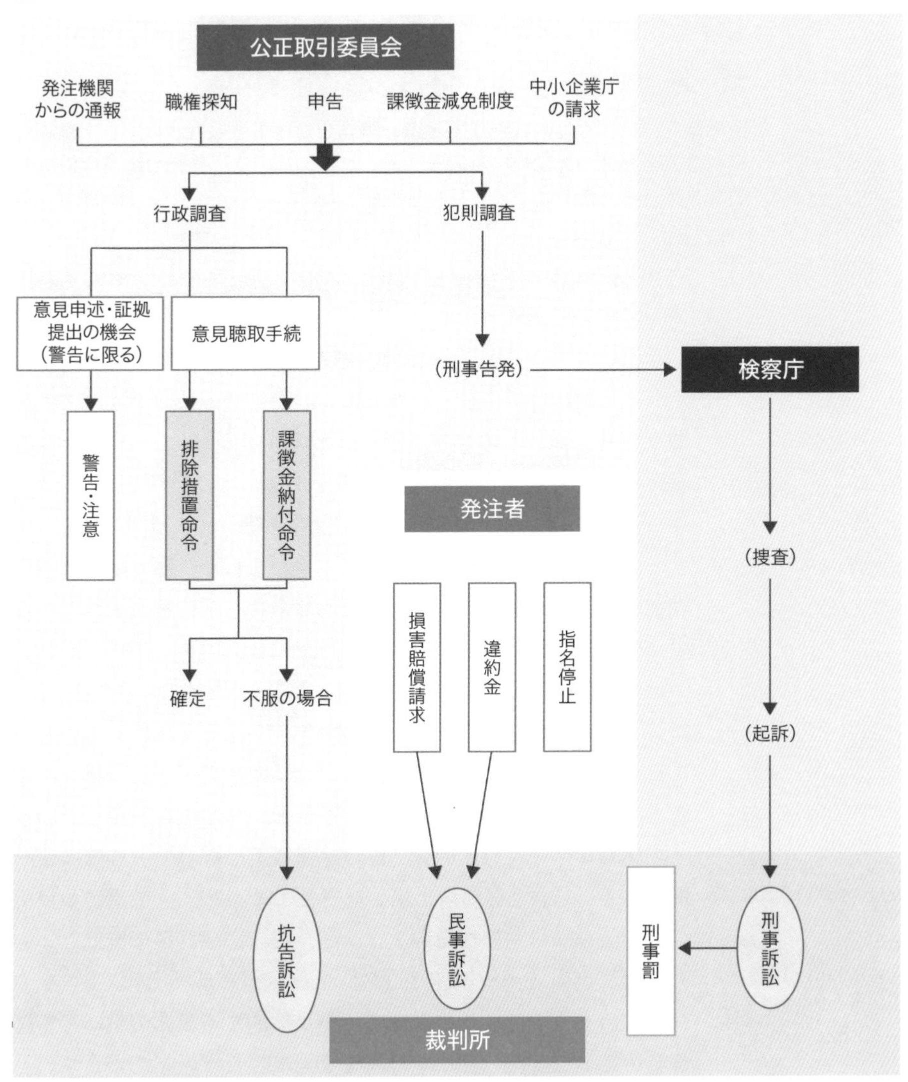

出所：公正取引委員会事務総局「入札談合の防止に向けて〜独占禁止法と入札談合等関与行為防止法〜」をもとに作成

公正取引委員会への通知等件数の推移

(単位：件)

	2017年度	2018年度	2019年度	2020年度	2021年度
通知	7	5	1	6	2
任意通報	357	342	363	228	251

出所：公正取引委員会事務総局「入札談合の防止に向けて〜独占禁止法と入札談合等関与行為防止法〜」をもとに作成

Chapter9
05

3Kの改善

3K（きつい・汚い・危険）のイメージがある土木業界

土木業界では、土に触れたり下水道を整備したりする機会が多く、作業着が汚れることが多いのはやむを得ません。また、高所での作業や建設機械の使用などにより、危険なイメージもあります。

土木業界の3K

3K
きつい・汚い・危険という理由で敬遠される職種に対して使われる俗語。1980年代後半から一般社会で使われるようになり、1989年には流行語になった。

昭和の時代から、労働環境が厳しい職場を表す**3K**（きつい・汚い・危険）という言葉があります。土木業界においては、土を掘ったり、重いものを運んだりなどの作業が「きつい」、作業着が汚れやすく、下水道などの工事があることが「汚い」、高所や建設機械の近くなどでの作業が「危険」という、まさに3Kのイメージを持つ人が多いことは事実です。これが一因で就業者数が増えず、定着率も低いため、慢性的な人手不足に悩まされているのが土木業界の現状です。

その対策として、国土交通省は労働環境のための新3K（給与・休暇・希望）を掲げて、直轄工事でモデル工事を実施しています。たとえば「給与」については、下請企業からの労務費見積を尊重する企業を**総合評価方式**や成績評定において優位に評価しています。休暇については、週休2日の確保状況に応じて労務費などを補正する「週休2日対象工事」を発注しています。希望については、建設現場の生産性を向上させるため、必要経費の計上とともに総合評価方式や成績評定において加減点する「ICT施工」を発注しています。これらによって、中長期的な建設業の担い手を確保し、地域の安全・安心や経済を支えていこうとしています。

総合評価方式
通常の競争入札とは異なり、工事内容が高度で複雑な場合などに、価格だけではなく、技術提案も考慮した上で、受注者を決定する方式。

変わっていく建設労働者の身だしなみ

近年の建設現場では、ファンを内蔵したおしゃれな作業服、スニーカーのような外観の安全靴、通気孔が付いたヘルメットなど、機能性・デザイン性の高い作業着・アイテムを着用する例が増えてきました。これらは現場作業員のイメージを変え、就業者数の増加につながるものとして期待されています。

新3Kへの取組み

従来

・鉄筋間隔の確認は、スケールやメジャーで直接鉄筋を計測。
・計測状況は写真を撮影して保存。

課題

・計測は手間のかかる複数人での作業となっている。

新技術の活用

・撮影した画像中の特徴から鉄筋の位置を検出。
・計測結果はリアルタイムでシステムの画面上に表示。

成果

・システムによる撮影で鉄筋間隔、鉄筋径の確認が可能であり、従来の測定作業から省人化、効率化が見込まれる。
・クラウドを活用することで、検査結果を遠隔からリアルタイムに確認することも可能。

出所：国土交通省「新3Kを実現するための直轄工事における取組」をもとに作成

ファン付き作業服

フードは用途に応じて取外し可能。

首の部分に「通気エアダクトポケット」があり、保冷剤の収納が可能。

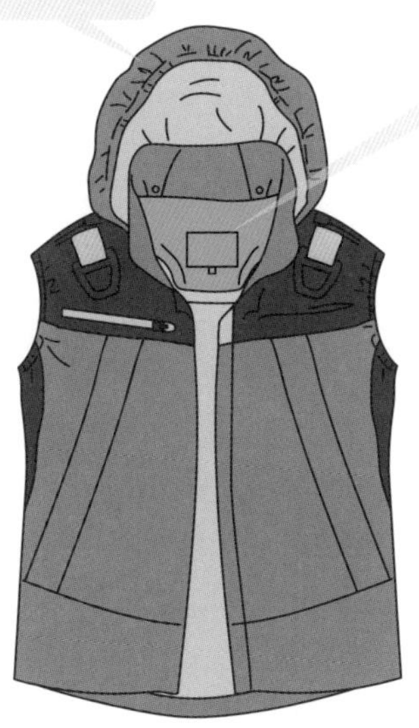

空調コストの削減も期待できる。

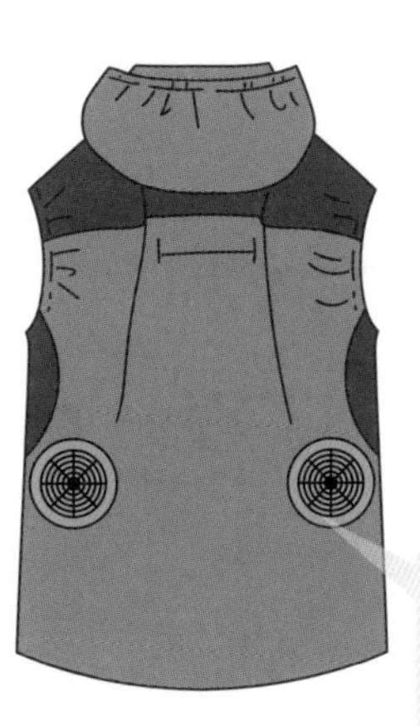

電動ファンにより、衣服内に空気を取り入れて循環させる。

Chapter9 06

変わることが求められている建設業界

建設業界で働く女性の割合は、ほかの業種と比べて決して多くはありません。しかし、建設業界に就職を希望する女性がいることは事実であり、建設業界としても変わるべきことは数多くあります。

建設業界における課題

建設業界では、女性の活躍を支援していくためにも、さまざまな改革が求められています。

とくに重要なのは、女性に適した**ハード環境**の整備（トイレ、更衣室、作業着、工具）の導入でしょう。建設現場において、女性用のトイレや更衣室が用意されているか否かは、就業する女性労働者にとっては非常に大きな問題です。また、作業服、安全帯、ヘルメット、安全靴なども、女性向けのサイズを揃えることを念頭にして準備する必要があります。

加えて、家庭との両立を配慮した就労時間の見直しにも課題があります。育児の都合で始業時間が遅くなる、子どもの病気で急に現場を離れなければならない、といったことも起こりえます。このようなケースで、女性労働者をサポートできる環境の整備が不可欠です。また、育休後に昇進が遅れないなどの柔軟な人事制度の整備をはじめとして、女性の**ロールモデル**をつくり、将来像を描ける社内の制度づくりも大切です。

ハード環境
ハードは施設や設備などの形ある要素。ハード環境はそれらが揃った環境のこと。

ロールモデル
技術、行動、考え方などが優れており、他人の模範となる人物のこと。

女性が活躍できるようにする取組み

女性が活躍できるよう、国も**助成金制度**を整備しています。たとえば、作業員宿舎等設置助成コース（建設分野）では、女性の建設労働者専用のトイレ、更衣室、シャワー室、浴室を賃借する事業者に対して、国が費用の一部を助成します。

また、令和２年には、「女性の定着促進に向けた建設産業行動計画」が策定されました。この計画では、建設産業における女性の定着促進に向けて「働きつづけられるための環境整備」を中心に、官民一体となった取組みが挙げられています。今後も女性の活躍に向けた取組みが継続されることが期待されています。

助成金制度
厚生労働省が実施する、雇用の安定、職場環境の改善、仕事と家庭の両立支援、従業員の能力向上などの取組みに対し、その費用を一部助成してくれる制度。

現在の就業者数および採用人数に占める女性比率（職種別）

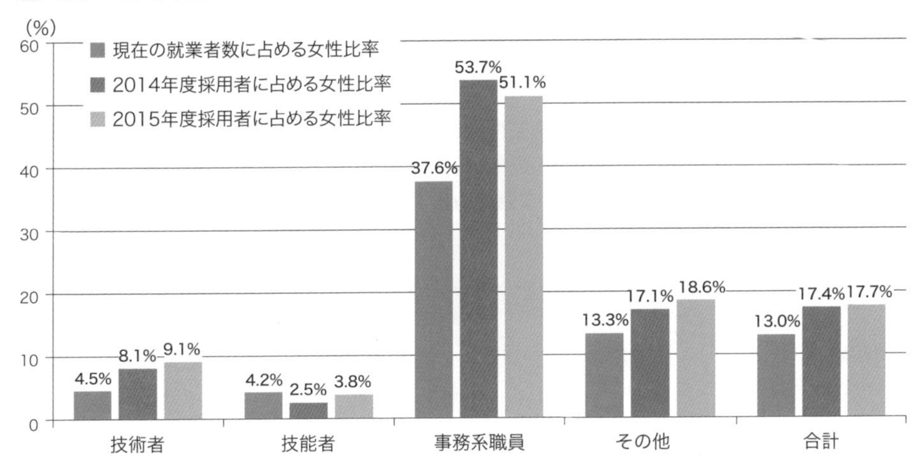

出所：国土交通省（事務局 一般財団法人建設業振興基金）「建設業における女性の活躍推進に関する取組実態調査」（平成27年12月）をもとに作成

女性の建設労働者に関する助成制度

●助成金名

人材確保等支援助成金：作業員宿舎等設置助成コース（建設分野）
女性専用作業員施設設置経費助成

●受給対象

中小元方建設事業主（「建設の事業」の雇用保険率が適用される事業主に限る）

●対象事業

中小元方建設事業主が施工管理を行う工事現場で作業等を行う女性の建設労働者専用の作業員施設を賃借する事業

〈対象となる作業員施設の種類〉
・トイレ　・更衣室　・シャワー室　・浴室

●助成額

助成額＝対象経費×助成率

〈対象経費・対象外費用〉

対象経費	対象外経費
・作業員施設の本体に係る賃借料 ・資機材の搬入に係る運搬費 ・施設の設置、備え付け又は組立に係る工事費 ・施設の設置基礎、付帯施設に係る工事費 ・施設内の備え付けの備品費	・権利金、敷金、礼金、補償金その他これに類するもの ・資機材の搬出に係る運搬費 ・維持管理費、返却時の欠損費用、撤去費、光熱水費、管理費、共益費、駐車場代

・支給対象および期間
　1か月以上12か月以下（女性の建設労働者の就労日数が10日に満たない月については助成対象外）

・助成率
　3/5（生産性要件を満たす場合は3/4）

・上限額
　1事業年度あたり60万円が上限

出所：厚生労働省都道府県労働局「人材確保等支援助成金のご案内 作業員宿舎等設置助成コース（建設分野）女性専用作業員施設設置経費助成」をもとに作成

Chapter9
07

ICT・AIを活用した技術革新

土木業界のこれからを支える技術革新

ICTやAIなどのIT用語が日常的に使われるようになってきましたが、土木業界においても徐々に浸透しています。ここでは、土木業界で現在使用されている技術などについて紹介します。

大きく分けて2つの機能があるICT建機

ICT建機
(5-04参照)

3次元設計データ
(5-04参照)

ICT建機には、MC(マシンコントロール)とMG(マシンガイダンス)があり、重機の制御機能に関する違いがあります。

MCとは、建機の位置情報と現場の設計データを活用し、建機を半自動制御するシステムのことです。ICT建機に3次元設計データを搭載することで、バケット・ブームの複合動作を半自動制御できます。経験が浅いオペレーターでも操縦が可能です。

MGとは、建機と目的地(設計データ)の位置関係をモニター上に表示することで、オペレーターを案内(ガイダンス)するサポート的なシステムです。そのため、MCのような半自動制御機能がなく、モニターを見ながらオペレーター自らの操縦が必要です。反面、詳細な情報が提供されているため、確認作業が不要で、しかも高精度の施工ができます。

AIを活用したひび割れ自動検出システム

AIを活用することにより、設計業務、施工業務、点検業務といったさまざまな業務で効率化を図ることが可能です。

たとえば、富士フィルム株式会社が開発した社会インフラ画像診断サービス「ひびみっけ」は、コンクリート構造物の写真からチョークまたはひび割れを自動検出するソフトウェアサービスです。従来は、人による近接目視点検の記録で対応していましたが、この技術の活用によってスケッチに関わる作業を省略でき、省力化による施工性および経済性の向上を図ることができます。現場作業としては、現場で複数枚の写真を撮影するだけで作業が完了するため、かなりの手間を省略できます。

MCとMG

MC（マシンコントロール）	MG（マシンガイダンス）
3次元設計データをICT建機に搭載	建機と目的地の位置関係をモニター上に表示
↓	↓
バケット・ブームの複合動作を半自動制御	オペレーターに詳細な情報を提供
↓	↓
経験が浅いオペレーターでも操縦が可能	オペレーターは、効率的で精度の高い施工ができる

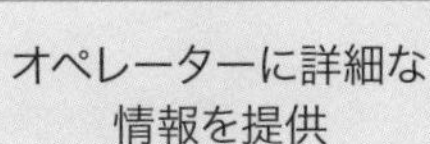

MCは半自動制御、MGはサポート的なシステムです。

社会インフラ画像診断サービス「ひびみっけ」

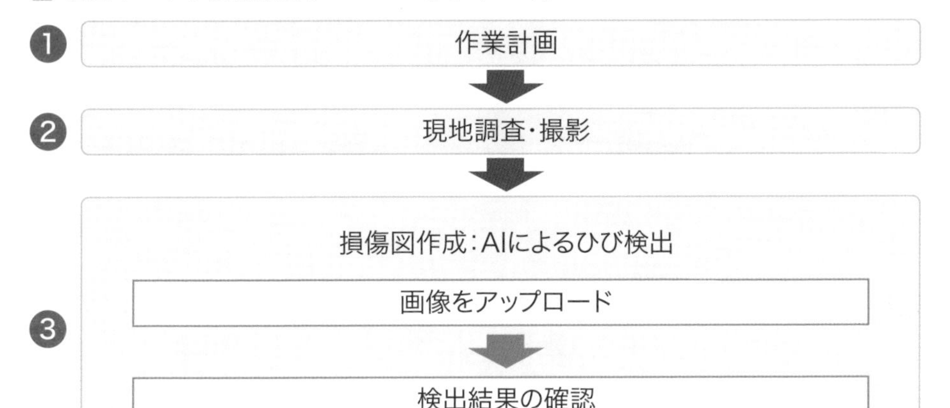

出所：富士フイルム株式会社

Chapter9
08

DXは土木業界でどのように活用されているのか？

土木業界におけるDXの例として、BIM/CIM、ICT建機、ドローン、AIの活用などが挙げられます。DX化によって、土木業界の課題である人手不足や安全性といった問題の解決が期待されます。

DX
Digital Transformationの略。企業がビジネス環境の激しい変化に対応し、データとデジタル技術を活用して、顧客や社会のニーズをもとに、製品やサービス、ビジネスモデルを変革するとともに、業務そのものや、組織、プロセス、企業文化・風土を変革し、競争上の優位性を確立すること。

DXを加速させる2つの動機

近年、テクノロジーの目覚ましい進化により、多くの業界でDXが推進されています。土木業界でもDX化への動きが加速していますが、そこには2つの大きな動機が存在しています。

1つは、2024年4月以降に適用される、建設業界への時間外労働の上限規制です。これにより、原則として時間外労働を月45時間以内、年間360時間以内に収める必要があり、長時間労働が常態化している土木業界にとっては解決の難しい問題です。

もう1つは、現在就業している技能者の高齢化に伴う大量離職です。若手の入職・定着が進まない人材不足の状況も重なり、今後増加するインフラ設備の老朽化に対応していくことは困難といえます。

これらの問題を解決するための手段として注目されているのがDX化です。DX化によって、長時間労働を解消するための業務の効率化や、機械化・省人化など、人手や技術力の不足を補うサポートが期待できます。

土木業界におけるDX

土木業界におけるDXについては、本書でもさまざまな例を紹介しています。

BIM/CIM、鹿島建設の「A^4CSEL（クワッドアクセル）」のような重機の自動化、ICT建機、ドローンの活用、3Dプリンター、AIによるコンクリート構造物の診断など、これらはすべてDXといえるものです。近年、これらの技術は急速に発展してきており、従来の施工や点検方法などを大きく変えています。

CIM モデルを活用した施工計画

効果①	効果②	効果③
CIMモデルの活用による可視化により、施工調整の日数が通常の2次元図面と比べて20日程度短縮。	CIMモデルの活用により、架空線および立木と架設機材の隔離の事前確認が可能。	現況と図面および測量結果から作成したCIMモデルを統合して、図面と現場との不整合箇所を確認し、施工調整を実施。

出所：国土交通省国土技術政策総合研究所「BIM/CIM事例集ver.1」をもとに作成

土木業界におけるDX

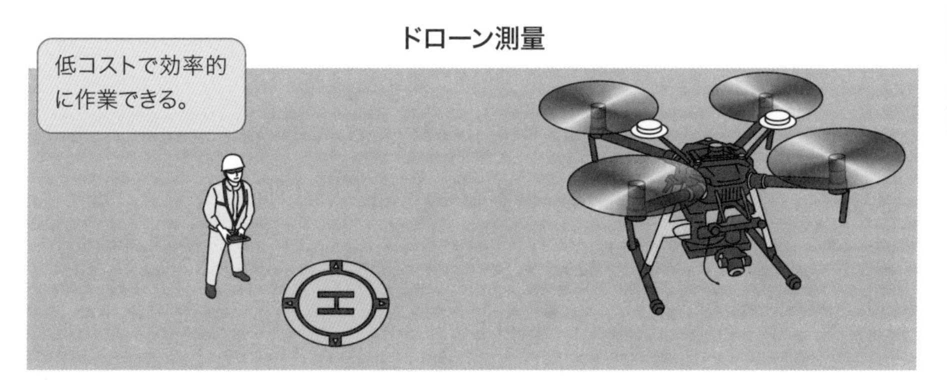

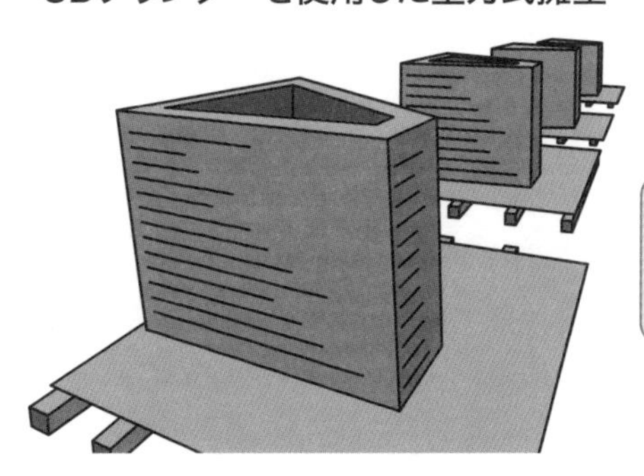

建設業働き方改革加速化プログラム

建設業の働き方改革を一段と強化する施策

建設業働き方改革加速化プログラムとは、建設業における週休2日の確保を始めとした働き方改革をさらに加速させるため、国土交通省が策定した計画のことです。

建設業働き方改革加速化プログラムとは

「建設業働き方改革加速化プログラム」は、2018年に国土交通省によって策定されたプログラムです。このプログラムが策定された当時、建設業界は全産業平均と比較して年間300時間以上の長時間労働となっており、他産業では一般的な週休2日制も十分に確保されていない状況でした。このような状況を改善すべく、建設業の働き方改革を一段と強化する取組みとして、建設業働き方改革加速化プログラムが策定されました。

プログラムの主な内容

プログラムの内容は、大きく3つに分けられます。

1つ目の「長時間労働の是正」は、長時間労働の是正と週休2日の確保が目的です。2024年4月から始まる**罰則付きの時間外労働規制の施行の猶予期間**を待たずに、週休2日の対象工事の拡大と、その実施に伴う必要経費を計上するとしています。

2つ目の「給与・社会保険」は、技能・経験にふさわしい処遇（給与）と、社会保険加入の徹底に向けた環境の整備が目的です。具体的には、①発注関係団体・建設業団体に対して、労務単価の活用や適切な賃金水準の確保と、**建設キャリアアップシステム**と技能者の能力評価制度の構築、②すべての発注者に対して、工事施工は下請の建設企業を含めて社会保険加入業者に限定するよう要請、③社会保険に未加入の建設企業に対して、建設業の許可・更新を認めないしくみの構築、などの要項を挙げています。

3つ目の「生産性向上」では、i-Constructionの推進などを通じ、建設生産システムのあらゆる段階におけるICTの活用などにより生産性の向上を図ることが挙げられました。

時間外労働規制の猶予期間
時間外労働規制については、大企業では2019年、中小企業では2020年4月から施行されているが、建設業などについては、2024年4月からの施行とされている。

建設キャリアアップシステム
(9-11参照)

建設業働き方改革加速化プログラムの内容

長時間労働の是正

給与、社会保険に関する環境の整備

ICTの活用等による生産性の向上

処遇改善が図られる環境の整備

①技能者情報等の登録

【事業者情報】	【現場情報】	【技能者情報】
・商号 ・所在地 ・建設業許可情報　など	・現場名 ・工事の内容　など	・本人情報 ・保有資格 ・社会保険加入状況　など

②カードの交付・現場での読取

技能者へカードを交付する。

現場入場の際に読み取りを行う。

③システムによる就業履歴の蓄積

技能者の就業履歴が蓄積される。

技能者の保有資格や社会保険の加入状況をシステム上で確認できる。

システムに登録・蓄積された情報を活用し、技能者の処遇改善が図られる。

出所：国土交通省「建設キャリアアップシステムと技能者の能力評価制度の構築」をもとに作成

地方の建設業者の廃業

Chapter9 10

減っていく建設業者
高齢化が進む建設業界

建設業界は高齢化が進んでいますが、高齢になった社長がいつまでも会社を経営できるわけではありません。後継者がいないため、廃業を余儀なくされる建設業者も出てくると予想されます。

今後も減少する可能性がある建設業者

国土交通省が毎年発表している「建設業許可業者数の調査」によると、2022年度の許可業者数は前年と比べて345業者の減少となっています。これは5年ぶりの減少です。ちなみに、建設業許可業者数が最も多かったのは1999年度ですが、当時と比べて126,032業者が減少しています。

また、廃業等業者数は2022年度に16,749業者でした。そのうち、建設業を廃業した旨の届出を行った業者は7,476業者です。

2017年度から2021度にかけて、建設業許可業者が増えています。ただし、これには近年のコンプライアンス意識の高まりから、建設業許可を取得する建設業者が増えているという背景があり、業界の法人数の増加とイコールではありません。

この調査の結果と、毎年数千の建設業者が廃業している現状を合わせて考えると、高齢化や後継者不足などさまざまな理由による廃業は今後も増えると予想されます。

増加する地方での廃業

建設業許可業者数が最も多かった1999年度と2022年度の数を比較したところ、全ての都道府県で減少しています。とくに、秋田県、宮崎県、群馬県、山口県、徳島県、長野県など地方での減少率が高いことがわかります。

後継者がいないまま経営者が高齢化してしまうと、会社の存続は難しくなっていきます。そのため経営者には、早い時期から後継者を育てるための社内のしくみづくりや、**事業を承継**してくれる会社を見つけるなどの対策が求められています。

事業承継
事業承継には、親族や従業員が承継する以外にも、M&A（Mergers and Acquisitions、買収・合併）などの手法も存在する。

許可業者数等の推移

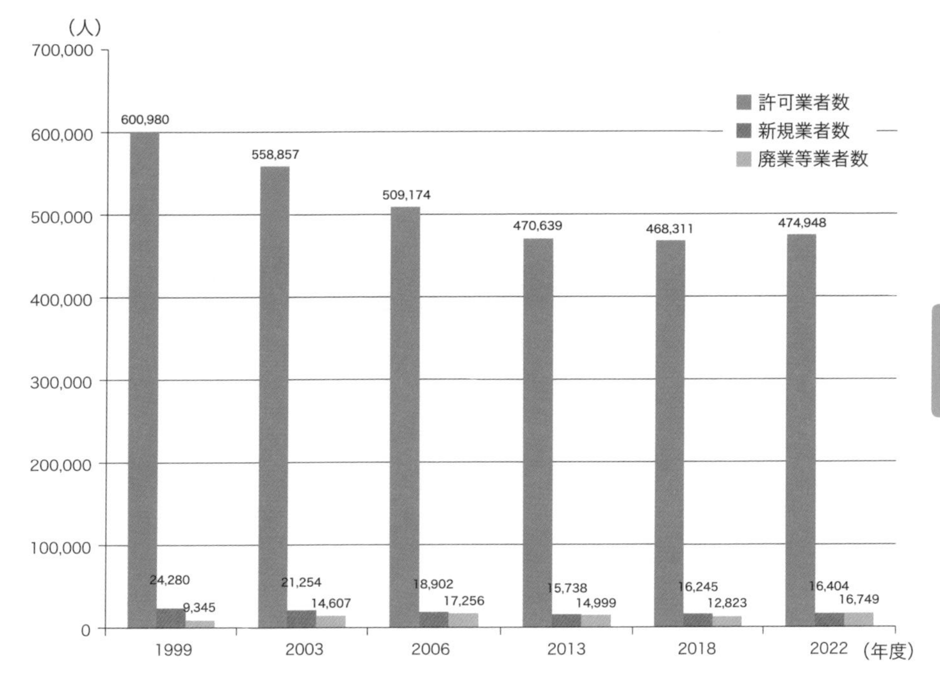

出所：国土交通省「建設業許可業者数調査の結果について－建設業許可業者の現況（令和５年３月末現在）－」をもとに作成

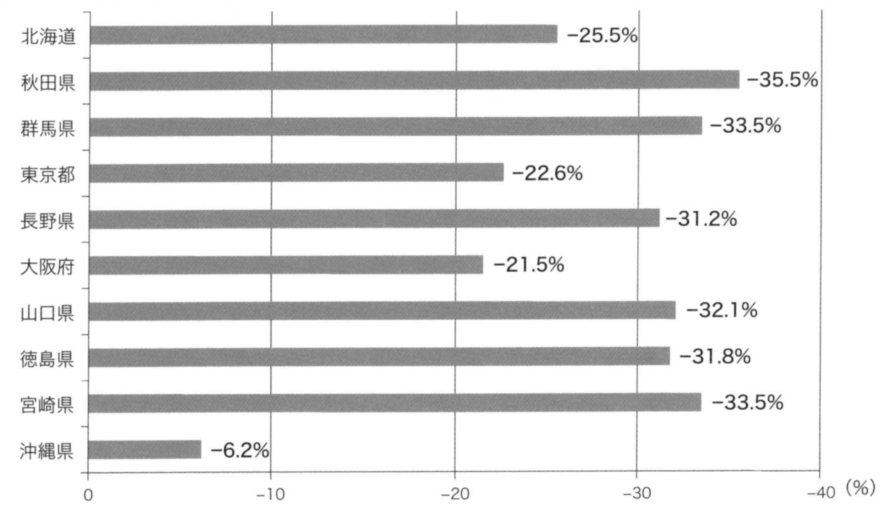

出所：国土交通省「建設業許可業者数調査の結果について－建設業許可業者の現況（令和５年３月末現在）－」をもとに作成

Chapter9
11

建設キャリアアップシステム（CCUS）

国土交通省が主導する施工能力の見える化システム

建設業界では現在、運転免許証のような顔写真入りのカードを全技能者に配布し、技能者が建設現場ごとに就業履歴を蓄積できる建設キャリアアップシステムの導入を目指しています。

建設キャリアアップシステムとは

建設キャリアアップシステム（CCUS：Construction Career Up System）とは、平成31年4月から運用を開始した、建設現場ごとに**技能者**の就業履歴を蓄積できるシステムのことです。

建設現場の従事者が技能者として登録すると、顔写真入りの建設キャリアアップカードというICカードが発行されます。これを現場に備え付けのカードリーダーにかざすと、「いつ」「どこの現場」「どの職種」「どんな立場（職長など）」で働いたのかなどの情報を就業履歴として電子的に記録・蓄積ができます。これにより、登録された情報をもとに、一人ひとりの技能者を適切に評価できるようになります。また、技能者の処遇の改善に結びつけることや、優秀な技能者を抱える専門工事業者の施工能力を見える化することもできます。

技能者
建設キャリアアップシステムにおける「技能者」は、現場に従事する可能性がある人を指す。そのため、現場に出る機会のある社長や役員がCCUSカードを保有していることもある。

徐々に浸透するCCUS

国土交通省は、令和5年度に民間工事を含めたすべての工事でCCUSを原則化させる方針でした。そのため、早期の登録者に対しては、最上位のレベル4のゴールドカードが取得しやすいようにしました。また、技能者登録をした人に対して、飲食店でのドリンクサービスや資格取得講座における受講料の割引制度を提供したり、経営事項審査におい、さらに加点になるしくみを作るなど、さまざまな工夫を凝らしています。その結果、現在では技能者の登録者数が100万人を超え、さらに増加している状況です。

国土交通省では、これまでは登録者数を増やすことを重視していました。今後は、実際に建設現場で運用してもらえる体制づくりに取り組んでいます。

建設キャリアアップシステムとは

システムへの登録

資格・勤務先や社会保険加入状況などを登録し、CCUSカードの交付を受ける。

就業履歴の蓄積

現場に設置されたカードリーダーなどでCCUSカードを読み取る。

技能者の技能・経験を評価

レベルに応じた色のCCUSカードを技能者に交付。手当や給与に反映する環境整備。

専門工事業の施工能力のPR

所属する技能者のレベル・人数などに応じて、施工業者の施工能力を評価・公表する。

CCUSカード（ゴールドカードの例）

出所：一般財団法人建設業振興基金「建設キャリアアップシステムCCUSをご存じですか？」をもとに作成

建設キャリアアップシステム登録状況

（単位：人）

	2023年7月登録数	登録状況		
		2023年7月末	2023年3月末	2023年度（累計）
技能者	23,708	1,241,884	1,140,762	101,122
事業者	3,644	234,642	217,537	17,105
一人親方除く	2,143	157,973	147,850	10,123

出所：一般財団法人建設業振興基金建設キャリアアップシステム事業本部「建設キャリアアップシステムの運営状況について」をもとに作成

スーパーゼネコンのグループ会社

鹿島のグループ会社

設計コンサルタント

建物・外構の設計、施工、コンサルティングなどを行う。

- (株)イリア
- (株)アルモ設計
- (株)アルテス
- (株)ランドスケープデザイン　など

運営・管理

オフィス、物流施設、生産工場、研究施設、データセンターなど、さまざまな建物の管理などを行う。

- 鹿島建物総合管理(株)
- 鹿島八重洲開発(株)　など

開発事業

テナントリーシング(施設開発企画、リニューアル計画)、販売促進活動(イベント、広告宣伝の企画)などを行う。

- 鹿島東京開発(株)　など

施工

道路・橋梁・空港などの施工や施工管理などを行う。

- 鹿島道路(株)
- 鹿島クレス(株)　など

サービス、商品販売

用度品の販売、研修支援、保険販売、建設関係式典の支援などを行う。

- 鹿島サービス(株)　・鹿島リース(株)

清水のグループ会社

施工・設計

専門工事の施工や施工支援、設計などを行う。

- (株)エスシー・プレコン
- (株)エスシー・マシーナリ
- (株)ピーディーシステム　など

開発・不動産事業

分譲住宅開発、マンション管理、資産運用などを行う。

- 清水総合開発(株)
- 清水建設不動産投資顧問(株)　など

サービス関連事業

宇宙開発やビル管理事業などを行う。

- (株)シー・エス・ピー・ジャパン　・(株)トータルオフィスパートナー　など

大林組のグループ会社

施工

舗装工事、内装工事の建設工事などを行う。

・大林道路（株）
・内外テクノス（株）
・特研メカトロニクス（株）　など

設計

建築図面作成、CG製作などを行う。

・（株）大林デザインパートナーズ
・（株）アトリエ・ジーアンドビー　など

不動産・開発事業

分譲住宅、分譲マンションや賃貸マンション事業などを行う。

・大林新星和不動産（株）　など

管理

建物の総合管理や省エネルギー診断・コンサルティングなどを行う。

・大林ファシリティーズ（株）　など

産業廃棄物

相馬火力発電所から排出される石炭灰（産業廃棄物）の収集運搬を行う。

・相馬環境サービス（株）　など

その他事業

コンピューターソフトウエア開発・販売、電子機器販売・賃貸を行う。

・オーク情報システム（株）　など

大成建設のグループ会社

施工

舗装工事、設備工事、マンション建設、戸建住宅建設、リニューアル工事などを行う。

・大成ロテック（株）
・大成ユーレック（株）　など

開発・不動産事業

ビルマンション管理、不動産の売買・賃貸・仲介、商業施設等の保有・賃貸などを行う。

・大成有楽不動産販売（株）
・大成有楽不動産（株）　など

物流

物流関係のコンサルティングなどを行う。

・ネットワーク・アライアンス（株）　など

付録

インボイス制度と土木業界

インボイス制度

「インボイス」とは、事業者間でやり取りされる消費税額等が記載された請求書や領収書等のことで、事業者が消費税の納税額を計算する際に必要となります。

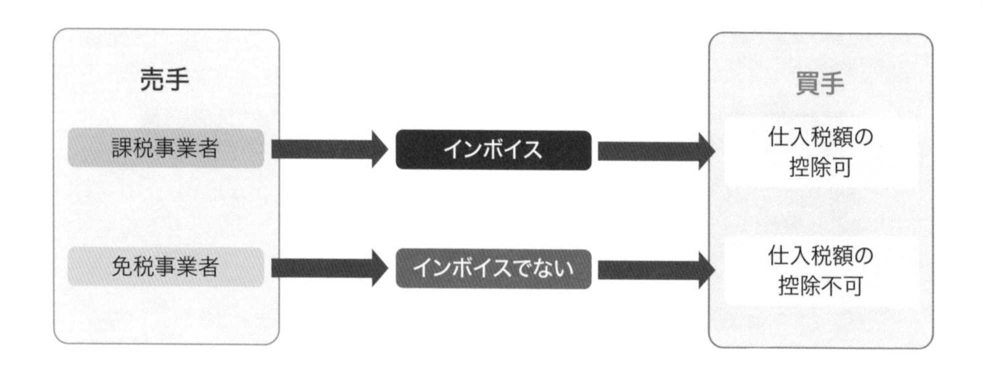

仕入税額控除とは

仕入税額控除とは、消費税を計算する際に課税売上の消費税額から課税仕入れの消費税額を差し引きできるしくみのことです。

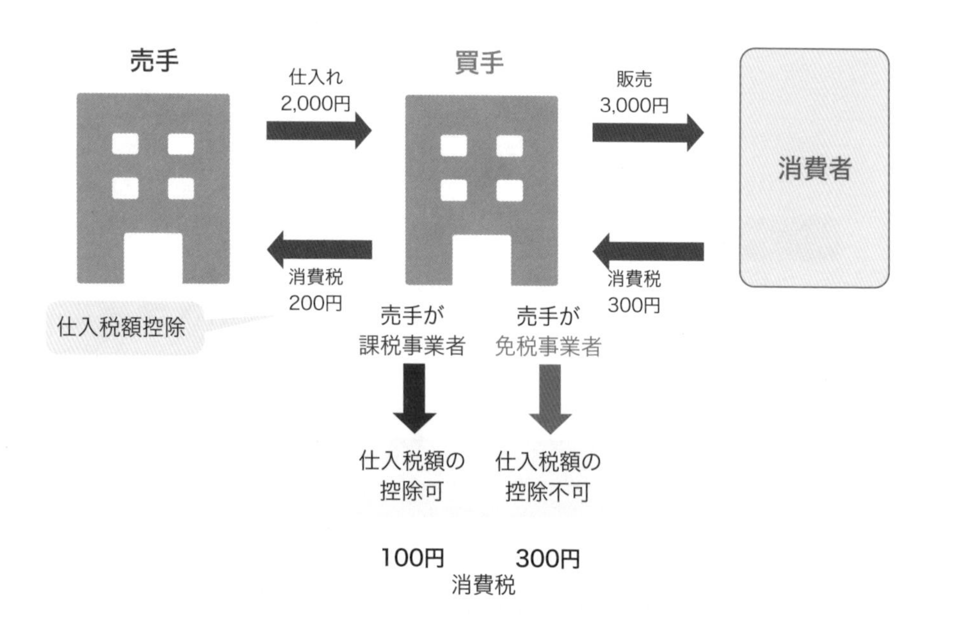

事業形態の見直しを迫られる「一人親方」

労働者を使用せずに事業を行う者を一人親方といいます。

インボイス制度では、事業者が免税事業者と課税事業者に区別されるため、免税事業者の多い一人親方には大きな影響があります。それぞれのメリットとデメリットを考慮して、事業形態について判断することが求められます。

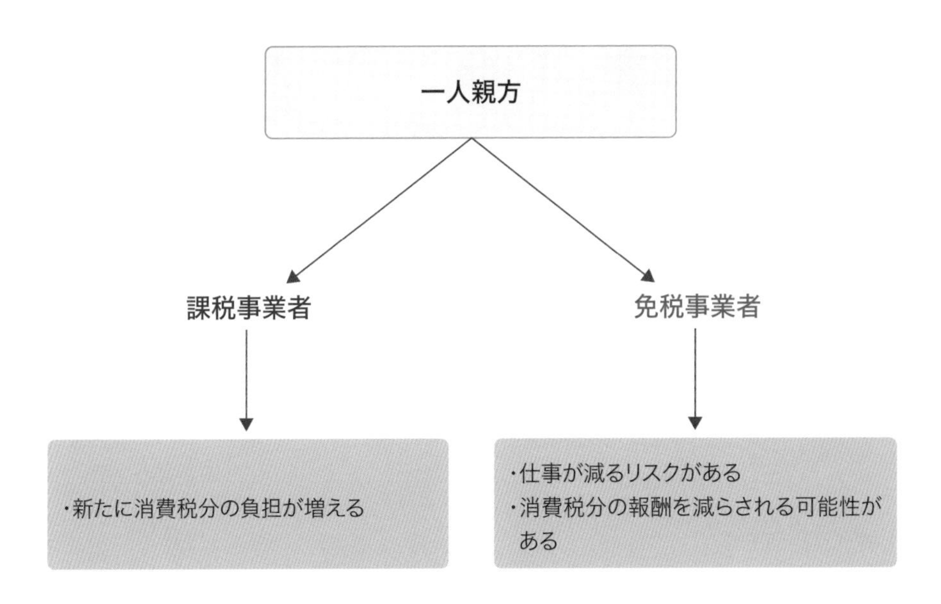

課税事業者になった一人親方が注意したいポイント

一人親方の場合、経理業務なども自身でこなす必要があるため、インボイスに伴う経理業務の負担増に注意が必要です。

経費処理の複雑化	消費税の納税
消費税の計算が必要になるため、処理が複雑化する。	消費税の納税によって、手元に残る金額が減少する可能性が高いため、コスト管理が求められる。

参考文献

田中輝彦／渡邊英一他（2010年）**「図解・橋の科学　なぜその形なのか？どう架けるのか？」**（講談社）

「土木施工の実際と解説」編集委員会（2023年）**「土木施工の実際と解説」**（建設物価調査会）

大成建設「トンネル」研究プロジェクトチーム（2014年）**「最新！トンネル工法の“なぜ”を科学する」**（アーク出版）

「造園がわかる」研究会（2023年）**「造園がわかる本」**（彰国社）

参考URL

株式会社NIPPO

https://www.nippo-c.co.jp/

鹿島建設株式会社

https://www.kajima.co.jp/

日本道路株式会社

https://www.nipponroad.co.jp/

戸田建設株式会社

https://www.toda.co.jp/

東亜道路工業株式会社

https://www.toadoro.co.jp/

株式会社大林組

https://www.obayashi.co.jp/

大成建設株式会社

https://www.taisei.co.jp/

清水建設株式会社

https://www.shimz.co.jp/

前田建設工業株式会社

https://www.maeda.co.jp/

五洋建設株式会社

https://www.penta-ocean.co.jp/

東鉄工業株式会社

https://www.totetsu.co.jp/

株式会社ピーエス三菱

https://www.psmic.co.jp/

インフロニア・ホールディングス株式会社

https://www.infroneer.com

ショーボンドホールディングス株式会社

https://www.sho-bondhd.jp

索引

英数字

あ行

か行

さ行

た行

な行

は行

ま行

や行

ら行

著者紹介

浜田 佳孝（はまだ よしたか）

社会保険労務士・行政書士浜田佳孝事務所代表。Hamar合同会社代表社員。1989年兵庫県淡路島生まれ。法学部出身でありながら、市役所勤務時代に、土木技術の素晴らしさに感銘を受け、研鑽を積み、道路築造工事などの設計や監督員の業務を経験。現在は、「建設業専門」の社会保険労務士・行政書士として、許認可の取得や人事労務関連の手続き業務のみならず、「建設業の働き方改革」や安全衛生関連など現場を支援するためのさまざまなサービスを展開している。また、自社のYouTubeチャンネルにて、建設業の経営者に向けた情報発信を行っている。

■装丁　井上新八
■本文デザイン　株式会社エディポック
■本文イラスト　関上絵美・晴香／イラストAC
■担当　田村佳則
■編集／DTP　株式会社エディポック

図解即戦力
土木業界のしくみとビジネスがこれ1冊でしっかりわかる教科書

2023年12月15日　初版　第1刷発行

著　者　浜田　佳孝
発行者　片岡　巌
発行所　株式会社技術評論社
東京都新宿区市谷左内町21-13
電話　03-3513-6150　販売促進部
　　　03-3513-6160　書籍編集部
印刷／製本　株式会社加藤文明社

ISBN978-4-297-13873-8 C0034　Printed in Japan

◆お問い合わせについて

・ご質問は本書に記載されている内容に関するもののみに限定させていただきます。本書の内容と関係のないご質問には一切お答えできませんので、あらかじめご了承ください。
・電話でのご質問は一切受け付けておりませんので、FAXまたは書面にて下記問い合わせ先までお送りください。また、ご質問の際には書名と該当ページ、返信先を明記してくださいますようお願いいたします。
・お送りいただいたご質問には、できる限り迅速にお答えできるよう努力いたしておりますが、お答えするまでに時間がかかる場合がございます。また、回答の期日をご指定いただいた場合でも、ご希望にお応えできるとは限りませんので、あらかじめご了承ください。
・ご質問の際に記載された個人情報は、ご質問への回答以外の目的には使用しません。また、回答後は速やかに破棄いたします。

◆お問い合せ先

〒162-0846
東京都新宿区市谷左内町21-13
株式会社技術評論社　書籍編集部
「図解即戦力
土木業界のしくみとビジネスがこれ1冊でしっかりわかる教科書」係
FAX：03-3513-6167
技術評論社ホームページ
https://book.gihyo.jp/116